PREGAÇÃO & PREGADORES

PREGAÇÃO & PREGADORES

D. Martyn Lloyd Jones

Tradução: João Bentes Marques

FIEL
Editora

L793p Lloyd-Jones, David Martyn.
        Pregação e pregadores/ Martyn Lloyd-Jones ; [traduzido por João Bentes Marques].– 2. ed. – São José dos Campos, SP : Fiel, 2008.

        304 p. ; 23cm.
        Tradução de: Preaching and preachers.
        ISBN 9788599145418

        1.Pregação. I. Título.

                                                        CDD: 251

Catalogação na publicação: Mariana C. de Melo – CRB07/6477

PREGAÇÃO E PREGADORES

Traduzido do original em inglês:
Preaching and Preachers
Publicado em Inglês por Zondervan em 1972
Copyright © 1971 Dr. D. Martyn Lloyd Jones

∎

Traduzido e impresso com permissão de Dr. D. Martyn Lloyd Jones.
Copyright © Editora Fiel 1976

∎

Primeira edição em português: 1984.
Segunda edição em português: 2008.

Todos os direitos em língua portuguesa reservados por Editora Fiel da Missão Evangélica Literária
PROIBIDA A REPRODUÇÃO DESTE LIVRO POR QUAISQUER MEIOS, SEM A PERMISSÃO ESCRITA DOS EDITORES, SALVO EM BREVES CITAÇÕES, COM INDICAÇÃO DA FONTE.

∎

Diretor: Tiago J. Santos Filho
Editor: Tiago J. Santos Filho
Tradução: João Bentes Marques
Alexandre Meimarides e Marilene Paschoal
Revisão 2a edição: Wellington Ferreira; Tiago Santos
Diagramação e arte final: Edvânio Silva
ISBN impresso: 978-85-99145-41-8
ISBN e-book: 978-85-8132-461-6

FIEL Editora

Caixa Postal 1601
CEP: 12230-971
São José dos Campos, SP
PABX: (12) 3919-9999
www.editorafiel.com.br

ÍNDICE

Prefácio à Edição em Português: 7

Prefácio 11

Capítulos:
01 __ A Primazia da Pregação 15
02 __ Não há Substitutos 29
03 __ O Sermão e a Pregação 47
04 __ A Forma do Sermão 65
05 __ O Ato da Pregação 81
06 __ O Pregador 97
07 __ A Congregação 115
08 __ O Caráter da Mensagem 135
09 __ O Preparo do Pregador 155
10 __ A Preparação do Sermão.. 173
11 __ A Estrutura do Sermão 191
12 __ Ilustrações, Eloquência, Humor... 209
13 __ O Que Evitar 227
14 __ Apelando por Decisões 247
15 __ Os Ardis e o Romance.. 263
16 __ "Demonstração do Espírito e de Poder" 283

PREFÁCIO À EDIÇÃO EM PORTUGUÊS:

Como é possível descrever em palavras a importância da pregação? Todos os atos do culto são importantes e foram ordenados por Deus, mas o apóstolo Paulo destaca a profecia como o ato de maior importância no culto público, justificando que este é o meio pelo qual a Igreja é edificada (1Co 14.5). Além disso, sua importância é ainda muito mais atestada pelo fato de ser este o único meio pelo qual a fé é comunicada ao coração do pecador (Rm 10.13-17).

Neste livro maravilhoso, o Dr. Martyn Lloyd-Jones trata desse assunto vital para a ampliação do Reino de Deus e a edificação da Igreja, tocando o sistema nervoso central do evangelicismo moderno, ao questionar o desprezo por esse meio de graça tão eficaz.

Em nossos dias, temos desprezado drasticamente este extraordinário meio de graça. As igrejas dão mais importância ao louvor, escola dominical, teatro, coreografias, filmes, uso de projetor multimídia, etc. Quase ninguém mais se dispõe a ficar mais do que meia hora ouvindo alguém pregar! Além do mais, o pouco de pregação que temos é comprometida em seu conteúdo. Sermões extemporâneos, temáticos cuja escolha dos textos é feita na base da "caixinha de promessas", com versículos tidos como agradáveis e fora de contexto, são utilizados para auto-ajuda. E ainda pensam que, em ocasiões especiais, não há problema algum em substituir a pregação por cantatas, apresentação de orquestras e corais.

Muito dessas práticas vem de um entendimento equivocado a respeito de como Deus opera a salvação de pecadores. É comum pensar que a evangelização pode ser feita através da música e que pecadores podem se converter ouvindo hinos, corinhos, conjuntos e corais, filmes e apresentação teatral. Mas não é isso que a Bíblia diz. O único instrumento mencionado nas Escrituras que o Espírito

Santo usa para infundir fé no coração do eleito de Deus é a pregação. O texto de Romanos diz: "*Como ouvirão, se não há quem pregue*" (Rm 10.14). Então, poderia se dizer: "Bem não há quem pregue, mas há quem cante, faça teatro, projete filmes..." Contudo, o texto continua e diz: "...a fé vem pela pregação!" E o apóstolo Pedro confirma, dizendo: "...fostes regenerados não de semente corruptível, mas de incorruptível, mediante a palavra de Deus..." (1 Pe 1.23).

Pregação e Pregadores é extremamente oportuno para o nosso tempo, ao colocar em cheque a figura do pregador. Quais seriam as qualificações de um pregador? Hoje os mais apreciados são aqueles que divertem o povo, manipulam suas emoções, afirmam sempre coisas agradáveis e não comprometem a sua auto-estima. Devem ser bem preparados na arte de divertir e impressionar; e, para isso o recurso mais usado são as experiências, histórias comoventes e frases de efeito. A mera exposição do texto não é excitante... A vida pessoal do pregador, sua piedade, honradez, vida frugal, humildade não têm a menor importância. Ele pode ter má fama, extorquir o povo, mas agrada quando fala e é idolatrado! Como isso está distante do que ensina a Palavra de Deus sobre os pregadores e ministros do Evangelho! O puritano John Bunyan, em seu livro *O Peregrino*, descreve a figura do pregador de forma exuberante. O Intérprete o conduziu a um quarto e pediu que seu servo abrisse uma porta. Através dela, "Cristão viu pendurado em uma das paredes o quadro de uma pessoa bem séria. Era assim: tinha os olhos erguidos ao céu, o melhor dos livros em sua mão; a Lei da Verdade estava escrita em seus lábios, e suas costas, voltadas para o mundo; estava de pé, como quem suplica aos homens, e havia uma coroa de ouro sobre sua cabeça. Cristão indagou: Que significa isto? Intérprete: O homem retratado nesse quadro é uma raridade; ele pode gerar filhos, ter dores de parto por eles e amamentá-los, depois que nascem. Você o vê, com os olhos voltados ao céu, tendo o melhor dos livros em sua mão e a Lei da Verdade escrita em seus lábios, para mostrar-lhe que sua função é conhecer e revelar as coisas obscuras aos pecadores. Também você o vê em pé, com se implorasse aos homens, e o mundo atrás dele, e uma coroa sobre a sua cabeça. Isso lhe mostra que, desdenhando e desprezando as coisas do presente, por amor ao serviço que presta a seu Senhor, ele está certo de que terá a glória como recompensa no mundo por vir".[1]

Este livro escrito pelo Dr. M. Lloyd-Jones é altamente recomendado, por que faz uma grave denúncia. Esta, se for bem compreendida, explica as razões da terrível situação em que nos encontramos. A denúncia diz respeito a um duro golpe que a Igreja sofreu nos idos de 1820. Faz referência ao estrago causado pelo aparecimento no cenário evangélico da figura de um conhecido pregador popular chamado Charles G. Finney. Finney inaugurou o que ele mesmo chamou de "Novas Medidas", entre estas, o "Banco dos Ansiosos". Ele rejeitou a doutrina calvinista do Evangelho da Graça; era pelagiano, acreditava que o homem mesmo poderia produzir sua conversão e inventou o sistema de "apelo", cerimônia supersticiosa, não bíblica, de constranger pecadores a fazerem sua decisão imediata por Cristo. O desastre desta cerimônia é que os pregadores, seguindo este modelo, foram induzidos a mutilar suas mensagens, açucará-las, enfatizando as bênçãos do Evangelho e escondendo a ira de Deus, o arrependimento e os custos do que significa seguir a Jesus.

Ou Deus nos socorre do alto, usando sua Palavra Santa e livros como este, para que seja trazida de volta a pregação genuína e pregadores segundo seu coração, ou continuaremos vendo o declínio da Igreja; o povo perecendo por falta de conhecimento (Os 4.6) e as suas feridas sendo tratadas superficialmente (Jr 6.14). Ou o Senhor restaura a pregação fiel, abundante e poderosa em nosso meio, ou seremos como *corços que não acham pasto e caminham exaustos na frente do perseguidor*" (Lm 1.6), ou seremos um *povo que "anda gemendo e à procura de pão*" (Lm 1.11) e cujos *sacerdotes e anciãos expirarão "na cidade, à procura de mantimento para restaurarem suas forças*" (Lm 1.19).

O Senhor nos dê tempos de refrigério, quando a Igreja poderá provar do poder da Palavra. "Nada pode substituir este poder, mas, quando recebido, teremos um povo que ansiará e se prontificará por ser ensinado e instruído, a fim de ser guiado, cada vez mais profundamente, à verdade que há em Cristo Jesus." Prossigamos na luta com temor e tremor, até que possamos dizer: "*A minha palavra e a minha pregação não consistiram em linguagem persuasiva de sabedoria, mas em demonstração do Espírito e de poder*" (1Co 2.4).

Que este livro nos motive a interceder junto ao trono de graça, porque Deus continua o mesmo, perfeitamente capaz de fazer "...infinitamente mais do que tudo quanto pedimos ou pensamos..." (Ef 3.20).

Este é o sonho do fiel peregrino...

Pr. Josafá Vasconcelos

---

1 Bunyan, John. *O Peregrino*. São José dos Campos, SP: Editora Fiel, 2005. p. 54.

PREFÁCIO

Quando me pediram que apresentasse aos estudantes do Seminário Teológico de Westminster uma série de preleções a respeito de um aspecto do ministério que eu escolhesse, resolvi que falaria sobre "Pregação e Pregadores". Por muitas vezes, me tem sido solicitado que faça uma preleção, ou mesmo duas ou três, sobre a "Pregação Expositiva". Sempre respondi que isso seria impossível — que esse tema exigiria uma série inteira de preleções, por não existir qualquer fórmula mágica que alguém possa transmitir a outras pessoas.

Também me sentia incapaz de tratar esse tema tão grandioso e sempre me admirara da prontidão de alguns jovens ministros em aconselhar seus irmãos sobre a pregação e outras questões pastorais. "Quem, porém, é suficiente para estas coisas?"

Mesmo agora reluto em colocar estas preleções em forma impressa. Talvez a principal justificativa para fazê-lo seja o fato de que falo com base numa experiência de cerca de quarenta e quatro anos. Durante esse tempo, além de pregar regularmente nas duas igrejas das quais tenho sido pastor — onze anos e meio no Sul do País de Gales e trinta anos na Capela de Westminster, em Londres — tenho viajado muito nos dias da semana e pregado em outros lugares. Quando eu estava no Sul do País de Gales, geralmente pregava duas vezes: às terças e quintas-feiras; e, durante a maior parte do tempo que passei em Londres, me ausentava às terças e quartas-feiras, procurando estar de volta ao lar, se possível, às quartas-feiras à noite, a fim de preparar-me para os três sermões que teria de pregar na Capela de Westminster, no fim de semana.

Devo ter aprendido alguma coisa como resultado disso; e essa é a minha única prerrogativa na tentativa de realizar essa tarefa. No decurso dos anos, tenho lido muitos livros sobre a pregação. Não posso dizer que aprendi muito com eles, mas gostei muito deles, pois com frequência me têm divertido — e, no que me concerne, quanto mais anedóticos, melhor.

Não os consultei novamente, enquanto preparava estas preleções. Senti que o melhor plano seria apresentar a minha atitude e a minha prática no que tiverem de mais valioso.

Tive por alvo mostrar-me prático e procurei abordar os vários problemas e questões minuciosos que, com frequência, as pessoas me expõem em particular, os quais também têm sido discutidos, muitas vezes, nas reuniões de ministros. Seja como for, conforme transparece em muitas das preleções, desgosta-me profundamente qualquer tratamento teórico ou abstrato sobre esse assunto.

Esta consideração também serviu para determinar o estilo. Eu falava (em certo sentido, pensava em voz alta) a estudantes da carreira ministerial e a alguns pregadores já ordenados. Este livro se dirige aos pregadores e a todos quantos se interessam pela pregação. Por conseguinte, não me esforcei por modificar o estilo íntimo, de conversa; e, excetuando algumas correções secundárias, o que agora aparece em forma impressa é aquilo que eu realmente disse.

Quando prego, raramente faço alusão a mim mesmo; mas, neste caso, senti que ser impessoal seria bastante errado. Portanto, há bastante do elemento pessoal e até mesmo cômico; e confio que isso venha a ser útil como ilustração daqueles princípios que procuro inculcar.

Alguns poderão fazer objeções às minhas assertivas dogmáticas, mas não me justificarei por elas. Todo pregador deveria crer fortemente em seu próprio método; e, se eu não puder persuadir a todos de que meu método está certo, pelo menos poderei estimulá-los a pensar e a considerar outras possibilidades. Posso afirmar honestamente que os pregadores de quem mais gosto têm-se mostrado bem diversos em seus métodos e estilos. A minha tarefa, contudo, não consiste em descrevê-los, mas em afirmar o que acredito estar certo, por mais imperfeito que eu tenha sido em praticar os meus próprios preceitos. Só me resta a esperança de que o resultado será proveitoso sobretudo aos jovens pregadores chamados a esta que é a maior de todas as incumbências, especialmente nesta época triste e má. Com muitos outros, rogo ao "Senhor da seara" que envie muitos pregadores poderosos, a fim de proclamarem "as insondáveis riquezas de Cristo".

Apraz-me agradecer ao professor Clowney e ao corpo docente do Seminário de Westminster, bem como a todos os estudantes, por sua tão bondosa recepção, como também pela estimulante atmosfera na qual expus estas preleções, durante seis semanas, em 1969.

Também agradeço à Sra. E. Burney, por haver transcrito as fitas gravadas destas preleções e preparado o material datilografado. Igualmente, como sempre, agradeço à minha esposa, que tem suportado minhas pregações através dos anos e com quem tenho debatido constantemente os vários aspectos deste assunto cativante e vital.

D. M. Lloyd-Jones
Julho de 1971

Capítulo um
A PRIMAZIA DA PREGAÇÃO

Por que estou preparado para falar e palestrar sobre a pregação? Há certo número de razões. Esse tem sido o trabalho de minha vida. Estou no ministério há quarenta e dois anos; e a maior parte de meu trabalho tem sido a pregação. Além disso, a pregação é algo sobre o que estudo constantemente. Ao pregar durante todos estes anos, tenho estado consciente de minhas inaptidões e meus fracassos. Isso me tem levado, inevitavelmente, a muito estudo, debate e interesse geral sobre o assunto. Entretanto, em última análise, a minha razão é que a obra da pregação é a mais elevada, a maior e a mais gloriosa vocação para a qual alguém pode ser chamado. Se alguém quer conhecer outra razão, eu diria, sem hesitação, que a mais urgente necessidade da igreja cristã, na atualidade, é a pregação autêntica. E, visto que esta é a maior e mais urgente necessidade da igreja, evidentemente ela é também a maior necessidade do mundo.

Esta afirmativa a respeito da pregação como a mais urgente necessidade nos leva à primeira questão que devemos considerar juntos: existe qualquer necessidade da pregação? Há algum lugar para ela na igreja e no mundo moderno, ou a pregação se tornou algo bastante fora de moda? O próprio fato de que temos de apresentar essa pergunta e de considerá-la é, segundo me parece, o comentário mais iluminador sobre o estado da igreja no tempo presente. Sinto que essa é a principal explicação para a condição mais ou menos perigosa e a ineficácia da igreja no mundo de nossos dias. Toda a questão a respeito da necessidade da pregação e do lugar dela no ministério da igreja está sendo contestada nesta época (motivo por que temos de começar nesse ponto). Com grande frequência, quando pedimos a alguém que faça preleções ou fale acerca da pregação, tal pessoa apressa-se a considerar métodos, maneiras, meios e técnicas. Acredito que isso está completamente errado. Devemos começar pelas pressuposições, pelo pano de fundo, bem como pelos princípios gerais; porquanto, a menos que eu esteja redondamente enganado, a dificuldade principal se origina do fato de que as pessoas não têm pensamentos claros sobre o que a pregação realmente é. Portanto, tratarei da questão de modo geral, antes de abordar quaisquer particularidades.

Eis, portanto, a grande indagação: podemos justificar a pregação? Há qualquer necessidade da pregação no mundo moderno? Isso, como você sabe, faz parte de uma questão mais ampla. Vivemos numa época em que, não somente a pregação, mas também a existência da própria igreja está sendo contestada. Você deve estar familiarizado com o que se diz a respeito de "cristianismo irreligioso" e com a ideia de que talvez a própria igreja seja o maior empecilho à fé cristã e de que, se realmente queremos ver as pessoas se tornarem cristãs e o mundo "cristianizado", conforme dizem, temos de nos livrar da igreja, porque ela se transformou num obstáculo entre as pessoas e a verdade que há em Cristo Jesus.

De fato, temos de concordar com grande parte dessas críticas sobre a igreja. Há tantas coisas erradas na igreja: tradicionalismo, formalidade, ausência de vida e assim por diante. Seria inútil e totalmente insensato negar tal coisa. Com frequência, temos realmente de perguntar a respeito de determinadas congregações e comunidades de pessoas se, afinal de contas, elas merecem o título de igreja. A igreja pode se degenerar tão facilmente numa organização ou mesmo, talvez, num clube social ou algo desse tipo, que por muitas vezes é mister questionar todo o assunto da própria igreja. No entanto, nosso objetivo nestas preleções não é esse, nem trataremos da natureza da igreja; mas, por fazer parte da atitude geral para com a igreja, essa questão da pregação, como é óbvio, terá de ser salientada de forma aguda; é desse tema que tratarei.

Qual é a causa da reação atual contra a pregação? Por que motivo a pregação caiu da posição que ocupava anteriormente na vida da igreja e na estima do povo? Não podemos ler a história da igreja, mesmo de forma superficial, sem perceber que a pregação sempre ocupou posição central e predominante na vida da igreja, particularmente no protestantismo. Então, por que esse declínio do lugar e do poder da pregação? Por que se põe em dúvida a necessidade de qualquer pregação?

Gostaria de dividir minha resposta em dois tópicos gerais. Em primeiro lugar, há certas razões de ordem geral que justificam isso; em seguida, há certas razões específicas no seio da própria igreja. Quando digo "geral", quero dar a entender certas ideia comuns existentes no mundo fora da igreja.

Permita-me ilustrar o que quero dizer. Quando argumento sobre este ponto, na Grã-Bretanha, geralmente eu o chamo de "baldwinismo". Para aqueles que não conhecem o termo, quero esclarecer o que pretendo dizer. Nas décadas de 1920 e 1930, houve na Inglaterra um primeiro-ministro cujo nome era Stanley Baldwin. Esse homem, tão insignificante que seu nome nada representa em nossos dias, exerceu considerável efeito sobre a maneira de pensar das pessoas a respeito do valor do discurso e da oratória na vida do povo. Ele assumiu o poder e o cargo após a época de um governo coligado na Inglaterra, liderado e dominado por homens como Lloyd George, Winston Churchill, Lord Birkenhead e outros do mesmo caráter. Ora, esses homens eram oradores que sabiam realmente falar. Stanley Baldwin não tinha esse dom; por esse motivo percebeu que, se tivesse de ser bem-sucedido, era essencial que diminuísse o valor e a importância do discurso e da oratória. Competia com homens brilhantes que eram, ao mesmo tempo, grandes oradores; portanto, ele se passava por um inglês simples, honesto, comum. Dizia não ser grande orador e transmitia a outros a sugestão de que um grande orador é um homem em quem não se pode confiar e que não é honesto. Ele apresentava essas coisas como antíteses; e o seu método consistia em adotar a postura do inglês comum, que não podia se dar a grandes arroubos de oratória e imaginação, mas que fazia declarações simples, diretas e honestas.

Esta atitude para com a oratória e o poder do discurso se tornou moda, em especial entre os políticos, na Inglaterra. Infelizmente, porém, afirmo que isso tem exercido influência também sobre a igreja. Surgiu uma nova atitude para com a oratória, a eloquência e o falar de uma maneira digna do nome. É uma atitude de desconfiança para com o orador. E, naturalmente, acompanhando isso e reforçando a atitude inteira, tem-se dado uma nova ênfase à importância da leitura. O argumento usado é que, na atualidade, somos um povo mais culto e mais educado; que no passado as pessoas não costumavam ler e dependiam de grandes oradores, grandes preletores e que, agora, isso não é mais necessário, porque temos livros, bibliotecas e assim por diante. Além disso, temos o rádio e a televisão, pelos quais o conhecimento e as informações sobre a verdade chegam diretamente aos nossos lares. Tudo isso, creio eu, tem influenciado a igreja de modo geral, bem como a atitude da igreja e do povo evangélico, no que diz respeito à palavra falada e à pregação.

Ora, não quero gastar muito tempo em refutar esta atmosfera geral que é inimiga da pregação. Contentar-me-ei apenas em dizer que é muito interessante a observação de que alguns dos maiores homens de ação que o mundo já conheceu também eram grandes oradores e sabiam realmente discursar. Não foi por acidente, assim penso, que na Grã-Bretanha, por exemplo, durante as duas Guerras

Mundiais deste século, os dois grandes líderes que apareceram em cena também foram notáveis oradores. E esses outros indivíduos que tendem a dar a impressão de que, se um homem sabe falar, ele não passa de um palrador ocioso, têm sido refutados pelos fatos reais da história. Os maiores homens de ação têm sido grandes oradores; e, naturalmente, faz parte da função de um líder, servindo-lhe de requisito essencial, que ele seja capaz de entusiasmar as pessoas, despertando-as e impelindo-as à ação. Basta-nos pensar em Péricles, Demóstenes e outros. A história geral do mundo demonstra de forma bastante clara: os homens que verdadeiramente fizeram história eram homens que sabiam falar, podiam entregar uma mensagem e compelir as pessoas a agir por causa do efeito que produziam sobre elas.

Eis a questão, de modo geral. Todavia, preocupamo-nos muito mais com certas atitudes da própria igreja ou com certas razões existentes na própria igreja, as quais explicam o declínio da importância dada à pregação. Sugiro que há alguns fatores principais e primordiais neste assunto. Eu não hesitaria em colocar na primeira posição a perda da confiança na autoridade das Escrituras e uma diminuição na crença da verdade. Coloco isto em primeiro lugar, porque tenho certeza de ser este o fator principal. Se alguém não for revestido de autoridade, não poderá falar bem, não poderá pregar. Grandes pregações sempre dependem de grandes temas. Grandes temas sempre produzem grandes discursos em qualquer campo; e, de fato, isto é particularmente veraz, como é óbvio, no campo da igreja. Enquanto os homens criam nas Escrituras como a Palavra de Deus autoritária e falavam alicerçados nessa autoridade, tínhamos pregações grandiosas. Porém, quando isso desapareceu, e os homens começaram a especular, a formular teorias, a apresentar hipóteses e assim por diante, a eloquência e a grandiosidade da palavra falada declinaram inevitavelmente e começaram a desvanecer. Na verdade, não podemos lidar com especulações e conjecturas da mesma maneira como a pregação abordava, antigamente, os grandes temas das Escrituras. Mas, visto que a crença nas grandes doutrinas da Bíblia começou a fenecer, e os sermões foram substituídos por pregações e homilias éticas, por estímulo moral e discursos sócio-políticos, não é surpreendente que a pregação declinou. Sugiro que esta é a causa primária e maior deste declínio.

Contudo, há uma segunda causa; e precisamos ser justos quanto a estas questões. Acredito que tem havido uma reação contra o que foi chamado "os grandes pulpiteiros", especialmente os da segunda metade do século XIX. Eles podiam ser encontrados em grande número na Inglaterra e também nos Estados Unidos.

Sempre achei que o homem mais típico, neste particular, nos Estados Unidos, foi Henry Ward Beecher. Ele ilustra com perfeição as principais características do "pregador". O próprio vocábulo é interessantíssimo, e acredito ser bem exato. Estes homens eram *pulpiteiros* e não pregadores. O que quero dizer é que eles eram homens que podiam ocupar um púlpito e dominá-lo, e dominar o povo. Eram profissionais. Havia neles muitos elementos de espetaculosidade; eram habilidosos em manipular congregações, comovendo as emoções dos ouvintes. Finalmente, podiam fazer quase qualquer coisa que desejassem com os ouvintes.

Ora, estou certo de que isto tem produzido uma reação; e isso é ótimo. Segundo a minha perspectiva da pregação, estes *pulpiteiros* foram uma abominação; e, de muitas maneiras, eles foram os principais responsáveis pela reação atual. É deveras interessante notar que isso já aconteceu em épocas passadas, não somente no que se refere à pregação do evangelho, mas também em outros campos. Em um livro escrito por Edwin Hatch, há uma interessante afirmação sobre a influência das ideias gregas na igreja cristã; e essa afirmação me parece apresentar esta questão de forma admirável. Ele disse que um fato comprovado é que a filosofia caiu em descrédito e desapareceu da vida grega como resultado da retórica e do seu uso crescente. Permita-me citar as palavras de Hatch. Ele afirma:

> Se examinarmos mais de perto a História, descobriremos que a retórica matou a filosofia. A filosofia morreu porque deixou de ser real para todos, exceto para uma minoria, passando da esfera do pensamento e da conduta para a esfera da exposição e da literatura. Os seus pregadores pregavam, não porque transbordavam as verdades que não podiam deixar de expressar, e sim por serem mestres de frases bem formuladas e viverem em uma época na qual esse tipo de fraseologia tinha valor. Em suma, a filosofia morreu por ter-se transformado em sofisma. E o sofisma não pertence a qualquer época ou nação em especial; é nativo de todos os solos onde medra a literatura. Logo que surge qualquer estilo especial de literatura, criada pelo gênio de algum grande escritor, surge também uma classe de homens que cultivam esse mesmo estilo, por amor ao próprio estilo. Logo que se dá um novo impulso à filosofia ou à religião, aparece imediatamente uma classe de homens que copiam a forma, sem a substância, e tentam fazer o eco do passado parecer a voz do presente. Assim tem acontecido com o cristianismo.

Esse é fato importantíssimo, e penso que tem grande relevância para o ponto que estou frisando acerca da influência perniciosa do "pulpiteirismo" na verdadeira pregação. Veja bem: a forma tomou-se mais importante do que a substância, a oratória e a eloquência tornaram-se valiosas em e por si mesmas; por fim, a pregação tornou-se uma forma de entretenimento. A verdade era notada, prestavam-lhe um respeito momentâneo, mas o que realmente importava era a forma externa.

Acredito que vivemos numa época que está experimentando uma reação contra isso. A reação tem-se prolongado até ao nosso século, em que, com frequência, há uma forma de pregação popular, sobretudo no evangelismo, uma forma que trouxe descrédito à verdadeira pregação, devido a ausência de substância e a atenção excessiva que tem sido dada à forma e à apresentação. Por fim, isso degenera naquilo que tenho descrito como profissionalismo, para não dizer exibicionismo.

Finalmente, gostaria de sugerir outro fator: a concepção errônea do que é realmente um sermão e, por conseguinte, do que é a pregação. Isto se encaixa naquele mesmo ponto acerca da forma externa, não da maneira rude à qual tenho feito alusão, mas tenho a impressão que a impressão e publicação de sermões têm exercido péssimo efeito sobre a pregação. Refiro-me particularmente à publicação de sermões, desde mais ou menos 1890, e — ouso dizê-lo — sinto que a escola escocesa de pregadores tem sido a principal ofensora neste particular. Acredito que tudo aconteceu da seguinte maneira. Aqueles homens eram possuidores de um verdadeiro dom literário; e a ênfase foi transferida, inconscientemente, uma vez mais, da veracidade da mensagem para a expressão literária. Davam grande atenção às alusões literárias e históricas, às citações e assim por diante. Em outras palavras, aqueles homens, conforme hei de sugerir em preleção posterior, eram ensaístas e não pregadores. Entretanto, quando publicaram seus ensaios como se fossem sermões, esses ensaios foram aceitos como sermões. E, sem dúvida, isso exerceu um efeito controlador sobre a maneira de pensar de muitos crentes no tocante ao que deve ser um sermão, como também no tocante ao que a pregação realmente é. Portanto, eu poderia atribuir boa parte do declínio da pregação, em nossos tempos, àquelas efusões literárias que se têm feito passar pelo nome de sermões e de pregação.

O resultado de todas essas coisas foi a infiltração de uma nova ideia a respeito da pregação; e esta ideia assumiu formas variadas. Uma das mais significativas ideias foi que as pessoas começaram a falar sobre uma "palestra" durante o culto, em vez de falar sobre o sermão. Por si mesmo, isso indica uma mudança sutil.

A "palestra". Não mais um sermão, e sim uma "palestra" ou, talvez, uma preleção. Tratarei dessas distinções mais adiante. Nos Estados Unidos, houve um homem que publicou uma série de livros com o significativo título de *Conversas Tranquilas*. Como você deve perceber, *Conversas Tranquilas* em oposição ao "palavreado bombástico" dos pregadores! *Conversas Tranquilas sobre a Oração; Conversas Tranquilas sobre o Poder*, etc. Noutras palavras, os próprios títulos anunciam que o homem não tenciona pregar. A pregação, naturalmente, é algo carnal, despido de espiritualidade; o necessário é uma conversa, uma conversa informal, conversas tranquilas e assim por diante! A ideia pegou.

Além disso, no topo desta ideia colocou-se nova ênfase sobre "o culto", aquilo que com frequência se tem chamado de "o elemento da adoração". Ora, essas expressões são muito desencaminhadoras. Lembro-me de um homem que disse em certa ocasião, numa conferência: "Naturalmente, nós, das igrejas episcopais, damos mais atenção à adoração do que vocês, das igrejas livres". Pude determinar o que ele realmente queria dizer: eles tinham uma forma litúrgica de culto, e nós não a tínhamos. Mas ele igualava a leitura da Liturgia à adoração. Assim, cresce a confusão.

No entanto, esta tendência existe. Há um aumento do elemento formal no culto, à medida que a pregação enfraquece. É interessante observar como os homens das igrejas independentes, das igrejas não-episcopais (ou qualquer outro nome que lhe queiramos dar) tomam emprestado, de maneira crescente, essas ideias do tipo de culto episcopal, à proporção que a pregação desvanece. Eles têm argumentado que o povo deve ter mais participação no culto e, assim, introduziram a "leitura responsiva", bem como mais e mais música, cânticos e salmos. A maneira de recolher as ofertas do povo ficou mais elaborada; o pastor e os membros do coral entram no templo formando uma procissão. É iluminador observar estas coisas. À medida que a pregação entrou em declínio, estas outras coisas foram enfatizadas; e isso tem sido feito de modo bastante deliberado. Tudo isso faz parte da reação contra a pregação; e o povo tem sentido que é mais dignificante dar maior atenção às cerimônias, à forma e ao ritual.

Pior ainda tem sido o aumento do entretenimento no culto público — o uso de filmes e a introdução de mais e mais cânticos. A leitura da Palavra e a oração foram drasticamente abreviadas; mais e mais tempo, consagrado aos cânticos. Já existe um "líder de louvor" como se fora uma novo tipo de oficial da igreja; conduz os cânticos, e supostamente compete-lhe produzir a atmosfera propícia. Porém, ele gasta tanto tempo para produzir a atmosfera propícia que não resta tempo para a pregação nesse ambiente! Tudo isso faz parte da depreciação da mensagem.

E, como se não bastasse, há a apresentação de testemunhos. É interessante observar que o declínio progressivo da pregação tem levado os pregadores a utilizarem cada vez mais pessoas para que dêem testemunhos; principalmente, se tais pessoas são importantes em qualquer ramo da vida. Dizem que isso atrai as pessoas para o evangelho, persuadindo-as a dar-lhe ouvidos. Se você puder encontrar um almirante, um general ou qualquer outra pessoa que tenha um título especial, ou um jogador de futebol, ou um ator, ou uma atriz, ou uma estrela de cinema, ou um cantor de música popular, ou qualquer outro personagem bem conhecido do público, então, dê-lhe a oportunidade de apresentar seu testemunho. Isto é reputado como algo muito mais valioso do que a pregação e a exposição do evangelho. Vocês notaram que classifiquei tudo isso sob o termo "entretenimento"? Acredito que todas essas coisas não passam de entretenimento. Mas é para isto que a igreja tem se voltado, ao mesmo tempo em que vira as costas para a pregação.

Outro fator importante, nesta conexão, é a ênfase crescente sobre o "trabalho pessoal", como lhe chamam, ou o "aconselhamento". Uma vez mais, seria interessante traçar um gráfico quanto a isso, tal como no caso daquelas outras coisas. Descobriríamos exatamente a mesma coisa — à medida que a pregação declina, o aconselhamento pessoal aumenta. Isto está em grande voga, neste século XX, especialmente desde o fim da Primeira Guerra Mundial. O argumento apresentado é que, devido às novas tensões, pressões e dificuldades da vida no mundo moderno, as pessoas precisam de maior atenção pessoal; por isso, temos de conhecer as suas dificuldades particulares e lidar com isto de maneira particular. Somos informados de que: somente quando tratamos as pessoas individualmente, podemos dar-lhes a ajuda psicológica necessária, capacitando-as a resolver estes problemas, a vencer suas dificuldades, a viver de modo eficaz e produtivo. Espero abordar adiante algumas destas coisas em maiores detalhes; agora estou apresentando um quadro geral das coisas que são responsáveis pelo declínio da pregação na igreja cristã e pela posição subordinada que lhe têm dado.

Para completar a lista, devo acrescentar — conforme vejo as coisas — a gravação de fitas: a abominação peculiar e especial desta época.

Eis aí certas mudanças gerais que têm ocorrido na própria igreja. Até este ponto, venho falando sobre pessoas que acreditam na igreja, que a frequentam. Entre essas pessoas tem havido a mudança no lugar e no papel da pregação. Às vezes, essa mudança se expressa até na forma puramente física. Tenho observado que a maioria dos novos templos erguidos em nosso país não tem mais um púlpito central; este foi empurrado para um lado. O púlpito costumava ocupar o lugar central; todavia, isso não acontece mais, e agora vemo-nos a olhar para algo que corresponde a um altar, em vez de contemplarmos o púlpito, o qual geralmente dominava o edifício inteiro. Tudo isso é extremamente significativo.

Mas, agora, desviemos nossa atenção do que tem acontecido entre aqueles que ainda crêem na igreja e voltemo-nos para aqueles que estão sugerindo que a própria igreja talvez seja o empecilho e que nos convém abandoná-la, se realmente tivermos de propagar o evangelho. Estou pensando naqueles que dizem: devemos, em certo sentido, romper definitivamente com toda essa tradição que temos herdado; e, se realmente queremos tornar as pessoas cristãs, a maneira de fazer isso é nos misturarmos com elas, vivermos entre elas, compartilharmos com elas a nossa vida e mostrar-lhes o amor de Deus, por levar as cargas uns dos outros e tornar-nos como elas.

Tenho ouvido isto até da parte de pregadores. Eles têm encarado o declínio da frequência à igreja, particularmente na Grã-Bretanha. Afirmam que isto não é surpreendente e que, enquanto os pregadores estiverem pregando a Bíblia e as doutrinas cristãs, não terão o direito de esperar qualquer outro resultado. O povo, dizem eles, não está interessado; o povo está interessado pela política, está interessado nas condições sociais, está interessado nas várias injustiças que as pessoas sofrem em diversas regiões do mundo; o povo também está interessado na guerra e na paz. Assim, argumentam eles, se você quer influenciar as pessoas em direção ao cristianismo, não deve apenas falar sobre política e abordar as questões sociais oralmente; deve também assumir um papel ativo nessas coisas. Se ao menos esses homens que foram separados como pregadores e outros que são proeminentes na igreja saíssem a campo e participassem da política, das atividades sociais e das obras filantrópicas, realizariam maior bem do que se ficassem nos púlpitos e pregassem de acordo com a maneira tradicional. Um famoso pregador da Inglaterra apresentou a questão nestes termos, cerca de dez anos atrás. Ele declarou que a ideia de enviar missionários estrangeiros para o Norte da África — na ocasião, ele era missionário naquela região — e de treiná-los, para pregarem àqueles povos, era algo bastante ridículo, e já chegara o tempo de acabar com isso. Ele sugeriu que, em lugar disso, devíamos enviar crentes para aquela região; estes arranjariam empregos comuns, misturando-se com o povo e, mais especialmente, envolvendo-se em suas atividades políticas e sociais. Se fizéssemos isso, como crentes, dizia ele, talvez houvesse esperança de que os netos desta geração se tornassem crentes. Como você percebe, este seria o método de fazê-lo! Não seria a pregação, nem o método antigo, e sim o misturando-se com o povo, demonstrando interesse e simpatia, tornando-se um deles, sentando-se no meio deles e discutindo sobre seus negócios e problemas.

Isto está sendo advogado zelosamente em muitos países nestes dias, ou como um meio de atrair as pessoas aos lugares de culto, para que ouçam o evangelho, ou não apenas como um substituto da pregação do evangelho, mas como um método muitíssimo superior de propagar a fé cristã.

Pois bem, agora, a grande indagação é: qual a nossa resposta a tudo isso? Faço a sugestão (e isto será a parte mais solene do que espero dizer) que tudo isso é, no máximo, apenas secundário; com frequência, não é nem mesmo secundário ou digno de ser mencionado; mas, quando muito, é secundário. Também faço a sugestão de que a tarefa primordial da igreja e do ministro cristão é pregar a Palavra de Deus.

Cumpre-me substanciar essa declaração. Faço-o da seguinte maneira e por estas razões. Em primeiro lugar, qual é a resposta dada pela própria Bíblia? Neste caso, confinando-nos exclusivamente ao Novo Testamento — embora também pudéssemos apresentar evidências extraídas do Antigo Testamento, nos profetas — comecemos pelo próprio Senhor Jesus. Por certo, nada é mais interessante na história de Jesus do que observar estes dois lados, ou estes dois aspectos, do seu ministério. Nosso Senhor realizou milagres, mas o interessante é que esses milagres não eram a sua obra primordial; eram algo secundário. João, como você sabe, sempre se refere aos milagres chamando-os de "sinais"; e isso é o que eles eram. Jesus não veio ao mundo para curar os enfermos, os aleijados e os cegos ou para aquietar tempestades no mar. Ele podia fazer essas coisas e as fazia com frequência; mas todas elas eram secundárias, e não primárias. Qual era o seu objetivo primário? As próprias palavras que Ele falou respondem à pergunta. Ele afirmou que era "a luz do mundo". Ele disse: "Buscai, pois, em primeiro lugar, o seu reino e a sua justiça, e todas estas coisas vos serão acrescentadas". Sim, essas coisas são legítimas, mas não são primárias; são secundárias, são as consequências, são o efeito, são o resultado. Ou consideremos a sua famosa resposta às pessoas que Lhe perguntaram se deviam ou não pagar impostos a César: "Dai, pois, a César o que é de César e a Deus o que é de Deus." Esta era a ênfase especial de Jesus. A maioria das pessoas preocupa-se com a primeira coisa: "Dai a César". O que geralmente esquecem, Jesus sugere, é dar "a Deus o que é de Deus".

Além disso, ao que me parece, há algumas informações muito interessantes sobre este assunto naquilo que Jesus fez. Você lembra como, após o milagre de alimentar os cinco mil, somos informados de que o povo ficou tão impressionado, que veio e tentou arrebatá-Lo à força, para torná-Lo rei (Jo 6.15). Eles pensaram: "Ora, é exatamente isso que queremos. Ele está cuidando de um problema prático, a fome, a necessidade de alimentos. Este é o homem a quem devemos fazer rei. Ele tem poder. Ele pôde fazer isso". No entanto, o que o evangelho nos diz é que Jesus, por assim dizer, os rejeitou e "retirou-se novamente, sozinho, para o monte". Ele considerou aquilo uma tentação, algo que tendia a desviá-Lo de seu propósito. Isso foi o mesmo que aconteceu no episódio das tentações no deserto, acerca das quais lemos em Lucas 4. O diabo ofereceu-Lhe todos os reinos deste mundo e assim por diante. Mas Ele os rejeitou deliberada e especificamente. Estas coisas são todas secundárias; não são a função primária, nem a tarefa principal.

Consideremos outro exemplo interessantíssimo, encontrado em Lucas 12.14, onde somos informados de que, em certa ocasião, nosso Senhor falava com os discípulos, quando os enviava a pregar e ensinar, e lhes contava sobre o relacionamento deles com Deus e como deveriam lidar com a oposição. Parece que o Senhor fez uma pausa momentânea, e, imediatamente, um homem irrompeu com uma pergunta: "Mestre, ordena a meu irmão que reparta comigo a herança". A resposta que nosso Senhor deu àquele homem nos fornece, sem dúvida, grande entendimento sobre todo este assunto. Ele se voltou para o homem e disse: "Homem, quem me constituiu juiz ou partidor entre vós?" Noutras palavras, Ele deixou claro que não viera ao mundo para fazer essas coisas. Jesus não mostrou que essas coisas não devem ser feitas; é necessário que o sejam; a justiça, a equidade e a retidão têm o seu devido lugar; mas Ele não viera para fazer essas coisas. É como se houvesse dito: "Não deixei os céus e desci à terra para fazer algo semelhante a isso, pois esta não é a minha incumbência primária". Por conseguinte, Jesus repreendeu àquele homem.

De fato, descobrimos que, muitas vezes, quando Ele operava um milagre notável e extraordinário, o povo tentava retê-Lo, na esperança de que faria mais milagres. Contudo, Ele deixava a todos deliberadamente e se retirava para outro lugar; ali passava a ensinar e a pregar. Ele é "A luz do mundo" — esta é a coisa primária. "Eu sou o caminho, e a verdade, e a vida; ninguém vem ao Pai senão por mim." Todas as demais coisas são secundárias. E você observa que, ao enviar seus discípulos, Ele os enviou a ensinar e a expelir "demônios". O ensino é a coisa mais importante. E Jesus recordou-lhes que eram a luz do mundo. Assim como Ele é a luz do mundo, assim também o crente torna-se a luz do mundo. "Não se pode esconder a cidade edificada sobre um monte", e assim por diante. Sugiro que nos evangelhos, bem como na vida e ministério do próprio Senhor, temos essa indicação clara a respeito da primazia da pregação e do ensino.

Após a ressurreição e no restante do Novo Testamento, vemos exatamente a mesma coisa. Jesus esclareceu àqueles homens escolhidos que eles eram, primariamente, "minhas testemunhas". Essa seria a primeira e grande tarefa deles. Ele lhes daria outros poderes, mas a principal atividade deles consistiria em testemunhar a respeito dEle. Também é interessante observar que assim que aqueles homens foram cheios do Espírito Santo, no dia de Pentecostes eles começaram a pregar. Pedro pregou, expôs e explicou a verdade ao povo de Jerusalém. Que fenômeno acontecera e produzira essa transformação nos discípulos? Esta pergunta só pode ser respondida por meio da pregação. Por isso, você acha o sermão registrado na última parte de Atos 2.

E, quando lemos Atos 3, encontramos outra vez a mesma coisa. Pedro e João curaram o homem que jazia à Porta Formosa do templo, e isso provocou comoção e interesse. O povo pensava que aqueles seriam realizadores de milagres e que deles obteriam grandes benefícios. Mas Pedro, novamente, começa pregar e os corrige, desviando a atenção deles, por assim dizer, do milagre que ele e João tinham acabado de realizar para a grande verdade concernente a Cristo e à sua salvação, que é infinitamente mais importante. Os apóstolos sempre colocavam nisso a sua ênfase.

E, mais uma vez, em Atos 4 — estou considerando isto em detalhes porque esta é a origem da igreja; isto é o que ela realmente fazia no começo. A igreja foi comissionada, foi enviada a pregar e a ensinar; e foi isso que ela passou a realizar. "Falavam com ousadia." O que as autoridades anelavam fazer, acima de tudo, era que aqueles parassem de ensinar e pregar. As autoridades sempre criticaram a pregação muito mais do que os milagres. A pregação e o ensino no "Nome" os perturbava. Mas a réplica dos apóstolos era: "Não podemos deixar de falar das coisas que vimos e ouvimos". Este era o motivo que os impelia a falar, e não podiam evitá-lo; estavam cônscios da grande compulsão que estava sobre eles.

Porém, em muitos sentidos, a mais interessante afirmativa de todas (conforme às vezes penso sobre este assunto) é a que se acha em Atos 6, onde somos informados de que surgira uma grande crise na vida da igreja primitiva. Além de Atos 6, não conheço nada que fale de modo mais direto sobre o presente estado e condição da igreja e que mostre qual é sua tarefa primária. A mensagem essencial acha-se nos dois primeiros versículos: "Ora, naqueles dias, multiplicando-se o número dos discípulos, houve murmuração dos helenistas contra os hebreus, porque as viúvas deles estavam sendo esquecidas na distribuição diária. Então, os doze convocaram a comunidade dos discípulos e disseram: Não é razoável que nós abandonemos a palavra de Deus para servir às mesas".

Não há dúvida de que esta é uma declaração sobremodo interessante e importante. O que a igreja deveria fazer? Ali estava um problema: as viúvas dos helenistas, e elas eram não somente viúvas, mas também necessitadas; precisavam de alimentos. Era um problema social e, talvez, em parte, um problema político; mas certamente era um problema social grave e urgente. Sem dúvida, a igreja cristã e seus líderes, em particular, tinham o dever de cuidar daquela necessidade premente, não tinham? Por que continuariam pregando, quando as pessoas passavam fome, necessidade e sofriam? Essa foi a grande tentação que sobreveio de maneira imediata à igreja; mas os apóstolos, sob a liderança e orientação do Espírito Santo, bem como sob a influência do treinamento que haviam recebido e da comissão que lhes fora dada por seu Senhor, perceberam o perigo e disseram: "Não é razoável que nós abandonemos a palavra de Deus para servir às mesas". Isto é errado. Estaríamos falhando em nossa comissão, se o fizéssemos. Estamos aqui com a finalidade de pregar esta Palavra; esta é tarefa primordial. "Quanto a nós, nos consagraremos à oração e ao ministério da palavra."

Ora, nesta passagem as prioridades são estabelecidas de uma vez para sempre. Esta é tarefa primordial da igreja, a incumbência primária dos líderes da igreja — aqueles que foram colocados nesta posição de autoridade. E não podemos permitir que qualquer coisa nos desvie disso, por melhor que seja a causa, por maior que seja a necessidade. Esta é, com certeza, a resposta direta a muito daquele falso pensamento e raciocínio a respeito destas questões, nesta época.

E, se examinarmos do começo ao fim o livro de Atos, encontraremos a mesma coisa em todo o relato. Eu poderia conduzi-los na consideração de capítulo após capítulo e mostrar-lhes esta mesma verdade. Quero restringir-me, porém, a mais um exemplo. No capítulo 8, somos informados sobre a grande perseguição que se levantou em Jerusalém e sobre a dispersão de todos os membros da igreja, exceto os apóstolos. Que fizeram eles? O versículo 4 nos diz: "Entrementes, os que foram dispersos iam por toda parte pregando a palavra". Isto não significa a pregação feita a partir de um púlpito. Alguém já apresentou a sugestão de que essa expressão deveria ter sido traduzida por "tagarelar" a Palavra. O principal desejo e preocupação daqueles crentes era anunciar ao povo a Palavra. "Filipe, descendo à cidade de Samaria, anunciava-lhes a Cristo" (v. 5). Neste versículo, emprega-se uma palavra diferente. Esta palavra significa anunciar como arauto e aproxima-se mais da figura de um pregador no púlpito ou de pé em um local público, dirigindo a palavra ao povo. Assim, esta verdade sobre a pregação atravessa todo o livro de Atos.

Nas epístolas, por semelhante modo, o apóstolo Paulo relembra a Timóteo que a igreja é "coluna e baluarte da verdade". A igreja não é uma organização ou instituição social, não é uma sociedade política, não é uma sociedade cultural, é "coluna e baluarte da verdade".

Paulo, ao escrever a Timóteo, coloca o assunto nestes termos: "E o que de minha parte ouviste através de muitas testemunhas, isso mesmo transmite a homens fiéis e também idôneos para instruir a outros" (2 Tm 2.2). A palavra final de Paulo a Timóteo é esta: "Prega a palavra, insta, quer seja oportuno, quer não, corrige, repreende, exorta com toda a longanimidade e doutrina". Eis a mesma verdade apresentada de modo bem claro.

Abordei apenas superficialmente o argumento, bem como a sua asseveração, nas páginas do Novo Testamento. Tudo isto é amplamente confirmado na história da igreja. Não se torna evidente, quando temos uma visão panorâmica dessa história, que os períodos e eras de decadência sempre foram épocas em que a pregação havia declinado? E o que sempre pressagia o alvorecer de uma reforma ou de um avivamento? É a renovação da pregação. Não somente um novo interesse pela pregação, mas uma nova espécie de pregação. O avivamento da autêntica pregação sempre anunciou de antemão esses grandes movimentos na história da igreja. E, ao chegarem a reforma e o avivamento, eles sempre têm conduzido a grandes e notáveis épocas da mais profunda pregação que a igreja já conheceu. Assim como isso foi verdade no começo, conforme descrito em Atos dos Apóstolos, assim também isso aconteceu após a Reforma Protestante. Lutero, Calvino, Knox, Latimer, Ridley — todos estes homens foram magníficos pregadores. No século XVII, temos exatamente a mesma coisa — os grandes pregadores puritanos e outros. E, no século XVIII, Jonathan Edwards, Whitefield, os irmãos Wesley, Rowland e Harris, todos eles foram grandes pregadores. Foi uma era de pregação grandiosa. Onde quer que haja reforma e avivamento, o resultado será sempre este, inevitavelmente.

Portanto, a minha resposta até esta altura, a justificação da minha afirmativa de que a pregação é a tarefa primordial da igreja, está alicerçada na evidência das Escrituras, bem como nas evidências confirmatórias e comprovadoras apresentadas pela história da igreja.

Prosseguiremos, a fim de raciocinar e argumentar mais sobre essa afirmativa.

CAPÍTULO DOIS
NÃO HÁ SUBSTITUTOS

Em nossa primeira preleção, apresentamos a proposição de que a tarefa primordial da igreja é a pregação e, por conseguinte, do pastor da igreja; que todas as outras coisas são subsidiárias a isto e podem ser apresentadas como o desenvolvimento ou a realização disto na prática diária. Agora, estou justificando essa proposição; e faço-o, particularmente, por causa da tendência contemporânea de depreciar a pregação, em detrimento de várias outras formas de atividade. Tendo apresentado a proposição, procurei substanciá-la por meio de evidências extraídas do Novo Testamento e da história da igreja.

Agora desejo ir um passo mais adiante e sugerir que essas evidências, extraídas do próprio Novo Testamento, confirmadas e exemplificadas pela história eclesiástica, levam-nos à conclusão de que a justificação definitiva para afirmarmos a primazia da pregação é teológica. Em outras palavras, argumento que toda a mensagem da Bíblia assevera isso e nos impele a essa conclusão. Que pretendo dizer com isso? Quero dizer, essencialmente, que no instante em que consideramos a necessidade real do homem, bem como a natureza da salvação anunciada e proclamada nas Escrituras, chegamos obrigatoriamente à conclusão de que a tarefa primordial da igreja consiste em pregar e proclamar a verdade, a fim de mostrar a verdadeira necessidade do homem e demonstrar o único remédio, a única cura, para essa necessidade.

Permita-me elaborar um pouco o assunto. Isto faz parte da própria essência do meu argumento. Estou sugerindo que, devido à existência de falsos pontos de vista a respeito destes assuntos, as pessoas não percebem mais a importância da pregação. Considere a questão da necessidade, da necessidade humana. Qual é esta necessidade? Bem, negativamente falando, não se trata de mera enfermidade. Existe a tendência de considerar o problema essencial do homem como uma enfermidade. E não quero dizer apenas enfermidade física. Esta faz parte do quadro; mas estou me referindo a um tipo de enfermidade mental, moral e espiritual. Um tipo de enfermidade não é a verdadeira necessidade do homem, não é sua real dificuldade. Eu poderia dizer o mesmo sobre a infelicidade do homem, bem como a respeito de ser ele uma vítima das circunstâncias.

Na atualidade, essas são as coisas que recebem proeminência. Existem muitas pessoas que procuram diagnosticar a situação do homem; e chegam à conclusão de que o homem é doente, é infeliz, é uma vítima das circunstâncias. Por conseguinte, acreditam que a sua necessidade primária é lidar com estas situações e ser livre delas. Todavia, sugiro que esse é um diagnóstico muito superficial da condição humana e que a verdadeira dificuldade do homem é ser ele um rebelde contra Deus, estando, em consequência disso, sob a ira de Deus.

Ora, essa é a assertiva bíblica concernente ao homem; é a perspectiva bíblica do homem, conforme ele é por natureza. Ele está morto em "delitos e pecados", ou seja, está espiritualmente morto. O homem está morto para a vida de Deus, para o reino espiritual e para todas as influências benéficas desse reino sobre ele. Também somos ensinados que o homem está "cego". "Mas, se o nosso evangelho ainda está encoberto", disse Paulo em 2 Coríntios 4.3-4, "é para os que se perdem que está encoberto, nos quais o deus deste século cegou o entendimento dos incrédulos..." Ou, conforme Paulo expõe outra vez a questão, em Efésios 4.18, o problema dos homens é que eles estão "obscurecidos de entendimento, alheios à vida de Deus", por causa do pecado que reside neles. Outro termo bíblico comum usado para descrever esta condição do homem é o vocábulo "trevas". Nós o encontramos em João 3.19: "O julgamento é este: que a luz veio ao mundo, e os homens amaram mais as trevas do que a luz; porque as suas obras eram más". Em 1 João, encontramos a mesma ideia mais desenvolvida. Escrevendo aos crentes, João disse: "As trevas se vão dissipando, e a verdadeira luz já brilha". O apóstolo Paulo lançou mão da mesma ideia, em Efésios 5. Ele afirmou: "Pois, outrora, éreis trevas, porém, agora, sois luz no Senhor". Estas são as palavras que expressam o diagnóstico bíblico sobre o problema essencial do homem. Em outras palavras, podemos resumir tudo isso num vocábulo, dizendo que esse problema é a *ignorância*. Todos os vocábulos, tais como "cegueira" e "trevas", indicam ignorância. E, de conformidade com esta perspectiva bíblica do homem, todas as outras coisas, como infelicidade, miséria, enfermidade física e todas as demais coisas que tanto nos atormentam e atribulam, são resultados e consequências do pecado original e da queda de Adão. Esses males não constituem o problema principal; são apenas consequências, manifestações ou, digamos assim, sintomas dessa enfermidade primária.

Sendo esse o quadro da necessidade do homem, não é surpreendente que, ao nos voltarmos para a narrativa bíblica sobre a salvação, descobrimos que ela é apresentada em termos que correspondem a essa expressão da necessidade. O apóstolo descreve a salvação nestas palavras: ela significa chegar "ao pleno conhecimento da verdade" (1 Tm 2.4). É a vontade de Deus que todos os homens sejam salvos e cheguem ao conhecimento da verdade. A salvação é um conhecimento da verdade. Em 2 Coríntios 5.19-20, Paulo afirma que a mensagem que foi confiada ao pregador, que é um "embaixador de Cristo", consiste em dizer aos homens que "se reconciliem com Deus". Podemos ver isso na prática do apóstolo. Em Atos 17, lemos a respeito de sua pregação em Atenas: "Esse que adorais sem conhecer é precisamente aquele que eu vos anuncio". Os atenienses eram ignorantes, embora filósofos; e Paulo era o único que poderia ensiná-los e dar-lhes luz sobre este assunto.

Estou apenas mostrando que o ensino bíblico concernente à salvação é que ela traz os homens a este "conhecimento" que lhes falta; a salvação dissipa esta ignorância. Paulo fala a respeito de pregar "todo o conselho de Deus"; e Pedro expôs ideia semelhante, ao dizer que os crentes foram chamados "das trevas para a sua maravilhosa luz". Ora, estas são expressões bíblicas, e todas elas, ao que me parece, indicam que a pregação sempre figura em primeiro lugar e recebe a prioridade. Se esta é a maior necessidade do homem, se a sua necessidade crucial é algo que procede de tal ignorância, a qual, por sua vez, resulta da rebeldia do homem contra Deus, então, o que ele necessita, antes e acima de tudo, é ser informado a respeito desta rebeldia, ser informado da verdade acerca de si mesmo e do único meio com o qual ele pode lidar com a sua situação. Por conseguinte, afirmo que a tarefa peculiar da igreja, bem como do pregador, é tornar tudo isso conhecido.

Gostaria de enfatizar a palavra "peculiar" — você pode usar o termo "excepcional", se quiser, ou "especial". O pregador é o único que pode fazer isso. Ele é o único que está na posição de lidar com a maior necessidade do mundo. Paulo expressa isso em 1 Coríntios 9.17, ss. Afirma sobre si mesmo: "A responsabilidade de despenseiro... me está confiada". Para isso ele havia sido chamado. Esta dispensação do evangelho, esta mensagem lhe fora entregue. E encontramos a mesma coisa expressa em uma afirmação maravilhosa, em Efésios 3.8-10. "A mim", disse Paulo, "o menor de todos os santos, me foi dada esta graça de pregar aos gentios o evangelho das insondáveis riquezas de Cristo". Essa era a sua chamada; era a sua tarefa. Ele dissera anteriormente que isso não fora dado "a conhecer aos filhos dos homens, como, agora, foi revelado aos seus santos apóstolos e profetas, no Espírito". Esta é a mensagem — "manifestar qual seja a dispensação do mistério, desde os séculos, oculto em Deus, que criou todas as coisas, para que, pela igreja, a multiforme sabedoria de Deus se torne conhecida, agora, dos principados e potestades nos lugares celestiais".

Toda a minha alegação é que somente a igreja pode fazer isso; e, por conseguinte, o pregador é o único que pode tornar essa mensagem conhecida. Ele é separado pela igreja, conforme mostrarei, a fim de servir nesta função e cumprir esta tarefa específica. É isto que deve receber a prioridade e ser enfatizado; e tem de ser, necessariamente, a verdade. No momento em que percebemos a verdadeira necessidade do homem e vemos a única resposta, torna-se claro que somente aqueles que possuem esta compreensão podem transmitir esta mensagem aos que não a possuem.

Deixe-me desenvolver isto um pouco mais. Existem outras agências no mundo que podem cuidar de muitos dos problemas da humanidade. Com isso quero referir-me a coisas como a medicina, o estado, até outras religiões e cultos, a psicologia e diversos outros ensinos e agências políticas. O desígnio de todas essas coisas é aliviar até certo ponto as condições humanas, suavizando a dor e o problema da vida, e capacitar os homens a viverem de modo mais harmonioso e a desfrutarem da vida em maior grau. Elas se propõem a fazer isso, e não faz parte do meu argumento dizer que essas coisas não têm valor. Compete-nos observar os fatos e admitir que elas podem fazer o bem, e fazê-lo em grande medida. Até certo ponto, são capazes de cuidar dessas coisas. Mas nenhuma delas pode cuidar da dificuldade fundamental e primária que temos examinado.

E não somente isso. Quando fizeram tudo quanto lhes foi possível ou quando a igreja, descendo àquele nível e agindo somente nele, faz tudo que lhe é possível, o problema fundamental do homem subsiste. Portanto, quero estabelecer como proposição básica que a tarefa primária da igreja não é educar os homens, nem curá-los física ou psicologicamente, nem torná-los felizes. Vou ainda mais adiante: a tarefa principal da igreja também não é torná-los bons. Estas são coisas que acompanham a salvação; e, quando a igreja cumpre sua verdadeira tarefa, ela educa, incidentalmente, os homens, proporcionando-lhes conhecimento e informação; ela lhes traz felicidade; ela os torna bons e melhores do que eram. O ponto que quero frisar, entretanto, é que esses não são os objetivos primários da igreja. Seu propósito primário não é qualquer dessas coisas; antes, é colocar os homens no relacionamento correto com Deus; é reconciliar o homem com Deus. Isto precisa, realmente, ser enfatizado no presente, porquanto isto, no meu entender, é a essência da falácia moderna. Ela tem penetrado na igreja e está influenciando o modo de pensar de muitos — essa noção de que a tarefa da igreja é tornar as pessoas felizes, ou integrar as suas vidas, ou aliviar as suas circunstâncias e melhorar as suas condições. Todo o meu argumento é que fazer isso é o mesmo que oferecer um paliativo para os sintomas e dar um alívio temporário; mas não vai além disso.

Não estou querendo dizer que oferecer um paliativo para os sintomas é coisa má; não é. E, obviamente, é correto e bom fazê-lo. Mas sou forçado a dizer, que embora oferecer um paliativo para os sintomas, ou aliviá-los, não seja mau em si mesmo, isso pode ser adverso e exercer uma influência e efeito maus, do ponto de vista da compreensão bíblica sobre o homem e suas necessidades. Pode tornar se prejudicial da seguinte maneira: atenuando os sintomas, podemos ocultar a verdadeira enfermidade. Eis algo que precisamos guardar em mente nesta época, porque, a menos que eu esteja totalmente equivocado, esta é uma parte vital de nosso problema hoje.

Quero usar uma ilustração proveniente da medicina. Pense em um homem que jaz em uma cama, contorcendo-se com dores abdominais. Talvez ele seja atendido por um médico excelente e simpático. Este médico não gosta de ver as pessoas sofrendo, com dores. Por isso, ele sente que precisa fazer esse homem sentir alívio de sua dor. E pode fazer isso. Pode dar-lhe uma injeção de morfina ou várias outras drogas que lhe dariam alívio quase imediato. "Bem", você dirá, "certamente não há nada errado em fazer isso; é um ato de bondade, uma boa ação — o paciente se torna mais confortável, mais feliz, e o seu sofrimento cessa". A resposta para isso é que se trata quase de um ato criminoso desse médico. Trata-se de um ato criminoso porque a mera remoção de um sintoma, sem descobrir-lhe a causa, é prestar um desserviço para o paciente. Afinal de contas, um sintoma é apenas a manifestação de uma doença; e os sintomas são muito valiosos. Investigando os sintomas e seguindo as indicações que eles nos dão, chegamos à enfermidade que originou os sintomas. Por conseguinte, se você tão-somente remover os sintomas, antes de haver descoberto a sua causa, você estará realmente prejudicando o paciente, porque lhe estará dando um alívio temporário, que o faz imaginar que tudo vai bem. Mas tudo não vai bem; ele recebeu apenas um alívio temporário, e a doença permanece, ainda está ali. Se for uma apendicite aguda, ou algo semelhante, quanto mais cedo o apêndice for retirado, melhor. E, se tão-somente tivermos aliviado o paciente, fazendo-o sentir-se melhor, sem cuidarmos da apendicite, estaremos abrindo caminho para um abscesso ou coisa pior.

Certamente isso nos fornece um quadro geral do que está acontecendo na atualidade. Este é um dos problemas com que se defronta a igreja cristã em nossos dias. Esta "sociedade de abundância", na qual vivemos, está drogando as pessoas e fazendo-as sentir que tudo vai bem com elas. Têm melhores salários, melhores casas, melhores automóveis, toda espécie de aparelhos desejáveis em um lar; a vida torna-se satisfatória, e tudo parece correr muito bem. Por causa disso, as pessoas têm deixado de pensar e de enfrentar os problemas reais. Contentam-se com essa tranquilidade e satisfação superficial; e isso milita contra um entendimento radical e verdadeiro da real condição delas. E, nos nossos tempos, isto é agravado por muitos outros instrumentos. Há a mania dos prazeres; a televisão e o rádio levam a sua influência ao interior do lar. Todas estas coisas persuadem os homens de que tudo vai bem; e lhes dão um sentimento temporário de felicidade. Assim, eles supõem que tudo vai bem e param de meditar. O resultado é que o homem não percebe sua verdadeira situação e não a enfrenta.

Além disso, temos de acrescentar a ingestão de drogas tranquilizantes, bem como das chamadas pílulas estimulantes e hipnóticas. As pessoas vivem nestas coisas; e tudo isso, com muita frequência, surte não somente o efeito de ocultar o problema físico, mas também, o que é mais sério, o de ocultar o problema espiritual. Visto que o homem se contenta com esse alívio temporário, ele tende a continuar supondo que tudo vai bem e, eventualmente, termina em desastre. A forma que o desastre está assumindo em nossos dias, com frequência, é o vício nas drogas e coisas semelhantes; existem muitas pessoas que não podem continuar trabalhando sem a alternância de pílulas estimulantes, hipnóticas e tranquilizantes. Sugiro que muitas dessas agências às quais a igreja parece estar se voltando hoje, em vez de realizarem sua tarefa primária da pregação, estão exercendo, em última análise, o mesmo tipo de efeito. Apesar de não serem más em si mesmas, podem tornar-se más e até prejudiciais, porquanto escondem a verdadeira necessidade.

A tarefa da igreja, bem como o dever da pregação — e somente a igreja fazer isto — consiste em isolar os problemas radicais e lidar com eles de maneira radical. É uma tarefa de especialista; é a tarefa peculiar da igreja. A igreja não é uma dentre muitas agências; ela não está em competição com as seitas, nem com as outras religiões, nem como os psicólogos, nem com quaisquer outras agências, políticas, sociais ou de qualquer outra natureza possível. A igreja é uma instituição especial e especialista; e a pregação é uma tarefa que somente ela pode realizar.

Quero apoiar essa minha alegação com outras declarações. Aqui, por exemplo, temos uma delas que, na minha opinião, reveste-se de um aspecto quase divertido. Aqueles que nos propõem a pregar menos e a fazer mais determinadas outras coisas, não são nenhuma novidade. As pessoas parecem pensar que tudo isso é relativamente novo e que censurar ou depreciar a pregação, pondo ênfase sobre essas outras coisas, é o distintivo da modernidade. A resposta simples para isso é essa atitude não é nova. A sua forma externa pode ser nova, mas o princípio certamente é antigo; de fato, esta tem sido a ênfase específica do presente século.

Consideremos todo o novo interesse pela aplicação social do evangelho ou a ideia de viver entre as pessoas, conversar sobre assuntos políticos, participar de suas atividades sociais, e assim por diante. A resposta simples para isso é que até à Primeira Guerra Mundial, no século passado, isso estava realmente na moda, na maioria dos países ocidentais. Naquele tempo, o evangelho era chamado "evangelho social", mas tratava-se precisamente da mesma coisa. O argumento usado era de que a antiga pregação da mensagem cristã era pessoal e simples demais; não abordava os problemas e as condições sociais. Isso fazia parte, como é óbvio, do ponto de vista liberal, modernista e da alta critica a respeito das Escrituras e de nosso Senhor. Ele era apenas um homem perfeito em grande mestre, um agitador político e um reformador, bem como o mais notável exemplo. Ele viera para fazer o bem, e o Sermão do Monte seria algo que se poderia incluir nos atos institucionais, transformando-o em legislação. Deste modo, criaríamos um mundo perfeito. Assim, era o liberalismo da época anterior a Guerra de 1914. A própria coisa que é considerada tão recente em nossos dias e reputada como a tarefa primordial da igreja é algo que já foi experimentado, e experimentado de maneira bem completa, no início do século XX.

O mesmo ocorre com diversas outras agências que estão penetrando na vida e nas atividades da igreja. O que hoje em dia é defendido como uma nova abordagem foi praticado pelo que, naquela época, era chamado de Igreja Institucional. E isso, uma vez mais, era realizado de modo consideravelmente completo. Havia todas as categorias de clubes culturais nas igrejas, e a Igreja se tornou o centro da vida social. Havia jogos organizados e clubes de várias descrições. Tudo isso passou por uma prova intensa no período anterior a 1914.

Mas, certamente, temos o direito de indagar se esses métodos funcionaram, quão eficazes se mostraram e até aonde eles levaram as pessoas. A resposta é que fracassaram; ficou demonstrado serem apenas fracassos. Não tenho tão boa percepção da situação nos Estados Unidos, a qual, segundo sei, é diferente da que se vê na Inglaterra; todavia, não hesito em afirmar que o grande responsável pelo esvaziamento das igrejas na Inglaterra foi aquele "evangelho social" e a igreja institucionalizada. Isso foi mais responsável por esse estado de coisas do que qualquer outro fator. O povo raciocinava corretamente desta maneira: se a tarefa da igreja é pregar uma reforma política e social e pacifismo, então, a igreja é realmente desnecessária, porquanto todos aqueles serviços podiam ser realizados por meio de agências políticas. Portanto, as pessoas abandonaram as igrejas e, pelo menos, tentaram fazer essas coisas por meio de seus partidos políticos. Era um raciocínio perfeitamente lógico, mas o seu efeito sobre as igrejas foi bastante prejudicial.

Isso pode ser ilustrado e mostrado igualmente bem em nossa própria época. Existem dois pregadores em Londres que são grandes advogados desse interesse político-social da igreja no homem do mundo; e asseveram que essa é a maneira de conquistá-lo e ajudá-lo, transformando-o em um crente. É muito interessante observar que esses dois homens, tão dedicados a este ensino na Inglaterra, têm pequenas congregações aos domingos, em seus templos, no próprio coração e na parte mais acessível de Londres. Estes fatos podem ser averiguados, e que isto esteja acontecendo não é, de modo algum, surpreendente. As pessoas dizem a si mesmas que não há necessidade de ir à igreja para ouvir esse tipo de coisas. Você pode obter tais coisas, diariamente, nos jornais, bem como nas instituições políticas e sociais que são designadas para fazerem tais coisas. Um destes dois homens, que obtém grande publicidade devido ao seu interesse, chegou a cancelar, recentemente, os cultos de domingo à noite em seu próprio templo. Ele se viu forçado a unir seu culto vespertino com o de outra igreja, existente na mesma rua.

Ora, isto é sobremodo interessante e importante. Ao nos afastarmos da tarefa primordial da igreja para fazermos alguma outra coisa, embora nossos motivos sejam puros e excelentes, esse é o resultado. Não estou disputando nem criticando os motivos; estou apenas demonstrando que essa teoria tem, na prática, o efeito reverso daquele que se propõe a realizar. Argumento que, por haver-se afastado da pregação, a igreja é responsável, em grande medida, pelo estado da sociedade moderna. A igreja tem procurado pregar a moralidade e a ética, sem ter o evangelho como alicerce; tem pregado a moralidade, sem a piedade; mas isso não funciona. Nunca funcionou, e jamais funcionará. E o resultado é que a igreja, havendo abandonado sua verdadeira tarefa, deixou a humanidade mais ou menos entregue aos seus próprios recursos.

Outro argumento que eu gostaria de mencionar, nesta altura, é que no momento em que começamos a nos afastar da pregação, para recorrer a estes outros expedientes, nos vemos passando por uma série constante de mudanças. Uma das vantagens da idade avançada é que o idoso tem experiência; por isso, quando surge algo novo, e as pessoas ficam agitadas, o idoso está em posição de poder lembrar a mesma agitação de, talvez, quarenta anos atrás. Assim, o crente de idade avançada tem visto modas e atrações surgirem uma após a outra, na igreja. Cada uma delas produz grande emoção e entusiasmo, sendo anunciada, em altos brados, como *a* coisa que encherá os templos, *o algo* que trará solução ao problema. Isso já foi dito a respeito de cada uma delas. No entanto, em poucos anos, esquecem tudo a respeito delas; e surge uma nova atração ou uma nova ideia; alguém descobriu a grande coisa necessária ou teve um entendimento psicológico do homem moderno. Ali está a coisa certa, e todo mundo se precipita atrás dela; mas logo ela desvanece e desaparece; e outra coisa toma o seu lugar.

Sem dúvida, esta é uma condição muito triste e lamentável para a igreja cristã: ela exibe, à semelhança do mundo, estas constantes mudanças de moda. Nesse estado, faltam-lhe a estabilidade, a solidez e a mensagem constante que sempre foi a glória da igreja cristã.

Porém, a minha objeção à substituição da pregação do evangelho por um interesse político-social pode ser definida de maneira mais positiva. Esta preocupação com as condições sociais e políticas, com a felicidade do indivíduo e assim por diante, sempre tem sido tratada com mais eficácia, quando temos reforma, avivamento e pregação autêntica na igreja cristã. Vou mais adiante, sugerindo que a igreja tem feito a maior contribuição, no decorrer dos séculos, para a solução desses problemas. O homem moderno é extremamente ignorante dos fatos históricos; não sabe que os hospitais surgiram originalmente por intermédio da igreja cristã. Foram pessoas cristãs que, movidas por um senso de compaixão pelos sofredores e enfermos, começaram a fazer algo a respeito das doenças e enfermidades físicas. Os primeiros hospitais foram fundados por crentes. A mesma coisa é verdade no que diz respeito à educação: a igreja foi a primeira a ter percepção dessa necessidade, passando a fazer algo a respeito dela. O mesmo também é verdade no que se refere à Lei de Alívio aos Pobres e da mitigação dos sofrimentos das pessoas que sofriam devido à pobreza. Argumento que a igreja é que tem, de fato, realizado isso. Os sindicatos e outros movimentos similares que existem, conforme poderão descobrir, procurando os seus primórdios, quase invariavelmente tiveram origens cristãs.

O meu argumento é que, se a igreja cumpre a sua tarefa primária, estas outras coisas resultam invariavelmente disso. Em outras palavras, a Reforma Protestante, para exemplificar, deu estímulo a toda a perspectiva do homem quanto à vida e a todas as suas atividades. Pode ser demonstrado, de maneira satisfatória, que a Reforma Protestante exerceu o maior estímulo possível às ciências, à pesquisa científica e ao estudo; e certamente fez o mesmo quanto à literatura e a muitas outras atividades humanas. Noutras palavras, quando o homem se torna verdadeiramente aquilo que, conforme o propósito de Deus, ele deve ser, começa a perceber que faculdades e propensões ele possui e começa a usá-las. Assim, poder-se-á descobrir que os maiores períodos e épocas da história das nações sempre foram aquelas épocas que vieram logo após as grandes reformas e avivamentos religiosos. As outras pessoas falam bastante sobre as condições políticas e sociais, mas fazem pouquíssimo a respeito. A pregação é a atividade da igreja que lida realmente com a situação e produz resultados duradouros e permanentes. Portanto, argumento que, mesmo do ponto de vista pragmático, pode ser demonstrado que devemos conservar a pregação na posição primária e central.

Voltamo-nos agora para o terreno dos problemas pessoais. Este é um argumento familiar em nossos dias, conforme já indiquei. As pessoas dizem que os pregadores sobem aos púlpitos e pregam os seus sermões, mas ali mesmo, à frente deles, há indivíduos com problemas e sofrimentos pessoais. E o argumento prossegue: você deve pregar menos e dedicar mais tempo ao trabalho pessoal, aconselhando e conversando. Minha resposta a esse argumento consiste em sugerir, uma vez mais, que a solução é colocarmos a pregação na posição primordial. Por quê? Porque a verdadeira pregação aborda os problemas pessoais, de tal modo que poupa muito tempo ao pastor. Estou falando com base em quarenta anos de experiência. O que quero dizer com isso? Deixe-me explicar. Os puritanos são, com justiça, famosos por sua pregação pastoral. Eles tomavam aquilo que denominavam de "casos de consciência" e lidavam com esses casos em seus sermões. E, enquanto abordavam esses problemas, estavam solucionando os problemas pessoais daqueles que os ouviam. Essa tem sido a minha experiência constante. A pregação do evangelho a partir do púlpito, aplicada pelo Espírito Santo aos ouvintes, tem sido o meio de tratar dos problemas pessoais a respeito dos quais eu, na qualidade de pregador, nada sabia, até que as pessoas viessem falar comigo, no fim do culto, dizendo: "Quero agradecer-lhe pelo sermão, porque, se o senhor soubesse que eu estava presente e conhecesse a natureza exata do meu problema, não poderia ter respondido, de modo tão perfeito, as minhas várias indagações. Muitas vezes, pensei em trazê-las ao senhor, mas agora o senhor as respondeu sem que fizesse isso". A pregação já havia cuidado dos problemas pessoais. Não me compreendam mal. Não estou dizendo que o pregador jamais deve realizar qualquer trabalho pessoal; longe disso. Mas o meu argumento é que a pregação sempre deve vir em primeiro lugar e não deve ser substituída por coisa alguma.

Com frequência, tenho narrado um caso admirável que ilustra este ponto. Há alguns anos, pediram-me que, acompanhado de um médico e de um pastor, fosse à casa de uma jovem senhora que, segundo diziam, estava paralisada de ambas as pernas havia oito anos. Fui visitá-la em companhia deles e descobri, para minha admiração, que ela podia fazer os movimentos mais extraordinários com suas pernas. Isso me levou imediatamente diagnosticá-la como um caso de histeria; e foi isso mesmo que se comprovou depois. Aquela suposta paralisia, aquela condição funcional viera como resultado de um desapontamento na vida emocional daquela senhora. Ela permanecia deitada na cama; e não pude ajudá-la porque ela não se mantinha suficientemente quieta, para que o médico ou eu mesmo a examinássemos convenientemente. No entanto, eis o que aconteceu posteriormente. Ela tinha duas irmãs; e sua irmã mais velha, em resultado da minha visita, começou a frequentar nossa igreja; e, após alguns meses, converteu-se, e tornou-se uma cristã excelente.

Depois de algum tempo, a segunda irmã começou a frequentar os nossos cultos e, por sua vez, tornou-se crente. Então, finalmente, certo domingo à noite, vi aquela que era considerada paralítica sendo carregada por suas duas irmãs ao interior do templo. Ela continuou frequentando as reuniões e, no devido tempo, tornou-se crente. Ora, o ponto que desejo enfatizar é este: nunca mais eu tive oportunidade de ter outra conversa com ela a respeito de sua suposta paralisia; isso nunca mais foi mencionado, nem discutido, mas desapareceu completamente. Por quê? Como? Foi um resultado da pregação do evangelho. Quando ela se tornou crente, aquele problema foi abordado pela aplicação da verdade por parte do Espírito Santo, sem que houvesse qualquer aconselhamento pessoal ou análise e tratamento psicológico.

Bem, não estou argumentando que isso acontecerá sempre. Meu argumento é que, se o evangelho for verdadeiramente pregado, ele pode ser usado pelo Espírito de modo admirável no tratamento de casos e problemas individuais, sem que o pregador ao menos tenha consciência disso. Eu lhes poderia contar inúmeros casos que podem ilustrar isso e mostrar como, às vezes, até um mero parêntese feito pelo pregador tem sido o meio de solucionar o problema de alguma pessoa.

Em todo caso, tenho descoberto, com frequência, que a pregação do evangelho motiva as pessoas a falarem com o pregador, dando-lhe a oportunidade de abordar suas condições particulares. Esta é a melhor maneira de apresentarem-se um ao outro e formar o vínculo necessário. Algo que o pregador disse ou dá aos ouvintes a impressão de que ele se mostrará cheio de simpatia e compreensão ou que ele tem discernimento quanto às dificuldades particulares deles. É a pregação que os traz ao pregador, a fim de serem ajudados pessoalmente.

Além disso, agindo desta maneira, somos capazes de lidar com dezenas e, talvez, centenas de pessoas em uma única e mesma ocasião. Ficamos bastante admirados ao descobrir que, no expormos as Escrituras, somos capazes de tratar, em um único culto, de uma variedade de condições diferentes, todas elas juntas. Era isso que eu queria dizer, quando afirmei que a pregação poupa muito tempo ao pastor. Se ele tivesse de visitar todas essas pessoas uma por uma, sua vida seria impossível; ele não poderia fazer isso; mas, em um único sermão, ele pode cobrir um bom número de problemas ao mesmo tempo.

Mas, em todo caso — e isto para mim é um argumento importantíssimo — é a pregação que lança os princípios essenciais mediante os quais pode ser dada ajuda pessoal. Deixe-me ilustrar de modo breve. Alguém entra em sua sala, em seu gabinete, desejando consultá-lo a respeito de algum problema. A primeira coisa que você terá de fazer é descobrir a natureza do problema. Terá de descobrir se essa pessoa é crente ou não, porque isso determinará o que lhe será conveniente fazer. Se uma pessoa não é crente, você não pode dar-lhe ajuda espiritual. Se ela não é crente, a primeira coisa que você terá de fazer é ajudá-lo a tornar-se um crente. Este é o primeiro fator essencial; somente depois disso é que você poderá aplicar sua instrução espiritual àquele problema específico. Se tal pessoa não é um crente, será inútil tentar aplicar qualquer ensino espiritual. Você estará desperdiçando o seu tempo, como ministro do evangelho, se quiser tratar dos problemas e dificuldades específicos dessa pessoa.

Minha sugestão é que o seu dever, nesse caso, consiste em entregá-la aos cuidados de outra pessoa, cujo trabalho profissional seja o tratar daquele tipo de problema. O seu dever, como um ministro do evangelho, é cumprir o trabalho de especialista em lidar com problemas espirituais; visto que esta é a primeira questão sobre a qual você terá de decidir. Não adianta falar às pessoas em termos espirituais, se elas não têm compreensão espiritual; e essa compreensão resulta do novo nascimento espiritual, que é produzido pela pregação do evangelho (1 Co 2.10-16; 1 Pe 1.23). Se, no decurso de sua pregação, você houver levado estas pessoas a perceberem que não são crentes, elas o procurarão para conversar sobre isso, e você poderá mostrar-lhes que o sintoma específico que as incomoda se deve ao fato que elas não são crentes e se acham em um relacionamento errado com Deus. Por isso, elas o procurarão; você poderá aconselhá-las e ajudá-las, mostrando-lhes o caminho da salvação. Se, por si mesmo, isso não resolver o problema particular delas, você estará em posição de conversar com elas em termos espirituais. Asseguro que, em última análise, a única base verdadeira para o trabalho pessoal, a menos que este se degenere em puro tratamento psicológico, é a pregação verdadeira e sã do evangelho.

Meu argumento, portanto, é que o aconselhamento pessoal e todas estas outras atividades visam suplementar a pregação, e não substituí-la; e que as outras atividades sejam a "continuação", o "acompanhamento", se você assim quiser chamá-las, porém que jamais venham a ser reputadas como a obra primária. No momento em que introduzir estas outras atividades no relacionamento errado, sugiro que você estará provocando dificuldades pessoais e, conforme penso, interpretando de maneira errônea e falsa a comissão dada à igreja. Portanto, eu resumo afirmando que somente a pregação pode transmitir a verdade às pessoas, levando-as à percepção de sua necessidade, bem como à única satisfação para essa necessidade. As cerimônias e os ritos, os cânticos e o entretenimento, bem como todo o interesse por questões políticas e sociais e tudo o mais, jamais poderão realizar isso. Não estou negando que podem produzir efeito, pois já admiti que podem fazê-lo; é nesse ponto que o perigo entra algumas vezes. Os homens e mulheres precisam ser levados ao "conhecimento da verdade"; e, se isto não for feito, vocês estarão apenas oferecendo paliativos aos sintomas, corrigindo o problema apenas por algum tempo. De qualquer modo, não estarão cumprindo a grande comissão dada à igreja e aos seus ministros.

Deixem-me, porém, enfrentar algumas objeções apresentadas contra esse meu argumento e ponto de vista. Alguém poderia dizer: "Mas os tempos não mudaram? Tudo quanto o senhor vem dizendo poderia estar correto, digamos, até a vinte anos atrás ou até, talvez, uns cem anos; mas os tempos não mudaram? À luz das condições atuais, o seu método é correto hoje?" Ou, talvez, no Brasil, alguns digam: "Bem, tudo quanto o senhor está afirmando pode ser correto no caso de Londres ou da Inglaterra, mas isso não funciona no Brasil. Aqui as condições são diferentes; há um contexto diferente, uma cultura diferente, circunstâncias diferentes e assim por diante". Qual é a resposta para essa objeção? É bastante simples. Deus não mudou em nada, nem o homem mudou. Sei que tem havido mudanças superficiais — podemos vestir-nos de maneira diferente; podemos viajar a seiscentos quilômetros e não a seis quilômetros por hora — mas o homem, como homem, em nada mudou; e as necessidades humanas são exata e precisamente as mesmas que sempre foram. E não somente isso, em tempos passados houve períodos de esterilidade e inércia na história da igreja, conforme vimos na primeira preleção.

Não há nada novo nas condições desta época. Uma das falácias centrais de nossos dias consiste em pensarmos que, por vivermos nos meados do século XX, temos um problema completamente novo. Isto invade sorrateiramente a vida e a maneira de pensar da igreja, com toda essa conversa de mundo pós-guerra, de era científica, de era atômica, de era pós-cristã, etc. Tudo não passa de tolice; não há novidade alguma nisso. Deus não muda. Conforme alguém já disse: "O tempo não deixa rugas na fronte do Eterno". E o homem também não muda; ele é exatamente o que sempre foi, desde que caiu, e tem os mesmos problemas. De fato, eu chegaria ao ponto de dizer que jamais houve uma oportunidade mais notável para a pregação do que os nossos dias, porque vivemos em uma época de desilusões. A Era Vitoriana, o século XIX, foi uma época de otimismo. As pessoas se deixavam entusiasmar pela teoria da evolução e do desenvolvimento; e os poetas cantavam o surgimento do "parlamento do homem e da federação do mundo". Baniríamos a guerra, e tudo ficaria bem, e o mundo seria uma única e grande nação. Eles realmente criam em tal coisa. Atualmente, ninguém acredita nisso, exceto algum raro representante, aqui e ali, do "evangelho social" da era anterior a 1914. Já vivemos o bastante para contemplar a falácia daquele antigo liberalismo otimista, e agora vivemos em uma época de desilusão, quando os homens estão desesperados. É por essa razão que somos testemunhas de protestos estudantis e de todo tipo de protesto; essa é a razão por que as pessoas estão ingerindo drogas. É o fim de todo o otimismo dos liberais. Tínhamos de chegar a isso, porque a ideia estava errada em seus conceitos básicos, em sua origem, em seu raciocínio. Estamos vendo o fim de tudo isso. Não será esta a própria época em que a porta se escancara para a pregação do evangelho? Em muitos aspectos, a época em que vivemos é tão semelhante à do século I. Naquele tempo, o mundo antigo estava exausto. O período florescente da filosofia grega aparecera e se fora; Roma, em certo sentido, ultrapassara o apogeu; imperava o mesmo tipo de cansaço e exaustão; e, como consequência, os homens se voltavam aos prazeres e às diversões. O mesmo acontece hoje. E, em vez de afirmar que temos de pregar menos e nos volvermos mais e mais a outros artifícios e expedientes, afirmo que temos uma oportunidade caída dos céus para a pregação.

Agora, consideremos uma segunda objeção. As pessoas podem dizer: "Por certo, sendo o homem como ele é agora: educado, sofisticado e assim por diante, tudo que você quer não pode ser feito, igualmente, por meio da leitura — a leitura de livros e jornais? Não pode ser feito por meio da televisão ou do rádio e, especialmente, de debates?" É evidente que a leitura pode ajudar (e, de fato é um grande auxílio, tal como as outras agências), mas sugiro que chegou a hora de perguntarmos até que ponto elas estão realmente ajudando e lidando com a situação. Sugiro que o resultado é desapontador e penso que posso oferecer as razões para isso. A primeira razão: esta é uma abordagem errônea, por ser individualista demais. A pessoa fica assentada sozinho na leitura do seu livro. Isso é puramente intelectual em sua abordagem; é uma questão de interesse intelectual. Há outra coisa, que acho difícil expressar em palavras, mas que é importantíssima para mim: o próprio homem controla demasiadamente a tudo. Quero dizer que, se alguém não concorda com um livro, interrompe a leitura; e, se alguém não aprecia o que está ouvindo na televisão, desliga-a. Você é um indivíduo isolado e controla toda a situação. Ou, expressando-o de maneira mais positiva, toda essa abordagem carece do elemento vital da igreja.

Ora, a igreja é um corpo missionário, e temos de recuperar esta noção de que toda a igreja faz parte deste testemunho sobre o evangelho, a sua veracidade e a sua mensagem. Por conseguinte, é muito importante que as pessoas se reúnam e ouçam, congregadas, no âmbito da igreja. Isso exerce impacto por si mesmo. Com frequência, pessoas me têm dito isso. Afinal de contas, o pregador não está falando para si mesmo, e sim à igreja; está esclarecendo o que é a igreja, o que são as pessoas e por que elas são o que são. Você deve lembrar que o apóstolo Paulo, em 1 Tessalonicenses, destacou bem este fato. Isto é algo que tendemos a negligenciar em nossos dias. Paulo disse àqueles crentes de Tessalônica que eles, como igreja local, haviam sido um grande auxílio em sua pregação. Ele se expressou desta maneira em 1 Tessalonicenses 1.6, ss.:

> "Com efeito, vos tornastes imitadores nossos e do Senhor, tendo recebido a palavra, posto que em meio de muita tribulação, com alegria do Espírito, de sorte que vos tornastes o modelo para todos os crentes na Macedônia e na Acaia. Porque de vós repercutiu a palavra do Senhor, não só na Macedônia e Acaia, mas também por toda parte se divulgou a vossa fé para com Deus, a tal ponto de não termos necessidade de acrescentar coisa alguma; pois eles mesmos, no tocante a nós, proclamaram que repercussão teve o nosso ingresso no vosso meio..."

A própria presença de um grupo de pessoas é, em si mesmo, uma parte da pregação; e estas influências começam a agir imediatamente em qualquer pessoa que participa do culto. Estas influências, sugiro, frequentemente são mais poderosas, em sentido espiritual, do que a mera discussão intelectual.

E não somente isso. Quando um homem entra em uma igreja e participa de uma congregação, começa a ter uma ideia do fato de que eles são o povo de Deus, de que são os representantes modernos de algo conhecido em cada época e geração, através dos séculos. Isto, por si mesmo, causa impacto sobre ele, que não está apenas considerando uma teoria, uma doutrina ou uma ideia nova. Ali, ele está visitando ou participando de algo que tem esta longa história e tradição.

Entretanto, deixe-me expressar o assunto desta maneira: o homem que pensa que tudo isso pode ser realizado por meio da leitura ou apenas por assistir à televisão, está perdendo de vista o misterioso elemento da vida da igreja. Que elemento é este? É aquilo que nosso Senhor estava sugerindo, penso eu, quando disse: "Porque, onde estiverem dois ou três reunidos em meu nome, ali estou no meio deles". Não é apenas um mero agrupamento de pessoas; Cristo está presente. Este é o grande mistério da igreja. Existe algo na própria atmosfera do ajuntamento do povo de Cristo, quando este povo se reúne para adorar a Deus e ouvir a pregação do evangelho!

Permita-me contar-lhe uma história que ilustra o que quero dizer. Lembro-me de uma mulher espírita, que também era médium — uma médium paga e empregada por uma sociedade espírita. Ela costumava ir todos os domingos à noite a uma sessão espírita, onde recebia três libras como pagamento por ter atuado como médium. Isso aconteceu na década de 1930; e aquela soma representava bastante dinheiro para uma mulher da classe média inferior. Certo domingo, ela estava doente e não pôde manter seu compromisso. Estava sentada em sua casa e via as pessoas passarem a caminho da igreja onde eu ministrava, no Sul do País de Gales. Algo fê-la sentir o desejo de saber o que aquela gente possuía; assim, resolveu ir ao culto e realmente o fez. Depois disso, ela continuou a frequentar a igreja até morrer; e tornou-se uma ótima crente. Um dia, perguntei-lhe o que sentira em sua primeira visita; ouçam o que ela respondeu. (E este é exatamente o ponto que estou ilustrando.) Ela disse: "No momento em que entrei no seu templo e me assentei em um banco, entre o povo, tive consciência de um poder presente. Tive consciência do mesmo tipo de poder ao qual estava acostumada em nossas reuniões espíritas, embora houvesse uma grande diferença. Eu tive a impressão de que o poder, no seu templo, era um poder puro".

O ponto que estou salientando é simplesmente este: ela teve consciência da presença de um poder. Trata-se daquele elemento misterioso. É a presença do Espírito, no coração dos filhos de Deus, do povo de Deus; qualquer visitante tem consciência deste fato. Isto é algo que uma pessoa jamais obterá, se apenas sentar-se e começar a ler um livro sozinho. Sei que o Espírito pode usar um livro; entretanto, devido à própria constituição da natureza humana — nosso caráter gregário e a maneira como dependemos uns dos outros e somos ajudados uns pelos outros, até inconscientemente — este é um fator muito importante. Isto é verdade mesmo no sentido natural, mas, quando o Espírito está presente, esse fenômeno intensifica-se. Não estou defendendo a psicologia das massas ou das multidões, a qual considero extremamente perigosa, em particular quando ela é provocada. Todo o meu argumento é que, ao entrar alguém em uma igreja, em uma congregação, em um ajuntamento do povo de Deus, há um fator que começa a operar imediatamente, um fator que é reforçado ainda mais pelo pregador expondo a Palavra, no púlpito. Esta é a razão por que a pregação jamais poderá ser substituída pela leitura, ou pelo assistir à televisão, ou por qualquer outra atividade semelhante.

CAPÍTULO TRÊS

O SERMÃO E A PREGAÇÃO

Ainda estamos procurando estabelecer a proposição de que a pregação é a tarefa primordial da igreja, bem com do ministro da igreja. Citamos provas bíblicas desta proposição, além de provas extraídas da história eclesiástica. Depois, nos esforçamos por desdobrar o argumento teológico, mostrando como a nossa própria teologia insiste nisto, por causa do tema que estamos abordando. Tendo feito isso, começamos a considerar algumas objeções a toda a questão. A primeira objeção foi: "Os tempos não mudaram?" E a segunda foi: "Tudo isso não pode ser feito, agora, por meio da leitura, da televisão, do rádio e assim por diante?"

Isso nos traz a uma terceira objeção, que indaga: "Tudo isso não poderia ser realizado mais perfeitamente por meio de debates em grupo? Por que tem de ser feito por meio da pregação? Por que esta forma específica? Não poderia ser a pregação substituída por alguma espécie de "diálogo", conforme atualmente o chamam, ou por meio da troca de pontos de vista? Não devemos encorajar a apresentação de mais perguntas, ao término do sermão, bem como um diálogo entre o ministro e os ouvintes, tudo, naturalmente, no âmbito da igreja?" Além disso, tem sido sugestão que isto poderia ser feito na televisão, por meio de debates; que haja debates em mesa-redonda, entre crentes e não-crentes, os quais discutirão entre si. A sugestão é que isto não é somente um bom método de evangelização, o qual torna conhecida a mensagem bíblica, mas também, na época presente, um método superior à pregação.

Uma vez que este método está obtendo grande apoio e, certamente, grande publicidade em muitos países nestes dias, temos de abordar o assunto. Gostaria de apresentar minha resposta na forma de uma outra reminiscência pessoal. E adoto esta forma para que os princípios envolvidos recebam maior destaque. Lembro-me que por volta de 1942 recebi o convite para participar de um debate sobre religião com um personagem muito famoso naquele tempo, a saber, o falecido Dr. C. E. M. Joad. Ele fora alvo de intensa publicidade, para não dizer notoriedade, por haver tomado parte no programa de rádio chamado de Conferência dos Cérebros; ele era um orador popular, que na época tinha ideias que pendiam mais ou menos para o ateísmo. Pediram-me que debatesse com ele sobre religião na Sociedade de Debates União, na Universidade de Oxford. Não preciso incomodá-lo descrevendo as circunstâncias que estavam por trás do convite, nem as razões por que me pediram que fizesse aquilo, mas, na realidade, tudo se originou das minhas pregações. Esse é um dos motivos porque menciono o fato.

Eu tomava parte em uma missão naquela universidade; e o convite me foi dirigido como resultado direto de um sermão que preguei, certo domingo à noite. Não aceitei o convite, recusei-me a participar do debate. Eu estava certo em rejeitar aquele convite? Muitos tomaram a posição de que eu estava errado, de que aquela era uma oportunidade excelente para pregar e expor o evangelho, porquanto a própria fama do Dr. Joad atrairia numerosa audiência, que viria ao debate; de que isso também obteria a atenção da imprensa, e assim por diante. Assim, muitos sentiram que eu estava rejeitando e perdendo uma maravilhosa oportunidade de evangelizar.

Porém, naquela ocasião afirmei com convicção, como o faço até hoje, que a minha decisão era a decisão correta. À parte de qualquer das razões detalhadas que darei, penso que toda aquela abordagem seria errônea. A minha impressão é que experiência desse tipo mostra, com clareza, que ela raramente é bem-sucedida ou conduz a algo bom. Ela provê entretenimento, mas, até onde posso ver, baseado em minha experiência e conhecimento a respeito do assunto, ela raramente é frutífera ou eficaz como um meio de ganhar pessoas para a fé cristã.

Mais importante ainda, porém, são as minhas razões detalhadas. A primeira delas é — e para mim é uma razão suficiente por si mesma — que não podemos debater ou discutir sobre Deus. Ele não é um tema para debates, porque Ele é quem Ele é e o que Ele é. Dizem-nos que o incrédulo não concorda com isso; e essa afirmação é perfeitamente verdadeira, mas não faz nenhuma diferença. Cremos nisso, e asseverá-lo faz parte da nossa causa. Firmados no ponto de vista que mantemos, crendo naquilo que acreditamos sobre Deus, não podemos, em circunstância alguma, permitir que Ele seja reduzido a tema para discussões, debates ou investigações. Nesta altura, alicerço o meu argumento na palavra dirigida pelo próprio a Moisés, diante da sarça ardente (Êx 3.1-6). Repentinamente, Moisés começou a ver o admirável da sarça ardente e quis aproximar-se para examinar aquele espantoso fenômeno. Mas foi repreendido imediatamente por uma voz que lhe disse: "Não te chegues para cá; tira as sandálias dos pés, porque o lugar em que estás é terra santa". Esse me parece ser o princípio normativo de todo este assunto. Nossa atitude é mais importante do que qualquer coisa que fazemos em detalhes, e, conforme somos lembrados na Epístola aos Hebreus, sempre devemos nos aproximar de Deus "com reverência e santo temor; porque o nosso Deus é fogo consumidor" (Hb 12.28-29).

Para mim esta é uma questão extremamente vital. Debater sobre o ser de Deus de maneira casual, assentados confortavelmente em uma poltrona, fumando um cachimbo, um cigarro ou um charuto — isto é para mim algo que jamais deveríamos permitir, porque Deus, conforme venho dizendo, não é uma espécie de conceito ou "X" filosófico. Cremos no Deus todo-poderoso, glorioso e vivo; e, não importando o que seja verdade a respeito das outras pessoas, nunca devemos nos colocar ou deixar que nos coloquem numa posição em que estaremos debatendo sobre Deus, como se Ele fosse uma proposição filosófica. Para mim esta é uma consideração que sobrepuja as demais e é suficiente em si mesma.

Ainda existem outras razões de apoio que se originam dessa. O segundo argumento que apresento é este: ao debatermos sobre estas questões, estamos lidando com o mais sério e mais solene assunto da vida. Estamos lidando com algo que cremos afetará não somente a vida daquelas pessoas com as quais nos importamos, enquanto estão no mundo, mas também o seu destino eterno. Noutras palavras, o próprio caráter e natureza do tema é tal que não é possível encaixá-lo dentro de qualquer contexto, exceto no contexto da mais séria e meditativa atmosfera que conhecemos ou somos capazes de criar. Nunca devemos nos aproximar desse tema de maneira leviana ou com mero espírito de debate; além disso, esse tema jamais deve ser considerado assunto para entretenimento.

Parece-me que estas supostas discussões e diálogos sobre religião, transmitidos pela televisão e pelo rádio, geralmente não passam de entretenimento. Períodos de tempo idênticos são concedidos ao incrédulo e ao crente; há também os ataques e contra-ataques do debate, com jocosidade e diversão. O programa é planejado de tal modo que o tema não pode ser abordado com profundidade. O meu protesto é que o assunto sobre o qual estamos interessados é tão desesperadamente sério, vital e urgente, que jamais podemos permitir que seja abordado dessa maneira.

Posso apresentar, na forma de uma comparação, uma razão firme e excelente que justifica por que estou dizendo isso. Qualquer um de nós pode desenvolver uma doença muito grave ou ser atacado subitamente por esse tipo de doença.

Não somente podemos sofrer dores intensas, com febre alta, mas também sentir-nos desesperadamente enfermos. Nosso médico encara a situação com grande seriedade e busca uma opinião diferente e mais acurada. Alguém apresentaria a sugestão de que, nessas condições, nesse estado, o doente realmente desejaria uma discussão e um debate sobe as possibilidades rivais, uma discussão realizada de maneira leviana, em que uma proposição seria exposta para ser criticada e avaliada; e, depois, outra discussão, e assim por diante? Todos nos ressentiríamos disso. Enfatizaríamos que nossa vida corre perigo, que esta não é uma ocasião para debates, discussão e leviandade. Quando estamos nesse estado e condição, buscamos a certeza, o tratamento sério, a esperança e a possibilidade de sermos curados e ficarmos em boas condições de saúde. Ficaríamos ressentidos da jocosidade e da atitude de indiferença, por causa da urgência do caso; e estaríamos, de fato, com toda a razão. Ora, se isto é verdade em referência à saúde física e ao bem-estar, quanto mais deve ser verdade em referência aos males e enfermidades da alma e ao destino eterno do homem!

Não posso enfatizar demais este assunto. Isto deve servir como repreensão para todos nós. E receio que nós, cristãos, assim como os incrédulos, precisamos ser lembrados disto. Frequentemente, discutimos teologia de maneira casual, como debatemos muitos outros assuntos e como se estivéssemos lidando com algo inteiramente à parte de nossa vida, de nosso bem-estar e de nosso destino eterno. Mas isso está obviamente errado. Sempre estamos envolvidos de modo pessoal e vital neste assunto, se realmente acreditamos naquilo que alegamos crer e afirmamos que cremos. Essas questões jamais deveriam ser tratadas em termos de debate ou em ambiente de debate e discussão; são coisas por demais sérias e solenes, pois o nosso verdadeiro viver neste mundo e o nosso destino eterno estão em jogo.

Em terceiro lugar, há um sentido em que esse debate, discussão ou diálogo é impossível, devido à ignorância espiritual do homem natural, o incrédulo. Assevero que o incrédulo é incapaz de participar de uma discussão sobre tais assuntos. Naturalmente, isso se deve à boa razão de que ele está cego para as coisas espirituais e se encontra em um estado de trevas. O apóstolo Paulo nos diz, em 1 Coríntios 2.14, que "o homem natural não aceita as coisas do Espírito de Deus, porque lhe são loucura; e não pode entendê-las, porque elas se discernem espiritualmente". O homem acha-se totalmente destituído de entendimento espiritual. Todo o argumento de 1 Coríntios 2 é que estas coisas "se discernem espiritualmente". Pertencem à esfera da verdade espiritual, são expressas em terminologia e linguagem espirituais e só podem ser compreendidas pela mente que já é espiritual. O "homem natural", incrédulo, disse Paulo, é incapaz de fazer isso. É claro, pois, que se ele não pode fazer isso, você não pode manter um debate com ele a respeito destas coisas. Noutras palavras, não existe ponto neutro no qual o crente e o incrédulo podem se encontrar, ou seja, não existe um ponto de partida comum a ambos. Toda a nossa posição como crentes é o oposto e antítese da posição do incrédulo e serve de completa condenação da posição dele. Isto torna praticamente impossível qualquer discussão ou debate sobre estes assuntos.

Passo agora a um quarto ponto que reforça o que já foi dito. Afirmo que aquilo de que o homem natural precisa, acima de tudo, é de ser humilhado. Isto é essencial, antes que possamos fazer qualquer coisa com ele. O problema crucial do homem natural é o seu orgulho. Este ponto é desenvolvido na segunda metade de 1 Coríntios 1: "Onde está o sábio? Onde, o escriba? Onde, o inquiridor deste século?" O argumento do apóstolo é que Deus não entra em discussão com o homem, mas o leva a parecer tolo. O homem precisa ser humilhado porquanto gloria-se em si mesmo, enquanto a posição cristã diz: "Aquele que se gloria, glorie-se no Senhor". A primeira coisa a ser feita com o homem que não aceita a fé cristã é humilhá-lo. Este é o primeiro ponto essencial. "Porventura, não tornou Deus louca a sabedoria do mundo?" Ou, conforme nosso Senhor apresentou pessoalmente a questão: "Em verdade vos digo que, se não vos converterdes e não vos tornardes como crianças, de modo algum entrareis no reino dos céus" (Mt 18.3). Essa é uma declaração vital, uma afirmativa determinadora, e se aplica a todos. Todas as pessoas têm de converter-se e tornar-se "como crianças". Tudo que elas sabem, tudo que elas são, tudo que possuem, tudo que têm realizado é totalmente inútil nesse domínio. Não haverá esperança para elas, enquanto não tomarem consciência de sua completa ruína e não se tornarem "como crianças". Por conseguinte, é óbvio que não podemos nem devemos debater ou discutir, de igual para igual, essas questões com os incrédulos. Fazê-lo seria negar o postulado cristão inicial. De fato, nosso Senhor foi mais além, quando proferiu estas palavras:

> "Por aquele tempo, exclamou Jesus: Graças te dou, ó Pai, Senhor do céu e da terra, porque ocultaste estas coisas aos sábios e instruídos e as revelaste aos pequeninos. Sim, ó Pai, porque assim foi do teu agrado. Tudo me foi entregue por meu Pai. Ninguém conhece o Filho, senão o Pai; e ninguém conhece o Pai, senão o Filho e aquele a quem o Filho o quiser revelar". (Mt 11.25-27).

As Escrituras nos revelam a verdade por intermédio da iluminação que só o Espírito Santo pode proporcionar. Meu argumento, portanto, é que toda essa noção de realizar debates, discussões ou troca de opiniões a respeito destes assuntos é algo contrário ao próprio caráter e natureza do evangelho.

Portanto, rejeito todos estes substitutos modernos da pregação e afirmo que só existe um caminho — o caminho adotado pelo próprio apóstolo Paulo, em Atenas. Já citei este versículo: "Esse que adorais sem conhecer é precisamente aquele que eu vos anuncio". Esta declaração é essencial; exige o primeiro lugar. Não pode haver troca de ideias proveitosa enquanto esta declaração não tiver sido feita e as pessoas não tiverem recebido certa quantidade de informações. Esta "declaração" é algo que nós, a igreja, e o pregador com exclusividade, podemos fazer; e esta é a primeira e mais importante coisa que devemos fazer.

Falta agora tratar apenas de mais um outro argumento ou objeção, a saber, que isso pode estar certo na teoria, mas que as pessoas não virão para ouvir. O que fazer nessa conjuntura? É ótimo expor este maravilhoso caso, dizem, mas as pessoas não ouvirão essas coisas nestes dias; elas não estão interessadas, insistem em ter suas próprias afirmações e em expressar suas opiniões, e assim por diante. Abordarei esta particularidade mais adiante, quando considerar "a congregação que dá ouvidos ao pregador". Contudo, permita-me dizer apenas isto agora. A resposta a esta objeção é que as pessoas virão e sempre vêm quando há pregação verdadeira. Já apresentei evidências, extraídas da história, de que as pessoas sempre agiram assim no passado. Assevero que o mesmo acontece hoje. E já tivemos ocasião de ver o motivo para isso — Deus continua sendo o mesmo, e o homem continua sendo o mesmo. Mais importante ainda: não acreditar nisso indica, em última análise, que temos dado pouquíssimo lugar para o Espírito Santo e sua obra em todo este assunto.

Esta obra talvez seja demorada, e, frequentemente, ela é um empreendimento de longo prazo. No entanto, o meu argumento é que esta obra funciona e vale a pena; é uma obra respeitada, e tem de ser assim, porque é o método do próprio Deus. É para isso que Ele nos chama; é para isso que Ele nos impulsiona. Portanto, Ele honrará esse método. Ele sempre o honrou e continua honrando-o no mundo moderno. E, depois que vocês tiverem experimentado outros métodos e planos e descoberto que estes resultam em nada, serão finalmente forçados a voltarem ao método de Deus. Este é o método por meio do qual as igrejas sempre vieram à existência. Nós o vemos nas páginas do Novo Testamento, bem como na história subsequente da igreja e neste mundo moderno.

Mas tudo isso nos tem conduzido repetidamente à mesma pergunta: o que é pregação? Afirmo que, onde há pregação autêntica, o povo vem para ouvi-la. Por conseguinte, isso nos envolve imediatamente na discussão da pergunta: o que é pregação? Esta é, de fato, a questão vital para nós; e agora dirijo-me a ela. Minha posição é esta: a maioria dos problemas que abordamos e a maioria das situações e dificuldades que surgem, causando grande preocupação aos membros da igreja, devem-se, em última análise, ao fato de que tem havido um ponto de vista distorcido sobre a pregação e, portanto, pregação deficiente. Não penso que o próprio púlpito seja isento de culpa. Se as pessoas não frequentam os lugares de adoração, assevero que o púlpito é o primeiro responsável. Naturalmente, a tendência é lançar a culpa sobre outros fatores. A desculpa mais comum tem sido as duas guerras mundiais. Noutra época, diziam-nos que a pobreza era a explicação e que não podíamos esperar que as pessoas que tinham alimentos escassos e vestes inadequadas viessem à igreja para ouvir a pregação. A pobreza, diziam-nos, era o grande obstáculo. Mas, hoje, dizem-nos que a abundância é o grande problema e que a dificuldade atual é que as pessoas vivem em meio a tanta abundância, possuindo tudo, que não percebem a necessidade do evangelho. No momento em que tentamos explicar essas coisas em termos de circunstâncias, sempre descambamos, em última instância, para alguma posição ridícula.

O meu argumento é que o próprio púlpito é o responsável; e, quando o púlpito está correto e a pregação é autêntica, isso atrai e arrebanha o povo para ouvir sua mensagem. Uma vez mais, quero dizer que, em minha opinião, não houve uma época na história do mundo em que a oportunidade e a necessidade da pregação foi maior do que a que temos neste mundo moderno perturbado.

O que é a pregação? O que entendo por pregação? Consideremos o assunto pelo seguinte prisma. Imaginemos um homem em pé, atrás de um púlpito, a falar e pessoas assentadas, em bancos ou cadeiras, a escutar. O que está acontecendo? O que é isto? Por que aquele homem está em pé, atrás do púlpito? Qual é o seu objetivo? Por que a igreja o colocou ali para fazer tal ato? Por que aquela gente vem para ouvi-lo? O que aquele homem tem o dever de fazer? O que ele está querendo fazer? O que deveria estar fazendo? Para mim, estas parecem ser as perguntas importantes. Não devemos nos apressar a considerar técnicas e métodos, nem "o problema da comunicação". Visto que essas perguntas preliminares não foram levantadas e enfrentadas, as pessoas se enleiam em todos os detalhes e discussões. Mas esta é a grande pergunta, é a consideração em torno da qual tudo gira: o que aquele homem está fazendo ali?

Qualquer definição verdadeira a respeito da pregação tem a obrigação de dizer que o homem se acha ali a fim de entregar a mensagem de Deus, uma mensagem da parte de Deus, para aquela gente. Se preferirem a linguagem usada por Paulo, ele é "um embaixador de Cristo". É isto que ele é. Ele foi enviado, é uma pessoa comissionada e está ali, de pé, como porta-voz de Deus e de Cristo, dirigindo a palavra àquela gente. Noutras palavras, ele não está ali para falar com eles, nem para entretê-las. Ele está ali — e quero ressaltar isso — para fazer algo em benefício daquelas pessoas; está ali para produzir vários tipos de resultados; está ali para influenciar pessoas. Não lhe compete meramente influenciar uma parte do ser daquelas pessoas; não lhe compete influenciar apenas a mente, ou apenas as emoções, ou fazer pressão sobre a vontade delas, induzindo-as a fazer alguma atividade qualquer. Ele está ali para lidar com toda a pessoa; e a sua pregação tem por intuito atingir a pessoa inteira, no próprio âmago de sua vida. A pregação deve causar uma diferença tal no ouvinte, que nunca mais ele será a mesma pessoa. Noutras palavras, a pregação é uma transação entre o pregador e o ouvinte. Realiza algo em favor da alma humana, em favor de toda a pessoa, do homem todo; lida com ele de um modo vital e radical.

Lembro-me de uma observação que me foi dirigida, há alguns anos, a respeito de alguns estudos que fiz sobre o Sermão do Monte. Eu os havia publicado deliberadamente em forma de sermão. Houve muitos que me aconselharam a não fazer isso, sob a alegação de que as pessoas não apreciavam de mais sermões. Disseram-me que a época dos sermões já havia passado e tentaram convencer-me, insistentemente, em transformar meus sermões em ensaios, dando-lhes um formato diferente. Por conseguinte, fiquei muito interessado quando um homem, com quem eu conversava — um cristão leigo bem famoso na Inglaterra — me disse: "Gosto muito de seus estudos sobre o Sermão do Monte, porque falam ao meu coração". E continuou: "Muitos livros me têm sido recomendados, escritos por pregadores e professores eruditos, mas o que tenho sentido sobre esses livros é que sempre parecem retratar professores escrevendo para professores; eles não falam para mim". E acrescentou: "Contudo, o seu material fala a mim".

Ora, esse homem era uma pessoa de capacidade, que ocupava uma posição de proeminência, mas foi assim que ele apresentou o assunto. Penso que há muita verdade em tudo isto. Ele sentia que grande parte daquilo cuja leitura lhe fora recomendada era notavelmente elevado, elaborado, erudito; porém, conforme ele mesmo expressou, eram "professores escrevendo para professores". Eu penso que este é um dos mais importantes fatores que precisamos ter em mente, quando pregamos. Já me referi ao perigo de atribuir demasiada importância ao estilo literário. Lembro-me de haver lido um artigo, em um jornal de literatura, cerca de cinco ou seis anos atrás; entendi esse artigo como bastante esclarecedor, porquanto o autor frisava esse mesmo fator em seu próprio campo de trabalho. O argumento que ele empregou foi que uma das dificuldades de hoje é que, com excessiva frequência, em vez de obtermos verdadeira literatura, obtemos muito mais "críticos escrevendo para críticos". Esses homens criticam as obras uns dos outros, e o resultado é que, ao escreverem, a pessoa que eles têm em mente, por muitas vezes, é o crítico e não o público leitor, a quem o livro deveria ser dirigido, antes de qualquer coisa. A mesma coisa tende a ocorrer com a pregação. Isso arruína a pregação, que sempre deveria ser uma transação entre o pregador e seus ouvintes, uma transação em que algo essencial e vivo estaria acontecendo. A pregação não é mera transmissão de conhecimento; há algo muito mais profundo envolvido. A totalidade do indivíduo está envolvida em ambos os lados; e, se deixarmos de perceber isso, a nossa pregação será um fracasso.

Quero reforçar este ponto em particular por meio de uma citação extraída de certo filósofo pagão que, sem dúvida, viu claramente este ponto no que concerne à filosofia. Um jovem filósofo abordou Epíteto certo dia a fim de pedir-lhe um conselho. A resposta dada por Epíteto é um ótimo conselho até para os pregadores. Disse ele: "A sala de palestras de um filósofo é uma sala de cirurgia. Quando alguém sai dali, não deveria sentir prazer, e sim dor, pois, ao entrar, havia algo errado com ele. Um homem deslocou o ombro; outro tem um abscesso, e outro sofre dor de cabeça. Porventura, serei eu o cirurgião que se assenta e lhe dá uma fieira de belas frases, para que você me louve e vá embora tal qual chegara — o homem do ombro deslocado, o homem que tem um abscesso, o homem que sofre dor de cabeça? É com esta finalidade que os jovens saem de seus lares e deixam seus pais, sua parentela e sua casa, para dizerem: 'Bravo, por suas excelentes conclusões morais?' Foi assim que agiram Sócrates, ou Zeno, ou Cleantes?"

Isto é muito importante para o pregador. Epíteto afirma que isto é verdadeiro até no caso de um filósofo, porque ele não discute problemas e questões abstratas. A própria filosofia deveria preocupar-se com os homens, com temas vivos, com problemas e com condições. Essa é a situação das coisas, assegura ele; as pessoas vêm porque há algo errado com elas. Metaforicamente falando, um homem deslocou o ombro; outro tem um abscesso, e outro sofre de dor de cabeça. Isso é verdade; e sempre será verdade em todas as congregações. As pessoas não vêm à igreja apenas como mentes ou intelectos, mas como pessoas totais, em meio ao turbilhão da vida, com todas as suas circunstâncias e problemas, com suas dificuldades e provações; e o dever do pregador consiste não somente em lembrar-se disso, mas em pregar de acordo com isso. Ele está lidando com pessoas vivas, que estão em necessidades e tribulações, às vezes inconscientemente. Compete ao pregador torná-las cônscias desse fato e lidar com ele. A pregação é uma transação viva.

Ou consideremos outra afirmativa do mesmo Epíteto. "Digam-me", afirmou ele, em desafio aos filósofos — um desafio igualmente válido para os pregadores — "digam-me quem, após ter ouvido uma conferência ou um discurso de vocês, ficou ansioso ou refletiu a respeito de si mesmo?" Esse é o grande teste! Se as pessoas podem ouvir-nos, sem ficarem ansiosas ou refletirem a respeito de si mesmas, não estávamos pregando. "Ou quem", indaga Epíteto, "ao sair da sala, disse: 'O filósofo pôs o dedo nas minhas faltas. Não posso mais comportar-me desse modo'?"

Esta é uma excelente explicação do meu ponto de vista sobre a pregação. Isto é o que a pregação tenciona fazer. Ela fala conosco de tal maneira que nos põe sob julgamento; e lida conosco de tal modo que sentimos estar envolvida toda a nossa vida; e saímos dizendo: "Jamais poderei voltar a viver como vivia antes. O que ouvi criou algo diferente em mim. Agora sou uma pessoa diferente, em resultado de ter ouvido isto". Epíteto acrescenta que se você não fizer isso, então o maior elogio que você obtém ocorre quando alguém diz para outrem: "Foi um belo discurso sobre Xerxes". E o outro responde: "Não, eu gostei mais do trecho sobre a batalha de Termópilas". Pois neste caso, como é fácil de perceber, nada foi conseguido com eles, em hipótese alguma; antes, achavam-se ali assentados, distraidamente, a avaliar e a julgar o orador. Um deles gostou desta citação, outro apreciou esta ou aquela alusão histórica. Tudo não passara de um entretenimento — muito interessante, muito atrativo, muito estimulante para o intelecto. Mas nada realizou para os ouvintes, que saíram elogiando apenas este ou aquele aspecto do desempenho do pregador.

Para mim, não é isso que a pregação tem o propósito de ser. A pregação autêntica é aquela que lida com toda a pessoa, a pregação em que o ouvinte se sente envolvido e sabe que foi profundamente tocado e exortado por Deus, por meio do pregador. Alguma coisa aconteceu nele mesmo e em sua experiência, e isso afetará toda a sua vida.

Eis, portanto, uma definição geral da pregação. Porém, o que exatamente está fazendo aquele homem no púlpito? Esse é o objetivo, esse é o propósito;

mas o que ele está realmente fazendo? Neste ponto, creio que precisamos traçar uma linha de distinção entre dois elementos da pregação. Antes de tudo, há o sermão ou mensagem — o conteúdo daquilo que está sendo anunciado. Mas, em segundo lugar, há o ato de pregar, a forma, podemos assim dizer, ou o que comumente é chamado de "pregação". É lamentável que esta palavra "pregação" não esteja confinada a este segundo aspecto, que podemos descrever como o ato de entregar a mensagem.

Meu interesse é enfatizar essa autêntica distinção entre a mensagem e a entrega da mensagem, a transmissão da mensagem. Quero tentar mostrar-lhe o que pretendo dizer com esta distinção. Lembro-me de haver sido informado a respeito de uma afirmação feita, em certa ocasião, pelo falecido Dr. J. D. Jones, de Bournemouth, na Inglaterra. Ele estava pregando em determinado lugar quando certo número de ministros locais foi convidado a ter uma entrevista com ele, após o culto vespertino. Um deles lhe fez aquela pergunta tão frequentemente apresentada aos pregadores mais idosos: "Qual foi o maior pregador que o senhor já ouviu?" Sua resposta foi bastante discriminadora. Ele respondeu: "Não sei se posso lhe dizer qual o maior pregador que já ouvi, mas isto posso lhe dizer com toda a certeza: a maior *pregação* que já ouvi foi a de John Hutton".

Isso ressalta muito bem esta distinção vital. Como você percebeu, quando lhe perguntaram qual o maior dos pregadores, ele sentiu que o termo era por demais inclusivo. Incluía a pessoa do pregador, o seu caráter, o seu sermão e assim por diante. Ele sentiu dificuldade em mostrar-se definido e exato em asseverar que um homem era superior a todos os outros. Porém, no que diz respeito à pregação propriamente dita, ou seja, o ato de transmitir a mensagem a outros, ele não tinha dúvidas; era aquele homem em particular, o Dr. John A. Hutton, ex-ministro da Capela de Westminster, em Londres.

Ora, esse é o tipo de distinção que gostaria de fazer entre a mensagem e o ato de entregá-la. Consideremos uma outra ilustração. Lembro-me de haver lido a declaração de um grande pregador dos fins do século XVIII, do País de Gales. Ele estabelecia certo aspecto distinto entre os dois maiores pregadores evangelistas daquele século. Um deles era George Whitefield, que era tão famoso nos Estados Unidos quanto o era na Inglaterra e que, sem dúvida alguma, foi um dos maiores pregadores de todos os tempos. O outro era um pregador chamado Daniel Rowland, do País de Gales. Foi contemporâneo de Whitefield e sobreviveu a este cerca de vinte anos. Ele era outro grande pregador, outro grande orador. Ao homem a quem me refiro, David Jones, de Liangan, no Sul do País de Gales, pediram que avaliasse a diferença entre Whitefield e Daniel Rowland, na qualidade de pregadores. Em sua resposta, David Jones disse: "Quanto à oratória, à entrega da mensagem, ao próprio ato de pregar, e a elevar a congregação às alturas excelsas, levando-a até aos céus, na realidade bem pouca diferença eu poderia detectar entre eles; um foi tão bom quanto o outro. A única grande diferença que havia entre eles", continuou, "era esta: sempre podíamos ter certeza de ouvir um bom sermão da parte de Rowland, mas nem sempre de Whitefield".

Encontramos aí a mesma distinção. Podemos ter boa pregação, mesmo com um sermão deficiente; isto é uma possibilidade real. Falarei novamente sobre isso mais adiante, noutra conexão. Mas, por enquanto, me interessa apenas mostrar que na pregação existe uma diferença essencial entre esses dois elementos. Há o sermão, que o pregador preparou, e o "ato" de entregar este sermão. Eis outra maneira de dizer isso. Certo dia, chegou um homem — penso que isso aconteceu realmente em Filadélfia — ao grande George Whitefield e perguntou se poderia imprimir os seus sermões. Whitefield lhe respondeu: "Bem, não faço nenhuma objeção, se você o quiser; mas jamais poderá colocar na página impressa os relâmpagos e os trovões". Esta é a distinção: o sermão e "os relâmpagos e os trovões". Para Whitefield isto era muito importante; também deveria ser muito importante para todos os pregadores, conforme espero demonstrar. Pode-se reduzir um sermão à forma impressa, mas não se pode fazer isso com os relâmpagos e os trovões. Isso só ocorre no ato de pregar e não pode ser transmitido por meio da fria página impressa. De fato, o ato de pregar frustra os poderes de descrição dos melhores repórteres.

Portanto, essa é a nossa divisão básica do assunto. Então, começaremos pelo sermão. Uma vez mais terei de dividir o assunto em duas seções. No que concerne ao sermão propriamente dito, temos, em primeiro lugar, o conteúdo, a mensagem; e, em segundo lugar, temos a forma outorgada a esse conteúdo ou mensagem. Nisso, uma vez mais, há uma importantíssima distinção.

Começamos pelo conteúdo. O que determina o conteúdo de nossa mensagem, de nosso sermão? Minha sugestão é que um excelente texto bíblico que enfoca a nossa atenção sobre este ponto em particular é a famosa declaração de Pedro, quando ele e João andavam pelo interior do templo, certa tarde, durante o período de oração. Subitamente viram-se frente a frente com um homem incapacitado, diante da Porta Formosa do templo. Esse homem olhou para eles esperando receber deles alguma esmola. Já recebera esmolas de muitas pessoas. Isso era tudo quanto o mundo podia fazer em benefício dele. Não podia curá-lo, mas podia ajudá-lo a viver, a existir e a melhorar um pouco sua triste sorte, dando-lhe certo conforto. Assim, ele olhou para aqueles dois homens, esperando receber deles alguma coisa. Entretanto, não recebeu aquilo que esperava. Pedro falou-lhe desta maneira:

"Não possuo nem prata nem ouro, mas o que tenho, isso te dou: em nome de Jesus Cristo, o Nazareno, anda!" (At 3.1-6.)

Que mensagem é esta? Aquela afirmativa de Pedro nos lembra o fato de que há em tudo isso um aspecto negativo. Há certas coisas que não devemos fazer, e há certas coisas que não estamos preparados para fazer. Todavia, há aquela tarefa especial para a qual estamos preparados, para a qual fomos chamados e para a qual fomos capacitados.

Estou usando esta ilustração apenas porque ela nos ajuda a relembrar o ponto, porque ela o apresenta de uma maneira dramática. Quais são os nossos princípios? Em primeiro lugar e antes de tudo, a mensagem ou sermão não consiste meramente em comentários sobre assuntos diversos. Noutras palavras, não devemos falar ao povo sobre os acontecimentos da semana, coisas que tenham ocorrido, que tenham sido manchete nos jornais, questões políticas ou qualquer outra coisa que você goste. Existe aquele tipo de pregador que depende do que lê nos jornais para apresentar sua mensagem dominical; e, ao pregar, só tece comentários a respeito do jornal. Isto é o que se chama pregar sobre atualidades. Outros homens parecem depender quase inteiramente de suas leituras; em alguns casos, da leitura de romances. Falam ao povo sobre o último romance que leram, a sua história e mensagem, e procuram infundir-lhe um toque ou aplicação moral no fim. Nesta conexão, lembro-me de uma jornalista que costumava escrever para certo jornal religioso na Inglaterra. Em certa ocasião, ela descreveu o homem que considerava como seu pregador favorito. No artigo, ela esclarecia por que razão ele era o seu pregador favorito. A razão que ela apresentou foi esta: "Ele sempre compartilha conosco as suas leituras".

Além disso, há outros que parecem pensar que um sermão é um ensaio moral ou alguma espécie de análise sobre princípios éticos, acompanhada de um apelo, de uma chamada e de uma exortação em prol de determinado comportamento ético.

Para outros, a mensagem deve ser uma espécie de enlevação, um tipo de tratamento psicológico. Talvez use terminologia cristã, mas destituída de todo o seu verdadeiro significado. Os vocábulos utilizados visam produzir um efeito psicológico nas pessoas, fazendo-as sentir-se felizes, fazendo-as sentir-se melhores, ensinando-lhes como enfrentar os problemas da vida — é o "pensamento positivo" e coisas dessa natureza. Isso está em grande voga neste século.

Em seguida, indo para um tipo mais intelectual dos aspectos negativos, temos o pensamento especulativo, o filosofar e a manipulação das ideias, tentando alcançar o homem moderno no seu próprio nível, tentando obter uma mensagem que seja "adequada aos homens desta era atômica" e assim por diante.

Sugiro que tudo isso está completamente errado; que essa não é a tarefa do homem que se coloca no púlpito. Por que não? Porque o mundo pode fazer isso; não há nada especial nisso. Coloquei-o na categoria de "prata e ouro"; o mundo faz isso, o mundo pode fazer isso. Não é essa, porém, a mensagem que nos foi confiada. Permita-me esclarecer: não estou dizendo que o efeito da pregação não deve ser o tornar as pessoas mais felizes, pois assim deveria ser; porquanto, conforme já frisei, ela afeta toda a pessoa. Porém, todos os efeitos e resultados obtidos são meramente incidentais, são resultados ou consequências da mensagem pregada, mas não da mensagem em si mesma.

Quando eu chegar a considerar a constituição do sermão propriamente dito, esforçar-me-ei grandemente para demonstrar por que sempre devemos mostrar que o sermão é relevante. Mas existe toda a diferença no mundo entre mostrar a relevância da Palavra de Deus e pregar um sermão sobre atualidades. A aplicação de alguma notícia é incidental, uma mera consequência; não é algo primário. Esse é o tipo de coisa que o mundo, em seus clubes e sociedades éticas, filosóficas, sociais e políticas, é capaz de fazer; mas não é o tipo de coisa que o pregador é chamado a fazer.

Bem, então o que ele é chamado a fazer? Voltando-nos agora ao aspecto positivo e lançando mão da analogia de Pedro e João diante do aleijado, na Porta Formosa do templo, que mensagem é esta? Esta mensagem é "o que tenho". Não possuo o outro aspecto, pois não é minha especialidade, não é meu dever; não tenho competência para isso. Porém, "o que tenho". Eu tenho algo, algo que me foi dado, algo que me foi confiado. Recebi uma comissão — "mas o que tenho, isso te dou".

A maneira como o apóstolo Paulo apresentou o assunto foi esta: "Antes de tudo, vos entreguei o que também recebi". É isso que determina a mensagem ou o sermão como tal; é aquilo que o pregador recebeu. Outro termo empregado por Paulo — "embaixador" — destaca isso com perfeita clareza. Um embaixador não é um homem que expressa seus próprios pensamentos, opiniões ou pontos de vista, nem os seus próprios desejos. A própria essência da posição de um embaixador é que ele é um homem "enviado" para falar em lugar de outrem. Ele é o porta-voz de seu governo, de seu presidente, de seu rei ou imperador ou de qualquer outra forma de governo que, porventura, exista em seu país. O embaixador não é um homem que especula e expressa suas próprias ideias e opiniões. Ele é o portador de uma mensagem, foi comissionado para transmiti-la, foi enviado para fazer isso; e isso é o que lhe compete fazer.

Noutras palavras, o conteúdo do sermão é aquilo que, no Novo Testamento, é denominado "a Palavra". "Prega a palavra", "prega o evangelho" ou "todo o conselho de Deus". Uma vez que interpretemos isso, temos a mensagem da Bíblia, a mensagem das Escrituras.

Em que consiste a mensagem? Consiste em "o que tenho". Está limitada a isso. Foi isso o que recebi; é isso o que possuo — "o que tenho". Eu o recebi, foi-me entregue. Não estou expondo minhas próprias ideias e pensamentos, nem digo aos ouvintes o que penso ou suponho; antes, transmito-lhes aquilo que me foi entregue. Isso me foi entregue, agora o entrego aos ouvintes. Sou apenas um veículo, apenas um canal, apenas um instrumento, apenas um representante.

Essa, portanto, é a mensagem essencial. Mas isso é algo que deve ser dividido em duas secções principais. É muito importante que reconheçamos estas duas secções principais na mensagem da Bíblia. A primeira é aquilo a que se poderia chamar de mensagem da salvação, o *kerygma*. aquilo que caracteriza a pregação evangelística. A segunda é o aspecto didático, o *didache,* que edifica aqueles que já creram — a edificação dos santos. Essa é uma divisão principal, que sempre devemos estabelecer e que sempre deve ser um fator predominante em nossa preparação de sermões e mensagens.

O que quero dizer quando me refiro à mensagem de salvação ou pregação evangelística? Há um perfeito resumo disso em apenas dois versículos de 1 Tessalonicenses. Paulo recordou aos tessalonicenses o que realmente lhes anunciara na primeira ocasião em que estivera entre eles. Foi isso que trouxe à existência a igreja em Tessalônica. Paulo disse: "Eles mesmos, no tocante a nós, proclamam que repercussão teve o nosso ingresso no vosso meio, e como, deixando os ídolos, vos convertestes a Deus, para servirdes o Deus vivo e verdadeiro e para aguardardes dos céus o seu Filho, a quem ele ressuscitou dentre os mortos, Jesus, que nos livra da ira vindoura" (1 Ts 1.9-10). Esse é um resumo perfeito da mensagem evangelística.

Paulo oferece um outro resumo em seu discurso de despedida dirigido aos presbíteros da igreja de Éfeso, quando desceram para encontrar-se com ele nas proximidades do litoral, quando ele estava subindo a Jerusalém. Há uma narrativa admirável a esse respeito, em Atos 20. Paulo os faz lembrar o caráter de sua pregação. Ele pregara e ensinara "publicamente e também de casa em casa", com muitas "lágrimas". Qual fora a mensagem? Ele mesmo esclarece: "O arrependimento para com Deus e a fé em nosso Senhor Jesus [Cristo]" (vv. 17-21). Esse foi o resumo que o apóstolo fez de sua própria mensagem.

Tendo em vista os nossos propósitos, podemos expressá-lo assim. Esse tipo de pregação é, antes de tudo, a proclamação do ser de Deus — "Como, deixando os ídolos, vos convertestes a Deus, para servirdes o Deus vivo e verdadeiro". A pregação evangelística digna desse nome começa com Deus e com uma declaração sobre a sua existência, poder e glória. Podemos ver isso em todas as páginas do Novo Testamento. Foi exatamente isso que Paulo fez em Atenas: "Esse... é precisamente aquele que eu vos anuncio". "Esse!" A pregação a respeito de Deus, que O contrasta com os ídolos, que desmascara a inutilidade, o vazio e a futilidade dos ídolos.

Isso, por sua vez, nos conduz à pregação da Lei. O caráter de Deus leva-nos à Lei de Deus — todo o relacionamento entre Deus, por um lado, e o mundo e o homem, por outro. Tudo isso tem por desígnio trazer os homens à convicção de pecado e levá-los ao arrependimento. E isso, por sua vez, deveria levá-los à fé no Senhor Jesus Cristo como o grande e único Salvador. Essa é a mensagem de salvação; é isso que chamamos de pregação evangelística. Ela se acha de modo perfeito em João 3.16: "Deus amou ao mundo de tal maneira que deu o seu Filho unigênito, para que todo o que nele crê não pereça, mas tenha a vida eterna".

No entanto, há também o outro lado, que é o ensino, a "edificação dos santos". Este lado eu também subdividiria em duas seções: aquilo que é primariamente experimental e aquilo que é instrutivo. Não pretendo elaborar esse ponto por enquanto; mas eu o farei quando chegarmos à parte mais práticas de nossa abordagem sobre este assunto. Fundamentalmente, porém, eu proponho que o homem no púlpito deve ter em mente a divisão principal (*a pregação evangelística e o ensino*) e subdividir a segunda nestas duas seções: a experimental e a instrutiva.

Noutras palavras, cada pregador deveria ser, por assim dizer, três tipos ou categorias de pregador. Há a pregação que é primariamente evangelística. Essa deveria ocorrer pelo menos uma vez por semana. Há a pregação didática, mas que se especializa no que é experimental. Geralmente faço isso aos domingos pela manhã. Há também aquele tipo de pregação mais puramente doutrinária, que eu mesmo faço em uma noite durante a semana.

Mas, gostaria de enfatizar que essas distinções não devem ser levadas ao exagero. Todavia, como orientação geral para pregador, ao preparar sua mensagem, é conveniente pensar sobre a pregação neste aspecto tríplice: a pregação para o incrédulo, a pregação para o crente, de maneira experimental, e, em terceiro, de maneira mais diretamente didática e doutrinária.

Agora, temos de avançar, partindo deste ponto, e observar como o pregador relaciona toda a mensagem da Bíblia com esses tipos específicos de apresentação da mensagem.

Capítulo Quatro

A FORMA DO SERMÃO

Já vimos que há três tipos principais de mensagens que o pregador deve preparar.

Desejo enfatizar que, embora considere importante essas divisões ou distinções, elas não são distinções ou divisões absolutas. O que realmente importa é que tenhamos essa espécie de divisão do assunto em nossas mentes; e isso, naturalmente, também é bom para o povo. A pregação exclusivamente evangelística é inadequada. Por outro lado, a pregação que jamais evangeliza é igualmente inadequada, e assim por diante. Portanto, esta é uma espécie de divisão ou distinção boa e prática que se deve fazer na própria mente. Contudo, cumpre-me enfatizar que esses diferentes tipos sempre são interdependentes e inter-relacionados.

Uma questão de suprema importância destaca-se aqui. Como podemos preservar esse inter-relacionamento entre esses três tipos de pregação? Proponho que a melhor maneira de responder a essa indagação é reconhecer a relação existente entre a teologia e a pregação. Neste ponto, quero fazer a proposição de que a pregação sempre deve ser teológica, sempre deve estar alicerçada sobre um fundamento teológico. Devemos ser especialmente cautelosos quando pregamos sobre textos isolados e abordamos cada um deles em separado. A razão para isso é que podemos nos tornar culpados de contradições. Entregamos uma mensagem com base em um texto isolado; mas, visto que o texto não está relacionado a outros textos, nem com a verdade em sua inteireza, talvez venhamos a afirmar algo que contradiga o que disséramos no primeiro sermão, quando chegarmos a abordar o outro texto. A maneira de evitar isso, mantendo e preservando o inter-relacionamento entre esses tipos de pregação, é sermos sempre teológicos. Não existe um tipo de pregação que não seja teológica.

Em nossos dias, a pregação evangelística é um tipo de pregação que, frequentemente, é tida como não-teológica. Quando estava sendo realizada uma campanha evangelística em Londres, poucos anos atrás, recordo bem como um periódico religioso liberal, que dava seu apoio à campanha, declarou: "Vamos estabelecer uma trégua teológica, enquanto a campanha prossegue". E o periódico continuava a dizer que, terminada a campanha, deveríamos analisar as coisas e tornar-nos teológicos. A ideia era que o evangelismo não tem fundamento teológico e que introduzir a teologia naquele estágio das coisas seria um erro. A gente "traz as pessoas a Cristo", conforme dizem, e, depois, ensina-lhes a verdade. A teologia entra em cena subsequentemente.

Para mim isso é totalmente errado e, de fato, monstruoso. Estou pronto a argumentar que, de muitas maneiras, a pregação evangelística deve ser mais, e não menos, teológica do que qualquer outra pregação, por esta boa razão. Por que exortamos as pessoas a se arrependerem? Por que as convidamos a crer no evangelho? Não podemos abordar devidamente o assunto do arrependimento, se não abordamos a doutrina do homem, a doutrina da Queda, a doutrina do pecado e a doutrina da ira de Deus contra o pecado. Além disso, quando convidamos os homens a que venham a Cristo e se entreguem a Ele, como podemos fazer isso, se não sabemos quem Ele é e sem saber com que base os convidamos a virem a Ele, e assim por diante. Noutras palavras, tudo isso é altamente teológico. O evangelismo sem conteúdo teológico não é evangelismo em qualquer sentido verdadeiro. Pode ser um convite a que os homens se decidam; pode ser um convite a que as pessoas venham ao cristianismo e que tenham uma vida melhor; ou pode ser o oferecimento de algum benefício psicológico. Mas, por definição, isso não pode ser reputado evangelismo cristão, porque, sem esses profundos princípios teológicos, não existe nenhum motivo autêntico para o que fazemos. Assevero, por conseguinte, que todo tipo de pregação deve ser teológica, incluindo a pregação evangelística.

Ao mesmo tempo, é vital compreendermos que pregar não é fazer preleções sobre teologia ou sobre qualquer aspecto da teologia. Espero tratar desse aspecto mais adiante; por enquanto, abordo somente definições gerais.

Então, se eu disser que a pregação dever ser teológica e que isso não consiste em fazer preleções sobre teologia, qual será a relação entre a pregação e a teologia? Eu responderia assim: o pregador deve ter compreensão, uma boa compreensão, de toda a mensagem bíblica, que, naturalmente, constitui uma unidade. Noutras palavras, o pregador deve ser bem versado em teologia bíblica, a qual, por sua vez, conduz à teologia sistemática. Para mim, nada é mais importante para um pregador do que o fato que ele deve ter uma teologia sistemática, deve conhecê-la profundamente e arraigar-se nela. Essa teologia sistemática, esse corpo de verdades extraídas das Escrituras sempre deve estar presente, como um pano de fundo e uma influência controladora de sua pregação. Cada mensagem, que provém de algum texto ou declaração específica das Escrituras, sempre deve fazer parte ou ser um aspecto desse corpo total da verdade. Jamais será algo isolado, jamais será algo separado ou desvinculado. Sempre devemos lembrar que a doutrina contida em um texto específico faz parte do conjunto maior — a verdade ou a fé. Este é o significado da frase "comparando Escritura com Escritura". Não podemos manipular nenhum texto isolado; toda a nossa preparação de um sermão deve ser controlada por esse pano de fundo de teologia sistemática.

É necessário fazer um aviso nesta altura. Quando um homem impõe violentamente o seu sistema teológico sobre qualquer texto em particular, ele comete um grave erro. Contudo, é vital que, ao mesmo tempo, a sua interpretação a respeito de qualquer texto específico seja confrontada e controlada por esse sistema teológico, esse corpo de doutrinas e de verdades que se encontra na Bíblia. A tendência de alguns homens que têm uma teologia sistemática e à qual se apegam rigidamente, consiste em impô-la a textos particulares, forçando assim os textos. Noutras palavras, eles não derivam aquela doutrina específica do texto com o qual estão lidando na ocasião. A doutrina pode ser verdadeira, mas não advém daquele texto em particular; e sempre devemos nos prender ao texto. É isso que pretendo dizer quando falo que não devemos "impor" o nosso sistema a qualquer texto ou declaração em particular. O uso correto da teologia sistemática consiste em que, ao descobrirmos uma doutrina específica no texto selecionado, nós a averiguamos e a controlamos, assegurando-nos de que se encaixa em todo este corpo de doutrina bíblica que é vital e essencial.

Em outras palavras, estou argumentando que nossa incumbência primaria é entregar toda esta mensagem, "todo o conselho de Deus" e que isso sempre será mais importante do que as particularidades, as porções e partes específicas.

Talvez eu possa esclarecer isso lhe lembrando o fato óbvio de que, nos dias do Novo Testamento, bem como nos primórdios da igreja, não se pregava da maneira que se tornou usual entre nós. Eles não extraíam algum texto dentre o Novo Testamento, para analisá-lo, expô-lo e aplicá-lo, porque ainda não tinham o Novo Testamento. Então, o que eles pregavam? Pregavam a grande mensagem que lhes fora entregue, este grande corpo de verdades, toda esta doutrina da salvação. Meu argumento é que sempre devemos fazer isso, embora o façamos mediante a exposição individual de textos específicos. De modo geral, essa é, para mim, a relação entre a teologia e a pregação.

Existe outro ponto de ordem geral que eu gostaria de salientar aqui, antes de deixarmos de lado o assunto do conteúdo do sermão. E este ponto é que temos de pregar o evangelho, e não pregar a respeito do evangelho. Essa é uma distinção profundamente vital, que não pode ser facilmente expressa em palavras, mas que, apesar disso, é verdadeiramente importante. Existem homens que pensam estar pregando o evangelho, quando, de fato, estão apenas fazendo asseverações a respeito do evangelho. Sempre achei que essa é a característica particular e, de fato, a armadilha dos seguidores de Karl Barth. Eles falam constantemente sobre "a Palavra" e dizem coisas sobre "a Palavra". Mas não foi para isso que fomos chamados; somos chamados para pregar a Palavra, para expô-la, para levá-la diretamente ao povo. Cumpre-nos não somente dizer coisas a respeito da Palavra, mas também comunicá-la verdadeiramente. Somos os canais e os veículos por meio dos quais esta Palavra deve ser transmitida ao povo.

Outra maneira pela qual posso expressar isso é dizendo que não fomos chamados para afirmar coisas a respeito do evangelho. Lembro-me de certo tipo de pregação, há cinquenta anos ou mais, que com frequência era descrita como "elogio ao evangelho". O comentário a respeito do o sermão e do pregador era que este havia elogiado o evangelho. Dissera coisas admiráveis a respeito do evangelho ou demonstrara quão maravilhoso ele é. Minha sugestão é que isso é um erro. O evangelho é maravilhoso, é digno de elogios, mas esta não é a tarefa primordial do pregador. Ele deve "apresentar", declarar o evangelho.

Ou permita-me expressá-lo assim. A obra do pregador não consiste em apresentar o evangelho de modo acadêmico. Isto ocorre com muita frequência. O pregador pode analisar o evangelho, mostrar as suas partes e divisões, demonstrando quão excelente ele é, mas ainda está dizendo coisas sobre o evangelho; enquanto, na verdade, somos chamados a pregar o evangelho, a comunicá-lo, a expô-lo diretamente àqueles que nos ouvem e a apresentá-lo a todo o homem. Por conseguinte, asseguremo-nos de que não estamos falando a respeito do evangelho, como se ele estivesse fora de nós. Estamos envolvidos no evangelho; não devemos considerá-lo apenas um assunto e, em seguida, dizer coisas a seu respeito. O próprio evangelho está sendo apresentado e comunicado diretamente à congregação por nosso intermédio.

Neste ponto, é importante destacarmos, uma vez mais, que nosso dever é apresentar o evangelho em sua totalidade. E nisso há um lado pessoal; temos de ocupar-nos com isso e começar por aí. Porém, não paramos nele. Há um lado social e, de fato, um lado cósmico. Temos de apresentar todo o plano de salvação, conforme revelado nas Escrituras. Devemos mostrar que o objetivo final, conforme disse o apóstolo Paulo em Efésios 1.10, consiste em fazer convergir em Cristo, "todas as coisas, tanto as do céu como as da terra". Esta é a nossa tarefa, e por esse motivo assevero que devemos dividir nossa pregação e ministração da Palavra nas três divisões que sugeri. De fato, é naquele terceiro tipo de pregação (a qual afirmei que deve ser mais doutrinária) que se ressalta esse elemento. Neste caso, não estaremos pregando de maneira evangelística, nem cuidando dos problemas dos homens, mas desejamos que eles percebam que fazem parte dessa totalidade mais ampla. Estaremos enfatizando que a salvação não é algo meramente subjetivo, um bom sentimento, ou paz, ou qualquer coisa que as pessoas estejam buscando. Tudo isso é importante e faz parte do todo; porém, há algo mais importante ainda, ou seja, o fato de que todo o universo está envolvido. Temos de dar ao povo uma concepção disto, do escopo e do âmbito e da grandiosidade do evangelho, neste aspecto todo-inclusivo.

Noutras palavras, cada porção é uma parte dessa totalidade; é importante que sempre comuniquemos aos outros essa impressão. Sempre fico fascinado pelo modo como essa característica específica da pregação transparece tão claramente nas epístolas do apóstolo Paulo. Permita-me usá-las para frisar meu argumento. Você sabe como, de modo geral, as epístolas de Paulo podem ser divididas em duas secções principais. Começando com sua saudação preliminar, ele prossegue a fim de lembrar a seus leitores as grandes doutrinas em que haviam crido. Tendo feito isso, na metade de cada epístola Paulo introduz seu grande vocábulo "portanto". Deste ponto em diante, ele aplicará a doutrina. É como se estivesse realmente dizendo: "À luz de tudo quanto vocês afirmam ter crido, eis o que segue". Ele passa a raciocinar com eles acerca de como deveriam viver diariamente, e assim por diante. Em outras palavras, a primeira metade de cada epístola de Paulo, falando em termos gerais, tem cunho doutrinário, ao passo que a segunda metade é a parte prática ou de aplicação. Todavia, havendo dito isso, o que sempre é tão fascinante (e para mim, emocionante e estimulante) é observar a maneira como, na própria seção prática, Paulo volta a destacar a doutrina. Há a divisão geral, mas não devemos exagerar quanto a isso, nem devemos torná-las absolutas demais. Não podemos fazer isso com as epístolas de Paulo; todos estes aspectos estão de tal modo inter-relacionados, que sempre precisamos mantê-los juntos.

Noutras palavras, apesar de haver um aspecto da pregação cuja finalidade é inculcar princípios morais e éticos, aplicando-os à vida diária, isso nunca deve ser feito isoladamente. Consideremos, por exemplo, a maneira pela qual o apóstolo

Paulo dá inicio ao capítulo 12 da Epístola aos Romanos: "Rogo-vos, pois, irmãos, pelas misericórdias de Deus, que apresenteis o vosso corpo..." Esse é o apelo. Não se trata de simples moralidade; este elemento é introduzido "por causa" do que já sabemos e cremos. Por conseguinte, enquanto devemos reconhecer esta espécie de distinção, não devemos insistir nela. Esta distinção é algo excelente para propósitos práticos, mas jamais devemos isolar estas coisas. O pregador sempre deve declarar "todo o assunto", por assim dizer, mesmo quando, por alguns instantes, ele salienta e enfatiza de maneira particular certos aspectos individuais.

Na verdade, você descobrirá que, embora tenha começado com essas ideias na mente, perceberá às vezes que aquilo você propusera não é o que realmente acontece. O que quero dizer é o seguinte: descobrirá que as pessoas que têm ouvido sua pregação mais evangelística, mas não se colocaram sob o poder dessa pregação, nem se converteram, poderão converter-se quando você estiver pregando aos santos, quando estiver edificando os crentes. Estas são surpresas que nos aguardam; e mais adiante espero poder mostrar que devemos agradecer a Deus por isso. É uma parte do grande romance da pregação. Você começa bem, ao dizer a si mesmo, em certo tipo de culto: este será um culto de caráter evangelístico, ao passo que noutra ocasião meu alvo será a edificação dos santos e o crescimento na fé. Porém, para surpresa sua, você descobrirá que alguém se converterá ao ouvir o segundo tipo de sermão, e não o primeiro, e assim por diante. "O vento sopra onde quer..." Embora não controlemos essas coisas, é correto e bom que tenhamos em mente esse tipo de sistema.

Até aqui tenho falado sobre o conteúdo do sermão de maneira geral. Agora, abordemos a forma do sermão. Confesso que, em minha opinião, esta é, sem dúvida, a mais difícil questão que nos compete abordar. Ela é dificílima, porém, ao mesmo tempo, quero enfatizar que é também uma das questões mais importantes.

Comecemos com algumas observações negativas. Um sermão não é um ensaio. Isto é algo que precisa ser dito constantemente, porque existem tantos que não traçam qualquer distinção clara entre um sermão e um ensaio. Este é um dos particulares a que me referia antes, quando destaquei o perigo envolvido na impressão e leitura de sermões. Sobre que bases eu afirmo que um sermão não é um ensaio? Eu poderia dizer que, por definição, o estilo das duas coisas é inteiramente diferente. Um ensaio é escrito para ser lido; um sermão visa, antes de tudo, ser proclamado e ouvido. Em um ensaio busca-se a elegância literária e uma forma específica, ao passo que essa não é um das aspirações primárias de um sermão.

Outra diferença é esta: em um ensaio, a repetição é uma péssima característica; mas quero enfatizar que em um sermão a repetição tem grande valor. Ela faz parte da própria essência do ensino e da pregação; ajuda a fixar a lição na mente dos ouvintes e a torná-la evidente. Porém, quando lemos um ensaio, a repetição é desnecessária e, portanto, desagradável. Além disso, um ensaio trata de uma ideia, pensamento ou conceito em particular. Lida com essa ideia, considerando-a sob ângulos diversos.

Portanto, o perigo para o pregador que não reconhece essa distinção é que ele busca um texto qualquer para obter uma ideia. E, havendo obtido essa ideia, ele deixa de lado o texto e seu contexto, passando a escrever um ensaio sobre a ideia que lhe foi sugerida pela leitura daquele versículo ou passagem. Ele escreve um ensaio, sobe ao púlpito e lê ou recita o ensaio que preparou de antemão. Contudo, o meu parecer é que isso não é pregação, de maneira alguma; contém pouco ou nada da pregação. E assim é porque não há no ensaio qualquer elemento de ataque. Se houver num ensaio um elemento de ataque, ele será um mau ensaio. O caráter essencial de um ensaio é que ele lida com ideias, abordando-as, no seu todo, de maneira superficial. Um ensaio deve ter atração e elegância. É um tipo de literatura que deve produzir uma leitura interessante, agradável, capaz de entreter; mas não é pregação.

Em segundo lugar, assevero que a pregação de um sermão não deve ser confundida com uma palestra. Novamente, estas são duas coisas bem diferentes, pelas seguintes razões. Uma palestra começa com um assunto e seu escopo é prestar conhecimento e informações a respeito desse assunto específico. Seu apelo é dirigido à mente, primária e quase exclusivamente; seu objetivo é dar instrução e declarar fatos. Esse é o seu propósito, a sua função primária. Assim, uma vez mais, à palestra falta, e deve faltar, o elemento de ataque, a preocupação de fazer algo aos ouvintes, que é um elemento vital à pregação. Mas a grande diferença, quero dizê-lo, entre uma palestra e um sermão é que o sermão não começa com um tema; um sermão sempre deve ter uma natureza expositiva. Em um sermão, o tema ou a doutrina é algo que emerge do texto e do contexto; é algo ilustrado por aquele texto e seu contexto. Portanto, um sermão não deve ter como ponto de partida o tema propriamente dito; deve começar com as Escrituras que contenham uma doutrina ou um tema. Essa doutrina deve ser abordada nos termos deste contexto específico.

Por conseguinte, a minha proposição é que um sermão sempre deve ser expositivo. Mas isso me leva a dizer algo que considero importantíssimo em toda essa questão. Um sermão não é um comentário nem uma simples exposição do significado de um versículo, de uma passagem ou de um parágrafo. Estou salientando isso porque muitos, hoje em dia, se têm mostrado interessados naquilo que consideram como pregação expositiva, mas demonstram claramente que não sabem o que significa pregação expositiva. Eles acham que tudo não passa de fazer uma série de comentários ou um único comentário a respeito de um parágrafo, uma passagem ou uma afirmação bíblica. Eles tomam uma passagem, versículo após versículo; tecem seus comentários sobre o primeiro versículo, passam ao próximo, fazem comentários sobre este, passam ao seguinte, e assim por diante. Depois de passarem por todo o texto desta maneira, imaginam que pregaram um sermão. Mas não o fizeram; tudo que fizeram foi uma série de comentários sobre uma passagem. Quero sugerir que, em vez de pregar um sermão, esses pregadores apresentaram tão-somente a introdução ao sermão!

Em outras palavras, isto levanta a questão do relacionamento entre a exposição e o sermão. Meu argumento básico é que a característica essencial de um sermão é que ele possui uma forma definida, e é esta forma que o torna um sermão. Este se alicerça sobre a exposição, mas é esta exposição transformada ou moldada em uma mensagem que tem esta forma característica. Uma frase que nos ajuda a salientar este argumento se encontra nas páginas do Antigo Testamento, nos Profetas, onde lemos sobre a "sentença pesada do SENHOR". A mensagem chegou ao profeta como uma sentença pesada, chegou até ele como uma mensagem completa; e ele a entregou. Isso é algo, insisto, que jamais acontece com um ensaio ou uma palestra; e, na realidade, não ocorre com qualquer série de comentários sobre determinado número de versículos. Afirmo que um sermão deve ter forma, no mesmo sentido que uma sinfonia musical tem forma. Uma sinfonia sempre tem forma, tem suas partes e suas porções. As divisões são claras, reconhecíveis e podem ser descritas. Apesar disso, uma sinfonia é um todo. Você pode dividi-la em partes, mas sempre perceberá que são as partes de um todo e que o todo é mais do que um mero agregado ou adição de partes. Sempre devemos pensar em um sermão como uma construção, uma obra que, neste sentido, é comparável a uma sinfonia. Noutras palavras, um sermão não consiste no mero passear através de certo número de versículos; não é mera coletânea ou série de declarações e observações excelentes e verdadeiras. Todas essas coisas devem ser encontradas em um sermão, mas não constituem um sermão. O que faz um sermão ser um sermão é que tem a "forma" específica que o diferencia de tudo mais.

Agora, preciso deixar de lado, por um momento, estas considerações, a fim de levantar uma pergunta ou de abordar certa posição. Confesso sinceramente que, com frequência, me sinto perturbado por aquilo que estou prestes a dizer. Edwin Hatch, nas Conferências Hibbert, em 1888 — já as citei antes — fez questão de enfatizar que a pregação cristã mais primitiva era completamente profética. Ele afirmou que os cristãos recebiam suas mensagens por meio do Espírito Santo e as entregavam sem premeditação, ponderação ou preparo. Esses sermões não tinham forma de sermão, eram declarações isoladas: "Homens... falaram da parte de Deus movidos pelo Espírito Santo". Eram mensagens que lhes sobrevinham de repente, e eles as entregavam. Há indicações a esse respeito em 1 Coríntios 14 e outros lugares. Hatch chega mesmo a sugerir não somente que essa era a pregação cristã primitiva, mas também que a nossa ideia de pregação (em particular, essa ideia de sermão que estou apresentando) é totalmente estranha ao Novo Testamento. Ele argumenta que essa forma entrou na igreja cristã e em sua pregação como resultado da influência grega sobre a igreja primitiva, especialmente durante o século II. Os gregos, naturalmente, interessavam-se pela forma; interessavam-se pela forma em tudo — o corpo humano, os edifícios, etc. — portanto, interessaram-se pela forma de seus discursos e preleções. Davam grande importância a essa particularidade. Um homem não se levantava e simplesmente falava; se quisesse exercer influência sobre as pessoas, a maneira como expunha o que tinha a dizer era muito importante. Foi por essa razão que desenvolveram esse método ou essa forma; e essa forma tem caracterizado o sermão, de acordo com a aceitação, na longa história da igreja cristã.

Quero abordar isso de maneira breve. Reconheço que há grande elemento de verdade no que Hatch disse. Podemos perceber com clareza esse elemento espiritual e profético no Novo Testamento. Mas, apesar disso, discordo de seu veredicto final e acredito que seu argumento não faz justiça às evidências do Novo Testamento. Concordo em que sempre devemos ser cautelosos — esse era o principal argumento dos ensinos de Hatch — para não impormos a forma sobre o assunto, tornando-nos mais voltados à forma do que ao conteúdo. Há um perigo bem real nesse particular. No momento em que temos qualquer tipo de forma, literária ou outra, há o perigo de nos tornarmos escravizados à forma, tornando-nos mais interessados na maneira como dizemos qualquer coisa do que naquilo que afirmamos. Muito bem, admito essa observação; contudo, meu argumento é que, mesmo com base nas próprias evidências do Novo Testamento, Hatch foi longe demais.

Eu poderia dizer que, no relato do sermão de Pedro, no Dia de Pentecostes, conforme o achamos em Atos 2, podemos ver nitidamente uma forma distinta e que ele não se levantou para fazer uma série de observações isoladas, pois havia forma definida em seu sermão ou discurso. No caso da autodefesa de Estêvão perante o Sinédrio, conforme registrado em Atos 7, existe novamente uma forma bem definida, aquilo que eu chamaria de a forma de um sermão. Houve um plano perceptível que Estêvão desenvolveu, à medida que prosseguia de um passo a outro. Estêvão sabia exatamente onde queria terminar, antes mesmo de ter começado e avançou naquela direção. Não podemos ler Atos 7 sem ficarmos impressionados com a forma, a estrutura, a construção daquele famoso discurso. E, por certo, no sermão de Paulo em Antioquia da Pisídia, conforme registrado em Atos 13, achamos exatamente a mesma coisa. Paulo estava falando de acordo com um plano ou, se você o preferir, de acordo com uma espécie de esquema ou esboço; certamente havia forma naquele discurso.

Tendo feito essas observações em defesa do sermão conforme o entendo, em oposição às críticas de Hatch, insisto em que devemos ser flexíveis quanto a estes assuntos. Não devemos ser inflexíveis. A história da igreja e a história da pregação demonstram com notável clareza como essas coisas podem ser levadas a extremos; e isso, por sua vez, sempre provoca reações. A história da igreja, neste aspecto, bem como em muitos outros aspectos, tem sido uma história de excessos, seguida de reações extremadas contra os mesmos, em vez de apego ao padrão do Novo Testamento.

Então, qual é a forma que deveria caracterizar um sermão? Sugiro que é algo semelhante a isto: quando começarmos a preparar um sermão, devemos iniciar com a exposição de uma passagem ou de um versículo isolado. Isto é essencial e vital; conforme eu já disse, toda pregação deve ser expositiva. Não podemos começar com um pensamento, embora seja um pensamento correto, um bom pensamento; não comecemos com isto, para, depois, desenvolvermos o discurso sobre tal pensamento. Não podemos fazer isso, porque, se o fizermos, descobriremos que tendemos a dizer as mesmas coisas cada vez; ficaremos repetindo nossas próprias palavras interminavelmente. Se não houvesse nenhum outro argumento em favor da pregação expositiva, esse argumento, para mim, seria suficiente por si mesmo; ele preserva e garante variedade e diversidade na pregação. Guarda-nos de repetições; e isto é ótimo, tanto para os ouvintes como o próprio pregador.

Por conseguinte, você deve ser um pregador expositivo; seja como for, todo o meu argumento é que deve ficar evidente para as pessoas que pregamos algo extraído da Bíblia. Estamos apresentando a Bíblia e sua mensagem. Essa é a razão por que sou um daqueles que gostam de ter uma Bíblia de púlpito. Ela deveria estar sempre presente, sempre aberta, para enfatizar o fato de que o pregador está pregando alicerçado nela. Já conheci homens que só abrem a Bíblia para ler o texto. Em seguida, fecham-na, relegam-na para um lado e continuam falando. Penso que isso está errado do ponto de vista da pregação autêntica. Sempre nos convém demonstrar — e isto é mais importante do que tudo que dissermos — que a nossa pregação procede da Bíblia, sempre procede dela. Essa é a origem de nossa mensagem, pois foi ali que a recebemos.

Portanto, comecemos pela exposição, não somente em nossa própria preparação, mas também quando transmitirmos a mensagem ao povo. Aquilo que você dirá, a força da sua mensagem, surge desta exposição. Se tiver realmente entendido o versículo ou a passagem, você chegará a uma doutrina, uma doutrina específica, que faz parte de toda a mensagem da Bíblia. Você tem o dever de achar esta doutrina e achá-la com diligência. Você terá de investigar o texto, dirigir-lhe perguntas, sobretudo esta pergunta: o que o texto está dizendo? Que doutrina específica existe aqui? Qual é a mensagem especial? Na preparação de um sermão, nada é mais importante do que isso.

Isolando deste modo a doutrina e fixando-a com clareza na própria mente, você passará a considerar a relevância dessa doutrina em particular para os ouvintes. Esta questão de relevância jamais deve ser olvidada. Conforme já disse, você não está apresentando uma palestra, tampouco lendo um ensaio; está ali para atingir uma meta definida e particular, que consiste em influenciar as pessoas e toda a sua perspectiva a respeito da vida. Portanto, é óbvio que você terá de mostrar quão relevante é tudo isso. Você não é um antiquário que dá preleções sobre história antiga, ou sobre civilizações passadas, ou sobre algo parecido. O pregador é um homem que fala a pessoas que vivem hoje e se defrontam com os problemas da vida. Destarte, você terá de mostrar que a pregação não é um assunto acadêmico ou teórico que pode ser interessante às pessoas que apreciam aquele tipo de passatempo, à semelhança de outras que gostam de palavras cruzadas ou algo desse tipo. Você tem de mostrar que essa mensagem é de importância vital para os ouvintes e que devem ouvi-la com todo o seu ser, porque isso realmente haverá de ajudá-los a viver.

Havendo feito isso, você chega à divisão do assunto em proposições, ou subtítulos, ou pontos principais — não importando como você os chama. O objetivo desses subtítulos ou divisões é tornar mais clara a doutrina ou a proposição central. Mas há uma forma definida para tudo isso. Assim como um compositor de música, na introdução de sua sinfonia, ou na abertura de sua ópera, geralmente nos deixa entrever o segredo dos vários motivos que ele explorará, assim também o pregador deveria indicar o tema principal e suas várias divisões em sua introdução geral. Em seguida, convém que ele os desdobre em detalhes, de forma ordeira, em seu sermão. Portanto, o assunto precisa ser dividido em certo número de proposições subordinadas.

O arranjo dessas proposições ou subtítulos possui grande importância. Tendo dividido o tema em partes e destacado seus respectivos elementos, você não deve arranjá-los ao acaso, em qualquer ordem ou sequência. Você tem uma doutrina, um argumento, um caso que quer defender, discutir e apresentar aos ouvintes. Assim, pois, é óbvio que você terá de arranjar seus subtítulos ou divisões de maneira tal que o primeiro ponto conduza naturalmente ao segundo; e o segundo, ao terceiro, etc. Cada ponto deve ser um trampolim para o próximo, tudo contribuindo, em última análise, a uma conclusão específica. Todo o assunto deve ser disposto de tal modo a ressaltar a principal ênfase da doutrina específica.

A particularidade que estou enfatizando é que deve haver progressão de pensamento, que nenhum dos pontos é independente dos demais e que nenhum deles, num sentido, tem valor idêntico aos demais. Cada ponto faz parte de um todo, e em cada ponto você deve estar avançando e levando o assunto adiante. Você não estará simplesmente dizendo a mesma coisa repetidas vezes, mas terá como alvo uma conclusão final. Portanto, nessa questão da forma de um sermão, é absolutamente vital a progressão, o avanço, o desdobramento do argumento e do caso apresentado. Você deverá terminar em um clímax, e tudo deverá ter conduzido a isso de maneira tal, que a verdade central se tenha destacado, dominando tudo quanto fora dito, a fim de que os ouvintes saiam dali com essa verdade em suas mentes.

Mas, enquanto você apresenta sua mensagem desta maneira, é importante que esteja aplicando o que tem sido dito no decorrer da mesma. Há muitas maneiras de fazer isso. Pode fazê-lo por meio de perguntas e respostas ou recorrer a outros métodos; mas você tem de aplicar a mensagem enquanto avança. Isto demonstra, uma vez mais, que você não estará apenas fazendo uma palestra, não está abordando um assunto abstrato, acadêmico ou teórico; pelo contrário, está abordando um assunto contemporâneo que realmente interessa às pessoas, na totalidade de sua vida e de seu ser. Portanto, você deve aplicar constantemente o que estiver afirmando. E então, a fim de tornar isso absolutamente seguro, quando chegar ao fim do raciocínio e da argumentação, quando tiver atingido o clímax da exposição, você deve aplicar tudo novamente. Isso pode ser realizado na forma de uma exortação, que, por sua vez, pode assumir a forma de uma série de perguntas ou a forma de uma série de afirmações curtas e diretas. Porém, é vital que o sermão sempre termine com essa nota de aplicação ou de exortação.

Essa é minha ideia de um sermão; e isso é o que pretendo dizer ao insistir nesta ideia da forma. Você não deve se restringir meramente a expor ou explicar o significado do texto, pois, naturalmente você fará isso; terá de fazê-lo. O que realmente deve preocupá-lo é transmitir a mensagem. Noutras palavras, um sermão é uma entidade, é um todo. Isto sempre caracterizará um sermão; ele sempre terá esta completude, esta forma. Isto é especialmente importante se você estiver apresentando uma série de sermões. Poderá pregar uma série de sermões com base no mesmo texto ou com base em alguma passagem específica; mas o perigo é que, ao descobrir que não pode dizer tudo quanto desejava em um único sermão, venha a dizer: "Bem, aí está; isso é tudo que podemos considerar desta vez!" — e parar abruptamente naquele sermão.

Em minha opinião, isto é bastante ruim. Devemos cuidar para que cada sermão seja algo total e completo. Quando continuamos a falar sobre o mesmo tema, em um sermão subsequente, devemos, com algumas frases iniciais, resumir o que já dissemos e, em seguida, desenvolver o tema. Uma vez mais, você precisa assegurar-se de que o novo sermão é uma entidade e um todo, completo em e por si mesmo.

Tenho grande preocupação a respeito disto, por várias razões. Obviamente, uma delas é que talvez haja pessoas que não estarão presentes no domingo seguinte e, por essa razão, irão embora desapontadas, perguntando a si mesmas o que será dito no próximo domingo. Ou pode haver pessoas que não ouviram o sermão do domingo anterior e, por essa razão, sentirão que não podem captar o que você dirá agora. Esta é uma das razões por que é importante que cada sermão seja uma entidade completa e sempre tenha essa forma.

Em outras palavras, assevero que existe um elemento de arte em todo sermão. É neste ponto que se torna importante a preparação dos sermões. O assunto deve receber forma, precisa ser moldado num formato. Imagino que o compositor musical ou o poeta tem de fazer exatamente a mesma coisa. O poeta conta com certas ideias gerais, com certos temas que lhe parecem sugestivos; mas, se ele tiver de produzir um poema, precisará de todas essas ideias que lhe ocorreram e moldá-las em um formato, colocá-las em uma forma específica. Ora, isso envolve considerável esforço e labor. Espero falar demoradamente sobre os detalhes, quando abordar a preparação prática de um sermão, o caráter diversificado deste labor, algumas das dificuldades e como esses problemas são, às vezes, solucionados de maneiras estranhas e inesperadas. Tudo que estou dizendo agora é que a nossa tarefa, como pregadores, consiste em manejar com afinco o nosso assunto, para lhe dar a forma de um sermão.

No entanto, alguém poderia perguntar por que tudo isso é necessário. A resposta é: por causa das pessoas que nos ouvirão. Foi isso que os gregos descobriram; e creio que o fizeram com razão. Descobriram que a verdade, uma vez exposta desta maneira específica, é assimilada com mais facilidade pelas pessoas; elas a guardarão, a recordarão, a entenderão e se beneficiarão dela com mais facilidade. Portanto, não realize esse esforço quanto à forma apenas porque você crê na "arte por amor à arte". O elemento artístico é introduzido para beneficiar o povo, porque auxilia na propagação da verdade e na honra do evangelho. Creio que aquilo que tenho procurado dizer pode ser consubstanciado com bastante clareza pela longa história da igreja cristã. A pregação que Deus, mediante o Espírito, se agradou em honrar mais, no decorrer dos séculos, foi a pregação baseada em grandes sermões; os grandes pregadores eram homens que preparavam grandes sermões.

Caso alguém cite um pregador em particular e diga: "O que podemos dizer sobre Fulano, que raramente preparava um sermão com a devida antecedência e que, no entanto e indubitavelmente, foi grandemente usado por Deus?" Minha resposta é: "Exatamente! Essa é uma exceção à regra. Não se legisla em favor de casos extraordinários; não se formulam teorias sobre exceções. Deus pode usar qualquer um, de qualquer maneira. Deus pode usar até mesmo o silêncio de um homem. Nós, porém, somos chamados para ser pregadores que transmitem a verdade. Meu argumento é que, se lermos a respeito das grandes pregações do passado, ou dos grandes sermões, descobriremos que esses foram os mais honrados pelo Espírito e usados por Deus na conversão de pecadores, na edificação e fortalecimento dos santos.

Tudo se resume nisto: a preparação de sermões envolve suor e labuta. Às vezes, pode ser extremamente difícil reunir nesse formato todo o material que você encontrou nas Escrituras. É semelhante a um oleiro formando algo da argila ou a um ferreiro, ao formar uma ferradura para um cavalo. Temos de continuar pondo o material no fogo e, depois, na bigorna, batendo-o no malho, muitas e muitas vezes. O material vai ficando um pouco melhor, mas ainda não está excelente; portanto, nós o colocamos de volta no fogo, até que fiquemos satisfeitos com ele ou não pudermos mais aprimorá-lo. Esta é a parte mais cansativa da preparação de um sermão. Ao mesmo tempo, é a ocupação mais fascinante e mais gloriosa.

Ocasionalmente, pode ser uma tarefa extremamente difícil, fatigante e penosa. Mas, apesar disso, posso assegurar-lhe que, quando você tiver finalmente obtido sucesso, experimentará um dos mais gloriosos sentimentos que um homem já teve na face da terra. Emprestando o título de um livro de Arthur Koestler, você terá a consciência de haver realizado um "Ato de Criação" e terá um vaga ideia do que as Escrituras querem dizer, ao afirmarem que Deus, quando contemplou o mundo que criara, viu que "era muito bom".

Bem, o pregador sempre deve começar com a preparação de seu sermão. Ainda não falei sobre a maneira como ele o prepara; mas chegarei lá. Há várias maneiras de fazer-se isso. Porém, ele tem de preparar um sermão, que tem de ser uma verdadeira entidade, sem importar como ele consiga fazê-lo. É neste ponto que ele começa. Entretanto, permita-me lembrar-lhe que isto é apenas a primeira metade, é apenas o começo. Existe outro lado. O que é esse outro lado? Bem, é a própria pregação, a comunicação do sermão que fora preparado. E, conforme espero ser capaz de mostrar, embora você suba ao púlpito com aquilo que considera um sermão quase perfeito, jamais saberá o que acontecerá quando começar a pregar, se a pregação for digna desse nome!

CAPÍTULO CINCO
O ATO DA PREGAÇÃO

~~~~

Trataremos agora daquilo que chamamos de "entrega" do sermão, ou seja, o "ato de pregar", aquilo que podemos chamar de pregação propriamente dita, em distinção ao sermão. Este é o segundo grande aspecto de nosso assunto.

Gostaria de deixar bem claro novamente: nesta etapa abordarei a questão somente de modo geral. Antes de tudo, procurarei fornecer um quadro geral do que seja, realmente, a pregação e, em seguida, passaremos às considerações mais detalhadas. É bom que tenhamos um quadro geral bem definido, antes de começarmos a falar sobre os detalhes.

Ora, este assunto da entrega do sermão, às vezes é expresso pelo verbo *pregar*, é algo difícil de ser definido. Definir a pregação, certamente, não é uma questão de regras ou regulamentos; e, conforme penso, grande parte da dificuldade em defini-la surge porque as pessoas consideram isso uma questão de instruções, regras e regulamentos, uma questão de coisas permitidas ou proibidas. Mas não é nada disso. A dificuldade consiste em colocar realmente em palavras a nossa definição. A pregação é algo que podemos reconhecer quando a ouvimos. Portanto, o melhor que podemos fazer é dizer determinadas coisas a respeito. Não podemos chegar mais perto do âmago do que isso. A nossa posição é semelhante àquela que o apóstolo Paulo parece haver sentido em 1 Coríntios 13, quando procurou definir o amor — abafou a descrição. Tudo que podemos dizer é certo número de coisas a respeito: pregar é isto e não aquilo. No entanto, certas coisas são verdadeiras e devem estar presentes quando você produz pregação autêntica.

A primeira coisa é que toda a personalidade do pregador deve estar envolvida. De fato, este é o ponto que foi ressaltado na famosa definição de pregação feita por Phillips Brookes — a pregação é a "verdade mediada pela personalidade". Acredito que isso é correto; todas as faculdades do pregador devem ser empenhadas na pregação, o homem inteiro deve estar envolvido. Chego mesmo ao extremo de sugerir que o próprio corpo do pregador está envolvido. Ao falar assim, lembro-me de algo que foi dito, em certa ocasião, por um de meus predecessores na Capela de Westminster, em Londres, o Dr. John A. Hutton. No seu caso, a pregação sempre seria distinguida do assunto do seu sermão. Seu antecessor em Westminster foi um pregador bem conhecido nos Estados Unidos e na Inglaterra, o Dr. John Henry Jowett. Ele era homem tanto quieto como nervoso e considerava muito intimidante o amplo púlpito da Capela. Costumava dizer que, ao colocar-se de pé naquela ampla plataforma, com todo o seu corpo visível para a congregação, sentia-se como se estivesse despido em um campo. Ele ficou tão constrangido a respeito disso, que solicitou que se pusessem cortinas sobre os gradis à volta da plataforma, para que, pelo menos, a maior parte de seu corpo ficasse oculta. Pois bem, conforme declarei, ele foi substituído por Dr. John Hutton. Aconteceu-me estar presente num culto mais ou menos no terceiro domingo após a chegada do Dr. Hutton. Observei, assim como os demais, que todas aquelas cortinas haviam sido removidas e que o corpo inteiro do pregador podia ser visto, como nos tempos anteriores. O Dr. Hutton esclareceu os ouvintes a respeito disso e disse-nos que as cortinas haviam sido tiradas a pedido seu, porque acreditava que o pregador deveria pregar com todo o seu corpo — o que realmente acontecia com ele. Ele dizia que pregava tanto com as pernas como com a cabeça e que, se o observássemos, descobriríamos que isso era verdade. Observando-o, podíamos perceber que era verdade mesmo! Não tenho certeza se isso sempre era vantajoso para sua pregação, porquanto ele fazia todo tipo de contorções. Ele se equilibrava sobre os artelhos de um pé e enrolava o outro pé em torno da perna parada, e assim por diante. O que desejo ressaltar é que realmente havia algo naquilo que ele dizia, o homem inteiro ficava envolvido. Ele não permanecia parado como uma estátua, simplesmente proferindo palavras com seus lábios; toda a pessoa ficava ocupada — gestos, atividades e tudo o mais.

Não quero exagerar este ponto, mas você deve estar lembrado de que, ao perguntarem a Demóstenes sobre o primeiro e grande essencial da oratória, sua resposta foi: "Ação". E, quando lhe perguntaram: "Bem, qual é o segundo?", ele respondeu novamente: "Ação". Então perguntaram: "E qual é o terceiro aspecto mais importante?" Uma vez mais a resposta foi: "Ação". Não há dúvidas sobre isso; o falar eficaz exige ação. Por essa razão, enfatizo que a personalidade inteira do pregador deve estar envolvida na pregação.

O segundo elemento que eu gostaria de enfatizar é um senso de autoridade e de controle sobre a congregação e sobre as atividades. O pregador jamais deve ser dado a pedir desculpas, jamais deve dar a impressão de estar falando sob a permissão dos ouvintes; não deve apresentar certas sugestões e ideias a pretexto de experiência. Não deve ser esta a sua atitude, sob hipótese alguma. Antes, ele é um homem que está ali para "declarar" certas coisas; é um homem comissionado e investido de autoridade. É um embaixador e deve estar consciente de sua autoridade. Sempre deve reconhecer que se apresenta à congregação na qualidade de mensageiro enviado.

Obviamente, isto não é uma questão de autoconfiança, que é sempre deplorável em um pregador. Temos o testemunho do próprio apóstolo Paulo de que, ao pregar em Corinto, ele o fez "em fraqueza, temor e grande tremor". Sempre devemos estar cônscios disso. Mas isso não significa que devemos pedir desculpas por estarmos pregando; significa que estamos cônscios da solenidade, da seriedade e da importância do que estamos fazendo. Não somos autoconfiantes, somos homens sob a autoridade de Deus e homens que têm autoridade. Isto deve ser evidente e óbvio. Coloco este elemento no topo da lista e afirmo que, em vez de ser controlado pela congregação, o pregador está no encargo e no controle da congregação. Mais adiante retornarei a estes aspectos com maiores detalhes.

A próxima qualidade neste panorama geral do pregador e deste "ato" de pregar é o elemento da liberdade. Atribuo grande importância a isso. Embora o sermão seja preparado à maneira que indicamos, preparado com todo o cuidado, o pregador deve sentir-se livre no ato de pregar, no ato de entregar o seu sermão. Não pode ficar preso à sua preparação nem ser dominado por ela. Este é um ponto crucial; é a própria essência do ato de pregar. Não estou pensando apenas no fato de que o pregador pode ter consigo um manuscrito, porque ele pode ficar amarrado até sem ter consigo um manuscrito. Digo, apenas, que ele deve ser livre; livre no sentido de que está aberto à inspiração do momento. Visto que considero a pregação uma atividade realizada sob o poder e a influência do Espírito Santo, precisamos ressaltar este ponto, porque a preparação não chega ao fim quando um homem termina de preparar seu sermão. Uma das coisas mais notáveis sobre a pregação é esta: descobrimos frequentemente que as melhores coisas ditas pelo pregador são aquelas que não foram premeditadas; aquelas sobre as quais ele não havia pensado durante a preparação do sermão, mas que lhe são dadas enquanto está no processo de falar e pregar.

Outro elemento ao qual atribuo importância é que o pregador, enquanto fala, deve extrair, de certo modo, algo de sua congregação. No auditório, sempre haverá pessoas de mentalidade espiritual, cheias do Espírito Santo, que fazem sua contribuição para a ocasião. Sempre haverá um elemento de interação na verdadeira pregação. Esta é outra maneira de mostrar a distinção vital entre um ensaio ou uma palestra, por um lado, e um sermão pregado, por outro lado. O homem que lê seu ensaio não obtém nada de seus ouvintes; tudo que ele diz está escrito, à sua frente; não acontece nada novo ou criativo, não há interação. Mas o pregador — embora esteja preparado, bem preparado — devido a esse elemento da liberdade espiritual, é capaz de receber algo de sua congregação; e assim o faz. Existe certa interação, ação e reação, e, com frequência, isto faz uma diferença vital.

Todo pregador eficiente pode dar testemunho disso. De fato, qualquer homem digno de ser chamado orador, mesmo em assuntos seculares — como política, etc. — sabe algo a respeito disso e, constantemente, tem experimentado aquele união possibilitada pela reação positiva dos ouvintes aos quais tem dirigido a palavra. Isto deve acontecer mais frequentemente no caso do pregador. Graças a Deus, isso ocorre também quando o pregador, pobre sujeito, está em seus piores momentos, por diversas razões — ele não teve tempo de preparar-se como devia ou houve a ingerência de vários fatores físicos e outras coisas que lutaram contra o êxito da ocasião — a reação e o fervor de sua audiência o desperta e estimula. Todavia, o pregador deve manter-se atento a isso; em caso contrário, ele perderá uma das mais gloriosas experiências que sempre ocorrem a um pregador. Por conseguinte, este elemento de liberdade é muitíssimo importante.

Era isso que eu pretendia dizer em minha última observação, na preleção anterior, ao afirmar que, embora você tenha preparado seu sermão de maneira atenciosa e completa, nunca sabe o que acontecerá quando subir ao púlpito e começar a pregar. Talvez você fique atônito e admirado com o que está acontecendo. Novos elementos podem introduzir-se, talvez haja sentenças incompletas e detalhes a corrigir. Podem aparecer muitas coisas semelhantes a essas, que os puristas condenariam ou que, com justiça, um crítico literário censuraria totalmente em um ensaio, mas que é essencial à pregação. Porque a pregação tem por desígnio fazer algo em benefício dos ouvintes. E, enquanto você mantém o elemento de liberdade em primeiro plano e não atribui importância demasiada a esses outros elementos, você pode ser bem-sucedido.

O elemento de liberdade possui grande importância. A pregação sempre deve ser realizada sob a orientação do Espírito — seu poder e controle — e você não sabe o que poderá acontecer. Portanto, seja sempre livre. Talvez pareça contraditório dizer: "Prepare-se... prepare-se cuidadosamente" e, ao mesmo tempo: "Contudo, mantenha-se livre". Entretanto, não há contradição nisso, assim como não há contradição nas palavras de Paulo: "Desenvolvei a vossa salvação com temor e tremor; porque Deus é quem efetua em vós tanto o querer como o realizar, segundo a sua boa vontade" (Fp 2.12-13). Enquanto você estiver pregando, descobrirá que o Espírito Santo, que o ajudou na preparação do sermão, o ajudará agora, enquanto você fala, de uma maneira inteiramente nova, mostrando-lhe coisas que você não viu enquanto preparava o sermão.

O próximo elemento é a seriedade. O pregador deve ser um homem sério; jamais deve transmitir a impressão de que a pregação é algo leviano, superficial ou trivial. Por enquanto, digo apenas isso, porque meu intuito é abordar este assinto em maior amplitude, adiante. Agora faço apenas a declaração geral de que um pregador deve necessariamente dar a impressão de que está lidando com o assunto mais sério que homens e mulheres podem considerar juntos.

O que está acontecendo? O pregador está falando aos ouvintes da parte de Deus e a respeito dEle, está falando sobre a condição dos ouvintes — o estado da sua alma. Está lhes dizendo que, por natureza, estão sob a ira de Deus — são "filhos da ira, como também os demais" — e que o caráter de seu viver é ofensivo a Deus, está sob o juízo dEle. O pregador está advertindo-os sobre a temível possibilidade eterna que os aguarda. De alguma maneira, o pregador, entre todos os homens, deve estar consciente da natureza fugaz da vida neste mundo. Os homens mundanos vivem tão imersos em seus negócios e atividades, em seus prazeres e toda a sua ostentação, que a única coisa sobre a qual eles nunca param para considerar é o caráter passageiro da vida. Tudo isso enfatiza que o pregador sempre deve criar e comunicar a impressão da seriedade daquilo que está acontecendo no momento em que ele aparece no púlpito. Você deve lembrar as famosas palavras de Richard Baxter:

> Preguei como se não tivesse certeza de que pregaria novamente, como um homem moribundo para moribundos.

Creio que esta declaração não pode ser melhorada. Você também recorda o que se disse a respeito do piedoso Robert Murray McCheyne, da Escócia, no século XIX. Afirma-se que, ao subir ao púlpito, antes mesmo de haver proferido uma única palavra, o povo começava a chorar em silêncio. Por quê? Por causa deste elemento da seriedade. A própria contemplação daquele homem dava a impressão de que ele viera da presença de Deus e de que lhes transmitiria uma mensagem da parte de Deus. Isso é o que exercia tão extraordinário efeito sobre os ouvintes, antes mesmo de McCheyne abrir a boca. Esquecemos este elemento ao nosso risco e a grande custo para os ouvintes.

Apresento agora algo cujo propósito é corrigir (ou talvez não tanto corrigir, e sim salvaguardar) toda incompreensão daquilo que venho afirmando. Refiro-me ao elemento da "vivacidade". Isto ressalta o fato que a seriedade não significa solenidade, nem tristeza, nem morbidez. Todas estas coisas são distinções importantes. O pregador deve mostrar-se vívido; e é possível mostrar-se vívido e sério ao mesmo tempo.

Permita-me expressar isto em outras palavras. O pregador jamais deve ser monótono, nunca deve ser enfadonho; ele nunca deve ser o que se chama de "cansativo". Estou enfatizando estas particularidades por causa de algo que já me disseram muitas vezes e que me preocupa em grande medida. Pertenço à tradição Reformada e, talvez, tenha contribuído algo, na Inglaterra, para a restauração desta ênfase, nos últimos quarenta anos. Portanto, sinto-me perturbado quando membros de igrejas me dizem, com frequência, que muitos dos pregadores reformados mais jovens são homens excelentes, que lêem muito e são eruditos, mas são homens bastante monótonos e enfadonhos; e isso me tem sido dito por pessoas que seguem a tradição Reformada. Para mim isso é muito sério; existe algo radicalmente errado em pregadores monótonos e enfadonhos. Como pode ser monótono um homem que trata desses assuntos? Quero dizer que um "pregador monótono" é uma contradição; se ele é monótono, não é um pregador. Pode subir a um púlpito e falar, mas certamente não é um pregador. Ante o grandioso tema e mensagem da Bíblia, a monotonia se torna impossível. Este é o assunto mais interessante, mais emocionante e mais envolvente que há no universo. E a ideia de que isto pode ser apresentado de maneira enfadonha me faz duvidar seriamente que os homens culpados desta monotonia compreenderam a doutrina que estão defendendo e na qual afirmam crer. Com frequência, somos traídos por nossa conduta.

Prosseguindo, chegamos agora às qualidades do zelo e do senso de interesse. Estes elementos estão intimamente relacionados. Quando falo em zelo, quero dizer que um pregador sempre deve transmitir a impressão de que ele foi cativado pelo que está dizendo. Se ele não foi cativado, ninguém mais o será. Portanto, isto é absolutamente essencial. Ele tem de impressionar os ouvintes com o fato de que está entusiasmado e absorvido pelo que está fazendo. Seu assunto o extravasa; ele anseia comunicá-lo a outros. Sente-se tão comovido e entusiasmado pelo assunto, que deseja que todos compartilhem disso. Ele está interessado pelas pessoas; este é o motivo por que prega para elas. Preocupa-se com elas. Anela por ajudá-las; anela por falar-lhes a verdade de Deus. Portanto, faz isso com vigor, com zelo e com aquele interesse óbvio pelas pessoas. Em outras palavras, o pregador que parece desligado da verdade e que apenas afirma certo número de coisas que podem ser excelentes, verdadeiras e ótimas por si mesmas, não é um pregador, de maneira alguma.

Recentemente, quando convalescia de certa doença, deparei-me com um notável exemplo do que estou condenando. Eu me encontrava em uma vila de certa região da Inglaterra e fui à igreja local que ficava do outro lado da estrada do lugar onde estava hospedado. Notei que naquela noite o pregador falava sobre o profeta Jeremias. Revelou-nos que estava iniciando uma série de sermões sobre aquele profeta. Assim, começou pelo grande texto onde Jeremias afirmou que não poderia mais deixar de falar, porque a Palavra de Deus era como fogo em seus ossos. Esse foi o texto que ele usou. O que aconteceu? Saí daquela reunião com a impressão de que fora testemunha de algo extraordinário, porquanto a grande coisa que faltava naquele culto era "fogo". O bom homem falara sobre o fogo como se estivesse assentado em um iceberg. Abordara o próprio tema do fogo de maneira desligada e fria. Era uma negação viva do próprio assunto que afirmava; ou melhor, eu poderia dizer, era uma negação morta. O seu sermão, do ponto de vista de estrutura e preparação, era bom. Era evidente que ele gastara considerável tempo na preparação e que escrevera cada palavra, porque lia o sermão. Todavia, o grande ausente era o "fogo". Não havia zelo, não havia entusiasmo, não havia interesse evidente para nós, membros da congregação. Toda a atitude do pregador parecia desligada, acadêmica e formal.

Deixe-me colocar o assunto nestes termos. Lembro-me de que, anos atrás, li o relato publicado por um famoso jornalista da Escócia a respeito de uma reunião da qual ele participara. Ele usou uma frase da qual nunca me esquecerei; com frequência, essa frase me tem repreendido e me condenado. Ele ouvira dois oradores que falavam sobre o mesmo assunto. E prosseguiu dizendo que ambos os oradores eram homens hábeis e eruditos. Então, veio a frase devastadora: "A diferença entre aqueles dois oradores era a seguinte: o primeiro falava como um advogado, o segundo, como uma testemunha". Isso cristaliza perfeitamente o nosso argumento. O pregador jamais deve ser um mero advogado. A tarefa e a incumbência do advogado, do defensor público é representar a alguém no tribunal. Ele não está interessado na própria pessoa. Talvez não a conheça e não tenha nenhum interesse pessoal nela; mas recebeu aquilo que chamamos de resumo do processo que envolve aquela pessoa. O resumo foi preparado para ele, contendo todos os fatos e os detalhes, os pontos legais e os assuntos salientes do processo. Está em suas mãos; e o que ele faz agora é advogar de acordo com o resumo. Não se envolve pessoalmente e não se preocupa. Acha-se em posição imparcial e trata a questão como algo que não lhe diz respeito.

Ora, isso jamais deve acontecer ao pregador. Esta é, também, uma das diferenças entre o pregador e o palestrante. O pregador está envolvido durante todo o processo da mensagem; essa é razão por que deve haver esse elemento de zelo. Ele não está apenas "lidando" com um caso. Fazer apenas isso é uma das maiores tentações de muitos pregadores, especialmente aqueles que, dentre nós, são contenciosos por natureza. Nossa causa é incomparável, conforme já vimos; temos a nossa teologia sistemática e o conhecimento da verdade. Que maravilhosa oportunidade para argumentar, raciocinar, demonstrar e provar a causa, refutando todas as objeções e contra-argumentos! Porém, se o pregador der a impressão de que é apenas um advogado que apresenta uma causa, terá fracassado completamente. O pregador é uma testemunha. Este é o vocábulo usado pelo próprio Senhor: "E sereis minhas testemunhas". É exatamente isso que o pregador sempre deve ser, em todas as ocasiões. Nada é tão fatal em um pregador como o deixar de mostrar que está pessoalmente envolvido.

Isso nos conduz inevitavelmente ao próximo elemento, que é o "calor". Usando um termo que é comum hoje, afirmamos que o pregador jamais deve ser "clínico". Frequentemente, o pregador se mostra assim. Tudo quanto ele faz é correto e, de fato, quase perfeito. Ele se mostra clínico, e não vivo; frio, e não comovente, porque ele mesmo não foi comovido. No entanto, isso jamais deve ser verdade no que concerne ao pregador. Se ele realmente acredita no que está dizendo, tem de ser comovido pelo que diz; é-lhe impossível não ser comovido. Isso nos conduz ao calor da necessidade. O apóstolo Paulo nos revela que ele mesmo pregava "com lágrimas". Relembra isso aos presbíteros de Éfeso, em Atos 20. E, ao referir-se a certos pregadores falsos, em Filipenses 3, ele o fez "chorando".

Ora, o apóstolo Paulo possuía um intelecto brilhante, uma das maiores mentes de todos os séculos. Mas às vezes ele chorava, enquanto falava e pregava. Com frequência, ele chegava às lágrimas. De onde veio a noção de que pessoas inteligentíssimas não demonstram qualquer emoção? Quão ridícula e absurda é essa noção! Um homem que não se deixa comover por estas coisas, assevero eu, jamais as compreendeu. O homem não é um intelecto em um vácuo; é uma pessoa inteira. Tem coração, bem como intelecto; e, se o intelecto entende verdadeiramente, seu coração será comovido. Lembre como o apóstolo expressa isto em Romanos 6.17: "Mas graças a Deus, porque, outrora, escravos do pecado, contudo, viestes a obedecer de coração à forma de doutrina a que fostes entregues". Se o coração de um homem não está envolvido, peço licença para examinar e questionar se ele realmente entendeu com a sua mente, por causa do próprio caráter da verdade com a qual está lidando. Isto é verdade quanto a todos os grandes pregadores de todos os séculos. Whitefield, ao que parece, enquanto pregava, quase sempre derramava lágrimas. Sinto que todos estamos sob condenação neste aspecto e precisamos ser repreendidos. Confesso, sinceramente, que eu mesmo preciso ser repreendido. Onde está a paixão na pregação que sempre caracterizou as grandiosas pregações do passado? Por que os pregadores modernos não são comovidos e enlevados pela verdade, como ocorria tão frequentemente aos pregadores do passado? A Verdade não mudou. Acreditamos nela? Temos sido impressionados, humilhados por ela e, depois, enlevados, até nos "perdermos em admiração, amor e louvor"?

O pregador é um homem que, por essas razões e dessas maneiras, entra em contato com os que o ouvem. Em vez de sentir-se desligados, há comunhão mútua. E isso transparece em sua voz, gestos e toda a abordagem. E toda a aparência do pregador mostra que há essa intimidade de contato entre ele e sua congregação.

Consideremos agora o próximo elemento: o senso de urgência. De certo modo, já me referi a isso; mas esse fator merece ser isolado e enfatizado. O pregador deve instar sempre, "a tempo e fora de tempo", disse Paulo a Timóteo. Novamente, pela mesma razão: por causa de toda a situação. Essa é a razão que torna a pregação um ato tão espantoso, uma responsabilidade tão grande e uma questão tão avassaladora. Não é surpreendente que o apóstolo Paulo, considerando o ministério, tenha perguntado: "Quem... é suficiente para estas coisas?" O homem que imagina ser suficiente para estas coisas, porque tem a mente repleta de conhecimentos, faria melhor se começasse novamente seus estudos. "Quem... é suficiente para estas coisas?" O que você está fazendo? Você não está apenas transmitindo informações, está cuidando de almas, está cuidando de peregrinos que estão a caminho da eternidade, está lidando não somente com questões de vida e morte neste mundo, mas também com questões de destino eterno. Nada pode ser tão terrivelmente urgente.

Lembro-me das palavras ditas por William Chalmers Burns, que foi usado grandemente nos avivamentos na Escócia, por volta de 1840, e, incidentalmente, na igreja de Robert Murray McCheyne, a quem já me referi antes. Certo dia, Chalmers pôs a mão no ombro de um colega de ministério e disse-lhe: "Irmão, temos de nos apressar". Se não conhecemos algo desse senso de urgência, não sabemos o que é a verdadeira pregação. Você pode fazer uma preleção em qualquer ocasião, agora ou daqui a um ano; isso não fará grande diferença. Isso também é verdade com relação à maioria dos outros assuntos. Porém, a mensagem do evangelho é algo que não pode ser adiado, porque não sabemos se nós mesmos ou as pessoas a quem falamos estarão vivas dentro de uma semana ou de um dia. "No meio da vida, estamos na morte."

Se o pregador não sugerir esse senso de urgência, de que está ali entre Deus e os homens, falando entre o tempo e a eternidade, ele não tem o direito de estar em um púlpito. Não há lugar para um desinteresse calmo, frio e científico em relação a estes assuntos. Isso pode ser perfeitamente certo em um filósofo, mas é inconcebível em um pregador, devido a toda a situação em que ele se acha envolvido.

Por esta mesma razão, a pregação sempre deve caracterizar-se pela persuasão. "Em nome de Cristo, pois, rogamos que vos reconcilieis com Deus." Por certo, o objetivo de todo este ato é persuadir as pessoas. O pregador não diz coisas com a atitude de "aceite isso ou rejeite-o". Ele deseja persuadir seus ouvintes sobre a veracidade de sua mensagem; ele quer que seus ouvintes percebam sua mensagem; está procurando fazer algo em favor deles: influenciá-los. Ele não está apresentando uma pesquisa erudita de um texto, nem fazendo exibição de seu conhecimento. Ele está lidando com almas vivas e deseja comovê-las, levá-las consigo e guiá-las até à verdade. Este é o seu propósito. Portanto, se este elemento não estiver presente, embora outros elementos estejam presentes, não haverá pregação. Todos estes pontos destacam a diferença entre fazer uma palestra e pregar ou entre um ensaio e um sermão.

Ainda que já nos referimos a isso, temos de falar de modo especial sobre a empatia. Se tivesse de me declarar culpado de uma coisa mais do que de outras, precisaria admitir que este é o elemento mais ausente em meu próprio ministério. Isto deveria surgir, em parte, do amor às pessoas. Richard Cecil, um pregador anglicano que viveu em Londres entre o final século XVIII e o começo do século XIX, disse algo que nos deveria fazer pensar: "Amar a pregação é uma coisa; e amar aqueles para quem pregamos é algo bem diferente". O problema existente em alguns de nós é que gostamos de pregar, mas nem sempre nos certificamos de que amamos as pessoas para quem estamos pregando. Se lhe falta este elemento de compaixão pelas pessoas, também lhe faltará o elemento de empatia que é extremamente vital em toda a verdadeira pregação. Nosso Senhor olhou para as multidões, e as viu "como ovelhas que não têm pastor", e "compadeceu-se delas". Mas, se você não conhece nada disto, não deveria subir a um púlpito, porque isto transparecerá na sua pregação. Não podemos ser puramente intelectuais ou argumentativos; este outro elemento precisa estar presente.

Não somente o seu amor pelas pessoas produzirá esta empatia, mas também o próprio assunto pregado tende a obter esse resultado. Pois o que pode ser mais comovente do que a percepção de que Deus, em Cristo, fez algo por nós? Portanto, qualquer tentativa de considerar e compreender esse fato, deve nos comover profundamente. Observemos o que acontecia com o grande apóstolo Paulo. Ele começa com um argumento cujo desígnio é convencer-nos da nossa pecaminosidade, da condição de perdidos e de nossa total dependência de Cristo. Mas, no momento em que ele menciona aquele Nome, parece esquecer seu argumento e irrompe em um de seus grandes arroubos de eloquência. Fica comovido até às maiores profundezas de seu ser e escreve algumas daquelas passagens esplendorosas que deveriam nos levar às lágrimas. É a contemplação daquilo que Deus fez por nós em Cristo, e do sofrimento envolvido nisso, e da grandiosidade do amor de Deus para conosco. "Deus amou o mundo de *tal maneira*..."

Este elemento de empatia era uma das grandes características da pregação de Whitefield, um dos maiores pregadores de todos os séculos. David Garrick, o grande ator do século XVIII, certa vez disse que gostaria ao menos de poder pronunciar a palavra "Mesopotâmia" como Whitefield o fazia! E também disse que daria com prazer cem libras se pudesse, ao menos, proferir o vocábulo "oh!" com a mesma empatia de Whitefield. O homem moderno e sofisticado pode rir-se disso, mas seremos verdadeiros pregadores somente quando começarmos a conhecer algo dessa qualidade enternecedora. Naturalmente, o homem que procura produzir um efeito torna-se um ator e não passa de um impostor abominável. O fato, porém, é que, se "o amor de Deus é derramado" no coração de um homem, conforme ocorreu com Whitefield, a empatia é inevitável.

Este elemento de empatia e emoção é extremamente vital para mim. No entanto, trata-se de algo tão lamentavelmente ausente neste século, sobretudo entre os irmãos reformados. Tendemos a perder o equilíbrio e nos tornamos excessivamente intelectuais; de fato, chegamos quase a desprezar o elemento de sentimentos e emoção. Somos tão eruditos, dominamos tão profundamente a verdade, que tendemos por desprezar os sentimentos. As pessoas comuns, pensamos, são emocionais e sentimentais, mas não têm qualquer compreensão!

Não é este o perigo? Não é esta a tendência? desprezar os sentimentos, que são parte essencial do homem, colocados nele por Deus? Não sabemos mais o que significa ficar extasiados, não sabemos mais o que significa sentir-se profundamente comovidos. Você deve lembrar a descrição de Matthew Arnold sobre a religião. Ele declarou: "Religião é moralidade tingida de emoção". Quão típico de Matthew Arnold e quão equivocado! Que completa cegueira! Moralidade "tingida" de emoção. Apenas um "tingimento". Seria rude e descortês ter algo mais que um "tingimento". O "pequeno cavalheiro" jamais deixa entrever as suas emoções. Não nos esqueçamos que Matthew Arnold era filho de Thomas Arnold, o diretor da famosa escola pública em Rugby. Ele ensinava que o verdadeiro cavalheiro jamais exibe seus sentimentos e sempre os mantém sob controle. Essa atitude parece haver permeado a vida da igreja e de muitos cristãos. As emoções são quase consideradas como algo indecente. Minha resposta a tudo isso, uma vez mais, consiste apenas em dizer que, se podemos contemplar essas gloriosas verdades entregues aos nossos cuidados, na qualidade de pregadores, sem que elas nos comovam, então existe algo defeituoso em nossa visão espiritual.

O apóstolo Paulo, conforme já disse, nunca pode meditar sobre essas coisas sem comover-se até ao mais profundo de sua alma grandiosa. Deixe-me ilustrar o que estou dizendo. Você deve se lembrar como, em Romanos 9,10 e 11, ele vinha desenvolvendo o problema específico dos judeus. Onde eles se encaixavam e qual era a posição deles à luz do que Paulo vinha dizendo a respeito da justificação pela fé, e assim por diante. Paulo tomou este assunto, argumentou sobre ele, raciocinou em torno do mesmo e chegou à sua grande conclusão. Mas ele não parou aí; antes, prorrompe nesta declaração:

> Ó profundidade da riqueza, tanto da sabedoria como do conhecimento de Deus! Quão insondáveis são os seus juízos, e quão inescrutáveis, os seus caminhos! Quem, pois, conheceu a mente do Senhor? Ou quem foi o seu conselheiro? Ou quem primeiro lhe deu a ele para que lhe venha a ser restituído? Porque dele, e por meio dele, e para ele são todas as coisas. A ele, pois, a glória eternamente. Amém.

Isto expressa grandiosas emoções. Notem que eu falo emoções e não emocionalismo. Eu reprovo isto. Nada existe de mais odioso do que o indivíduo que procura manipular deliberadamente as emoções das pessoas. Não me interesso por isso, senão para denunciá-lo. Meu argumento é que, se alguém entende verdadeiramente a verdade em que alega crer, certamente fica comovido diante dela. Se não fica comovido, não pertence àquele grupo, àquela categoria de homens que inclui o grande apóstolo Paulo. No entanto, tornou-se a moda desprezar as emoções.

Lembro-me de que, há alguns anos, quando aconteceu uma grande campanha evangelística em Londres, um homem, que era um líder nos círculos religiosos, aproximou-se de mim e perguntou: "Você já esteve na campanha?"

Respondi: "Não, ainda não". "É maravilhoso", continuou ele, "maravilhoso. As pessoas vêm à frente às centenas. Nenhuma emoção, compreende? — maravilhoso". E ficava repetindo: "Nenhuma emoção". O que para ele era tão maravilhoso é que aquela gente estava vindo à frente, em resposta aos apelos, sem demonstrarem qualquer emoção. Para ele era algo glorioso. Nenhuma emoção, maravilhoso! Nenhuma emoção, esplêndido!

Que podemos dizer sobre uma atitude como essa? Farei apenas algumas indagações. Poderia um homem ver a si mesmo como um pecador condenado ao inferno e não sentir qualquer emoção? Poderia um homem olhar para o interior do inferno sem qualquer emoção? Poderia um homem ouvir os trovões da Lei e não sentir nada? Ou, no sentido contrário, poderia um homem contemplar deveras o amor de Deus, em Cristo Jesus, e não sentir qualquer emoção? Toda esta ideia é totalmente ridícula. Receio que muitas pessoas hoje, em sua reação contra os excessos e o emocionalismo, se colocam numa posição em que, em última análise, estão negando a verdade. O evangelho de Jesus Cristo envolve o homem inteiro. E, se aquilo que passa por evangelho não faz isso, não é o evangelho. O evangelho tem por objetivo fazer isso e realmente o faz. O homem inteiro é envolvido porque o evangelho conduz à regeneração; por conseguinte, afirmo que este elemento de empatia e emoção, este elemento de ser comovido sempre deve ser proeminente na pregação.

Em último lugar, devo introduzir a palavra poder. Por enquanto, não me aprofundarei nisso, porque é tão importante que merece um capítulo inteiro a seu respeito, mais adiante. O fato é que, se não houver poder, não haverá pregação. Afinal de contas, a verdadeira pregação consiste na atuação de Deus. Não se trata apenas de um homem proferindo palavras; é Deus quem o está usando. O pregador está sendo usado por Deus. Está debaixo da influência do Espírito Santo. A verdadeira pregação é aquilo que Paulo chama de "demonstração do Espírito e de poder" (1 Co 2.4). Ou, então, conforme ele o expressa em 1 Tessalonicenses 1.5: "O nosso evangelho não chegou até vós tão-somente em palavra, mas, sobretudo, em poder, no Espírito Santo e em plena convicção". Aí ele está: é um dos elementos essenciais da pregação autêntica.

Resumindo, a verdadeira pregação consiste destes dois elementos combinados em sua justa proporção — o sermão e o ato de pregar. Há o "ato de pregar", em adição ao próprio sermão. Isto é verdadeira pregação. Ambos os elementos precisam ser enfatizados. Já lhes dei alguma ideia a respeito da diferença entre essas coisas; contudo, preciso dizer-lhes ainda algo mais sobre este assunto. Se você não conhece a diferença entre o sermão e o ato de pregar, como pregador logo a descobrirá. E uma das maneiras pelas quais você provavelmente descobrirá será a maneira como eu mesmo a descobri, já por muitas vezes. Tudo acontece assim. Você está em sua própria igreja, pregando em um domingo. Está pregando um sermão e, por alguma razão, esse sermão parece fluir suavemente, com certo grau de poder. Você mesmo se sente comovido; está desfrutando do que se costuma chamar de "um bom culto"; e os ouvintes estão conscientes disso, assim como você o está. Pois bem, você está incumbido de pregar em outro lugar, ou no domingo seguinte, ou em alguma noite durante a semana, e diz para si mesmo: "Pregarei o sermão que apresentei no domingo passado. Houve um culto maravilhoso com ele". Assim, você sobe a esse outro púlpito, usa o mesmo texto e começa a pregar. Mas, repentinamente, descobre que não está conseguindo nada; tudo parece ter entrado em colapso em suas mãos. Qual é a explicação disso? Nossa explicação é esta. No domingo anterior, quando você pregou aquele sermão em seu próprio púlpito, o Espírito desceu sobre você ou talvez sobre os ouvintes. (Como já expliquei, Ele pode ter descido principalmente sobre o povo, e você recebeu o reflexo disso.) Naquele caso, seu pequeno sermão fora elevado a novas alturas; e você recebeu unção e autoridade especiais, de maneira extraordinária. Por isso, houve um culto excepcional. Porém, agora você está em circunstâncias diferentes, diante de uma congregação diferente. E você mesmo está se sentindo diferente. Portanto, desta vez você se vê obrigado a depender do sermão; e, de repente, você descobre que seu sermão não vale grande coisa.

Isso ajuda a ilustrar a diferença entre um sermão e o ato de pregá-lo. É um grande mistério. Espero abordar novamente este assunto. Mas digo isto agora para ressaltar que as duas coisas são diferentes entre si e que a verdadeira pregação consiste na combinação destes dois elementos. Você não deve depender nem de um nem do outro. Não deve depender apenas de seu sermão, nem exclusivamente do ato da pregação. Ambos são essenciais à verdadeira pregação.

Permita-me apresentar isso novamente na forma de uma história, de uma anedota. Havia um pregador idoso que conheci bem no País de Gales. Era um velho muito capaz e um bom teólogo; porém, entristece-me dizer que ele possuía uma tendência para o cinismo. No entanto, era um crítico muito perspicaz. Certa ocasião, estava presente em um sínodo, em cuja sessão final dois homens estavam pregando. Ambos eram professores de teologia. O primeiro homem pregou, e, ao terminar, o pregador idoso, o crítico idoso, voltou-se para o colega ao seu lado e disse: "Luz sem calor". Então, pregou o segundo — era homem um pouco mais idoso e um tanto emocional. Ao terminar, o crítico ancião voltou-se ao seu colega e disse: "Calor sem luz". Bem, ele estava com a razão em ambos os casos. Mas o aspecto importante a destacar é que ambos os pregadores mostraram-se deficientes. Precisamos ter luz e calor, sermão e pregação. Luz sem calor jamais afetará a quem quer que seja; calor sem luz não tem valor duradouro. Pode ter um efeito passageiro, mas, na realidade não ajuda as pessoas, não as edifica e realmente não lida com elas.

O que é a pregação? É a lógica pegando fogo! É raciocínio eloquente! Estas coisas são contraditórias? É claro que não. A razão concernente à verdade deve ser poderosamente eloquente, conforme percebemos no caso do apóstolo Paulo e de outros. É teologia em chamas. E a teologia que não pega fogo, insisto eu, é uma teologia defeituosa; ou, pelo menos, a compreensão de quem a prega é defeituosa. A pregação verdadeiramente é a teologia expressando-se por meio de homem que está em fogo. A verdadeira compreensão e a experiência da verdade tem de levar a isso. Repito que o homem que pode falar sobre essas coisas de maneira desapaixonada não tem qualquer direito de subir a um púlpito; e jamais se deveria permitir que ele subisse a um púlpito.

Qual é a principal finalidade da pregação? Gosto de pensar que é esta: dar a homens e mulheres o senso de Deus e de sua presença. Conforme já disse, estive enfermo neste último ano, assim, em vez de eu mesmo pregar, tive a oportunidade e o privilégio de ouvir outros. Enquanto estive enfermo, foi isso que busquei, anelei e desejei. Posso desculpar um homem por um mau sermão; posso perdoá-lo por qualquer coisa, contanto que ele me dê o senso da presença de Deus, alimente a minha alma e me dê o senso de que, embora ele seja inadequado em si mesmo, está lidando com algo mui profundo e glorioso, quando me dá um vislumbre da majestade e da glória de Deus, do amor de Cristo, meu Salvador, e da magnificência do evangelho. Se ele conseguir isso, eu lhe serei devedor e me sentirei profundamente grato para com ele. Pregar é a atividade mais admirável e emocionante na qual um homem pode se envolver, por causa do que ela nos proporciona no presente e das gloriosas e infindas possibilidades no futuro eterno.

Quero encerrar com duas citações. Nos Estados Unidos, houve um extraordinário pregador há pouco mais de cem anos; ele se chamava James Henry Thornwell. É provável que ele tenha sido o maior teólogo que a Igreja Presbiteriana do Sul já produziu. No entanto, ele também era um grande pregador e um homem muito eloquente. Alguns afirmam que, ao lado de Samuel Davies, ele foi o mais eloquente pregador que os Estados Unidos produziram. Eis como o seu biógrafo tenta nos dar uma impressão do que era vê-lo e ouvi-lo pregando. Observe que isso confirma e ilustra a minha definição da verdadeira pregação como algo que deve ser visto e ouvido, porque o homem inteiro está envolvido na ação. Eis como o biógrafo o expressou:

> Que símbolos inventados poderiam dar a ideia daqueles olhos cintilantes, daqueles tons de voz tremeluzentes e variegados, daquela atitude expressiva, daquela gesticulação típica e prenunciadora, de todo aquele corpo que se balançava e que era nele o complemento do autor consumado! O brilho súbito do relâmpago, as nuvens lanosas bordadas no céu e a crista branca de uma onda no oceano ultrapassam as habilidades do pintor. Era algo indescritível.

Essa era a impressão que ele tinha da pregação de Thornwell. Consideremos, agora, o que o próprio Thornwell declarou a respeito da pregação e de si mesmo como pregador:

> É importantíssimo compreender o que significa ser um pregador e como a pregação deve ser realizada. Sermões eficazes resultam de estudo, da disciplina, da oração e, especialmente, da unção do Espírito Santo. Devem combinar as excelentes características que têm como alvo a sua entrega e ser proferidos não apenas com intensidade da fé, mas também a influência constrangedora do amor oriundo dos céus. Devem ser vistos como que procedentes do coração, de um coração cheio do amor de Cristo e do amor pelas almas. Acreditem que há pouca pregação neste mundo. É um mistério da graça e do poder divino que a causa de Deus não esteja arruinada no mundo, quando consideramos as qualificações necessárias à pregação que muitos dos professos ministros possuem. Meu próprio desempenho neste particular me enche de tristeza. Jamais preparei e, menos ainda, preguei um sermão em toda a minha vida; estou começando a perder a esperança de ser capaz de fazê-lo. Que o Senhor nos dê mais conhecimento, graça e singeleza de propósitos!

Nada podemos acrescentar a isso. Qualquer homem que já teve um vislumbre do que significa pregar sentirá inevitavelmente que nunca pregou. No entanto, continuará tentando, na esperança de que, pela graça de Deus, um dia poderá pregar verdadeiramente.

CAPÍTULO SEIS

O PREGADOR

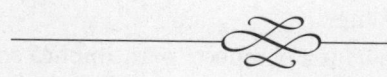

Quero lembrar-lhe novamente o nosso método de abordar este tema. Estamos em um culto na igreja e contemplamos um homem de pé, dirigindo a palavra às pessoas. Depois de haver demonstrado a importância primordial da pregação e de afirmá-la como a principal tarefa da igreja, desejamos agora considerar dois aspectos da pregação — o sermão e o próprio ato de pregar. Acredito que deixei perfeitamente claro que, conforme vejo as coisas, esses dois aspectos são vitalmente importantes; não devemos ter um sem o outro. Ambos são essenciais, e a pregação autêntica consiste na mistura correta destes dois elementos.

Prosseguindo agora com o mesmo tipo de abordagem, embora considerando a pregação de maneira geral, parece-me que a próxima pergunta lógica a ser feita é esta: quem deve fazer isto? Quem deve pregar? Ou, então, em termos bíblicos: "*Quem... é suficiente para estas coisas?*" Ou seja, quem é suficiente para entregar esta mensagem, conforme a temos definido e da maneira como temos indicado? Esta é uma questão sobremodo importante, especialmente em nossos dias, quando alguns dizem que não precisamos da igreja, de maneira alguma, e falam sobre um "cristianismo irreligioso". Todavia, mesmo entre os que ainda acreditam na igreja, a pergunta precisa ser formulada: "Quem deve realizar a pregação?"

O primeiro princípio que gostaria de afirmar é que nem todos os crentes são destinados a fazer isso, nem todos os homens crentes devem pregar, e de maneira alguma, as mulheres! Noutras palavras, precisamos considerar o que se chama "pregação leiga". Isto já vem sendo praticado de modo bastante comum há cem anos ou mais. Antes, era uma prática comparativamente rara, mas hoje é muito comum. Seria interessante examinarmos a história dessa prática, mas o tempo nos impede de fazê-lo. Novamente, o mais interessante a ser observado é que esta mudança resultou de causas teológicas. Foi a mudança na teologia do século passado, de uma atitude reformada e calvinista para uma postura essencialmente arminiana, que provocou o aumento da pregação de leigos. A explicação dessa causa e efeito é que, em última análise, o arminianismo é não-teológico. Eis por que a maioria das denominações evangélicas da atualidade são igualmente não-teológicas. Sendo esse o caso, não deve nos surpreender o fato de que predomina em nossos dias o ponto de vista de que a pregação está aberta a todo homem e, posteriormente, a qualquer mulher.

Minha asserção é que esta é uma perspectiva antibíblica sobre a pregação. É claro que existem circunstâncias excepcionais onde isto pode ser necessário; mas duvido que seja realmente um caso de "pregação leiga". O que entendo por circunstâncias excepcionais é que pode ocorrer, devido ao estado e às condições da igreja — falta de meios e coisas semelhantes — que a igreja não tenha condições de sustentar um homem, por tempo integral, na obra do ministério e, particularmente, na obra da pregação. As definições são importantes neste ponto. O ponto de vista moderno sobre a pregação de leigos, derivado principalmente dos ensinos dos metodistas e da Igreja dos Irmãos, é que essa deve ser a prática normal, e não a exceção, e que o pregador é um homem que ganha a vida em uma profissão ou negócio e prega em suas horas vagas.

A situação excepcional que tenho em mente é a de um homem que se sente chamado para o ministério e gostaria de dedicar-lhe todo o seu tempo; mas esse homem, por causa das circunstâncias que acabo de descrever, é incapaz de fazer isso. Ele anela pelo dia em que a igreja se tornará suficientemente forte em suas finanças e outros aspectos e será capaz de sustentá-lo, para que ele consagre todo o seu tempo a essa obra. Portanto, eu não o chamaria, estritamente falando, de pregador leigo; antes, ele é um homem que, pelo menos por enquanto, tem de ganhar a vida fazendo outra coisa, a fim de tornar possível a sua pregação. O que me interessa examinar é a noção de que qualquer homem crente pode e deve pregar. Existem alguns grupos de igrejas que têm ensinado isso com regularidade. Existe até o slogan "Dêem ao novo convertido algo para fazer; enviem-no a pregar e dar o seu testemunho" — e coisas desse tipo. Tem havido esta tendência de empurrar as pessoas à pregação. Grande parte disso pode ser atribuído à influência de Charles G. Finney e D. L. Moody, sendo este um entusiasta da ideia de dar algo a fazer aos novos convertidos.

Em que bases nos mostramos críticos dessa atitude sobre a pregação? Proponho que isso se deve ao fato de que não entendemos a diferença entre dizer que todo crente deve estar preparado "para responder a todo aquele que vos pedir razão da esperança que há em vós" (1 Pe 3.15) e dizer que todo o crente deve pregar o evangelho. Essa é a distinção. Todo crente deve ser capaz de esclarecer por que motivo ele é um cristão; mas isso não significa que todo crente tem de ser um pregador.

Essa distinção é ressaltada de forma interessante em Atos 8.4-5. No primeiro versículo daquele capítulo somos informados que levantou-se grande perseguição contra a igreja, em Jerusalém, e que todos os membros da igreja foram dispersos, exceto os apóstolos. Depois, os versículos 4 e 5 nos informam: "Entrementes, os que foram dispersos iam por toda parte pregando a palavra. Filipe, descendo à cidade de Samaria, anunciava-lhes a Cristo". No texto grego, tal como em nossa tradução, os dois versículos usam verbos diferentes com o significado de pregar; e esta distinção é vital. O que os "dispersos" fizeram, conforme alguém sugeriu que poderia ser traduzido, foi "tagarelar" a Palavra, falar sobre o evangelho em sua conversa diária. Filipe, por sua vez, fez algo bem diferente; ele *anunciou* como um "arauto" o evangelho. Estritamente falando, isto é o que significa pregar, no sentido em que estou usando esse termo. Não foi por acaso que se manteve essa distinção no próprio texto bíblico.

Portanto, esta é a posição correta: todo crente deve ser capaz de fazer o que é indicado no versículo 4, mas somente alguns são chamados a realizar o que é indicado no versículo 5. Nas páginas do Novo Testamento, esta distinção é traçada de modo bastante claro; somente certas pessoas são separadas e chamadas para anunciar a mensagem, por assim dizer, em benefício da igreja e de maneira oficial. Essa incumbência se limita aos presbíteros, e somente a alguns deles — os presbíteros que ensinam, os presbíteros que receberam o dom de ensino, os pastores e mestres. É evidente que a pregação, nos tempos do Novo Testamento, estava confinada aos apóstolos, aos profetas, aos evangelistas e a estes outros.

Por que isto é importante? Qual é a crítica mais importante contra o que se chama de "pregação leiga"? A resposta é que isto parece perder de vista toda a noção do "chamado". Também existem outras razões que parecem militar contra esta ideia. Meu argumento principal é este: o quadro que já apresentei de um pregador e do que ele deve fazer insiste não somente que isto é algo para o que um homem é chamado, mas também é algo que deve absorver todo o seu tempo, à parte das circunstâncias excepcionais. Não é algo que pode ser feito como uma atividade à parte; esta é uma abordagem incorreta, uma atitude errônea para com a pregação.

Em primeiro lugar, consideremos o assunto do ponto de vista de uma chamada. O que é um pregador? Bem, é óbvio que um pregador é um crente exatamente como qualquer outro crente. Isto é um essencial básico e absoluto. Porém, o pregador é mais do que isso; existe algo mais. E neste ponto entra toda a questão da chamada. Um pregador não é um crente que resolveu pregar. Não é ele quem decide fazer tal coisa; ele nem mesmo decide abraçar a pregação como uma chamada. Ora, isso tem acontecido com frequência. Tem existido homens que apreciam a ideia de se tornarem ministros. Parece ser um tipo ideal de vida, que oferece muito tempo de lazer e amplas oportunidades para leitura — leitura de obras filosóficas, teológicas ou quaisquer outras que eles desejam ler. Se, porventura, eles se inclinam à poesia, essa vida lhes dá tempo suficiente para escreverem poemas. O mesmo pode se aplicar aos ensaístas ou romancistas. Este panorama do tipo de vida de um ministro atrai os jovens, e muitos têm entrado no ministério dessa maneira.

Nem preciso dizer que essa atitude é totalmente errada e estranha ao quadro que obtemos nas Escrituras ou nas biografias dos grandes pregadores através dos séculos. A resposta a esse ponto de vista falso é que pregar nunca será algo que um homem decide fazer. Em vez disso, o que acontece é que ele se torna consciente de uma "chamada". Toda esta questão da chamada é uma questão fácil; e todos os ministros têm lutado com ela, por ser vitalmente importante para nós.

"Sou chamado ou não a ser um pregador? Como você pode saber isso?" A minha sugestão é que existem determinados testes. Uma chamada geralmente começa na forma de uma conscientização no espírito de um homem, uma consciência de um tipo de pressão exercida sobre o espírito, uma perturbação no âmbito do espírito; depois disso, o indivíduo observa que sua mente é dirigida para todo o assunto da pregação. Você não pensou nisso deliberadamente, nem se assentou, com frieza, para considerar as possibilidades, e, após tê-las ponderado, tomou a decisão de seguir o ministério. Não é nada disso. Pelo contrário, a chamada à pregação é algo que nos acontece, é Deus lidando conosco, é Deus atuando sobre nós por meio do seu Espírito. É algo do que nos tornamos conscientes, e não algo que realizamos; é colocada sobre nós, apresentada a nós e quase que constantemente reforçada sobre nós.

Além disso, o que acontece no âmbito de nosso espírito é confirmado ou acentuado pela influência de outros, que falam conosco ou nos dirigem perguntas. Com frequência, esta é uma das maneiras pelas quais muitos têm sido chamados à pregação. Em muitas biografias, podemos ler a respeito de um jovem que nunca pensara em pregar, até que foi abordado por um ancião ou por algum membro piedoso da igreja que lhe fez uma pergunta como esta: "Você não acha que talvez esteja sendo chamado a pregar o evangelho?" Em seguida, aquele que fez tal pergunta dá a razão por havê-la feito. Estivera observando aquele jovem e, ao observá-lo, sentiu que deveria falar-lhe sobre o assunto. Talvez seja desta maneira que venha o impulso inicial da chamada. A minha experiência é que, de modo geral, essas duas coisas andam juntas.

Este impulso se desenvolve, transformando-se em interesse pelas outras pessoas. Estou contrastando isso com a ideia mui generalizada de que entrar no ministério é assumir uma profissão ou "uma vocação". A verdadeira chamada sempre inclui interesse pelo próximo, a preocupação pelos outros, a percepção de que se encontram em estado e condição de perdidos, bem como o desejo de fazer algo por eles: anunciar-lhes a mensagem e apontar-lhes o caminho da salvação. Isto é parte essencial de nossa chamada; é importante, em especial, por ser um meio pelo qual podemos examinar a nós mesmos.

Com frequência, tem acontecido que alguns jovens com determinados dons, ao ouvirem um grande pregador, sentem-se cativados por ele e pelo que ele está fazendo. Ficam atraídos por sua personalidade ou por sua eloquência, deixam-se comover por ele e, inconscientemente, começam a sentir o desejo de ser semelhantes a ele e de fazer o que ele está fazendo. Ora, isso pode estar certo, mas pode estar inteiramente errado. Os jovens podem ficar fascinados somente pelo encanto da pregação, atraídos pela ideia de ministrarem a Palavra a audiências e de influenciá-las. Todas as formas de motivos falsos e errôneos podem se introduzir sorrateiramente. A maneira de nos precavermos desse perigo é perguntar-nos: por que desejo fazer isso? Por que estou preocupado com isso? E, a menos que descubramos um interesse genuíno pelas pessoas, pelo seu estado e condição e tenhamos desejo de ajudá-las, estaremos corretos em duvidar de nossos motivos.

Contudo, temos de prosseguir para algo mais profundo. Também deveria haver certo senso de estarmos sendo constrangidos. Com certeza, este é o teste mais crucial de todos. Significa que temos o sentimento de que não podemos fazer outra coisa. O Sr. Spurgeon, acredito, costumava dizer aos jovens: "Se vocês podem fazer outra coisa, faça-o. Se podem ficar fora do ministério, fiquem fora do ministério". Sem dúvida, eu também poderia dizer isso. Diria que o único homem chamado a pregar é aquele que não pode fazer qualquer outra coisa, no sentido de que ele não fica satisfeito com qualquer outra coisa. Esta chamada para pregar se impõe de tal modo, que ele diz: "Não posso fazer outra coisa; tenho de pregar".

Ou deixe-me apresentar o assunto nestes termos — e estou falando com base na minha experiência pessoal. Ficamos absolutamente certos da chamada quando somos incapazes de permanecer longe da pregação e resistir-lhe. Podemos tentar oferecer resistência máxima. Dizemos: "Não, continuarei ocupado com o que estou fazendo; sou capaz de fazê-lo, é um bom trabalho". Esforçamo-nos até ao fim de nossas forças para repelir tal impulso e nos desvencilharmos da perturbação de espírito que nos assedia de diversas maneiras. Porém, acabamos chegando ao ponto em que não podemos mais resistir. Torna-se quase uma obsessão, tão avassaladora que, por fim, dizemos: "Nada mais posso fazer; não posso mais resistir".

Conforme vejo as coisas, isso é o que significa ser chamado para pregar. Porém, averiguemos um pouco mais essa questão, por meio de algo que é igualmente importante. Já insinuei isso, ou seja, que existe um senso de falta de autoconfiança, um senso de indignidade, um senso de incompetência. Quanto a isso, não existe expressão mais perfeita do que as palavras de 1 Coríntios 2, onde Paulo se refere a "fraqueza, temor e grande tremor". Ele reitera a ideia em 2 Coríntios 2.16, onde indaga: "Quem... é suficiente para estas coisas?" O ensino de Paulo no tocante à chamada de Deus para esta obra específica, que temos exposto em detalhes, conduz inevitavelmente a essa pergunta. O apóstolo o expressou desta maneira:

> Graças, porém, a Deus, que, em Cristo, sempre nos conduz em triunfo e, por meio de nós, manifesta em todo lugar a fragrância do seu conhecimento. Porque nós somos para com Deus o bom perfume de Cristo, tanto nos que são salvos como nos que se perdem. Para com estes, cheiro de morte para morte; para com aqueles, aroma de vida para vida. Quem, porém, é suficiente para estas coisas?

Compreendendo que a pregação envolve isso, é inevitável que um homem se sinta indigno e inadequado. Portanto, ele não somente hesita, mas também sonda o seu sentimento e o questiona; examina-o com bastante cuidado e esforça-se ao máximo por livrar-se dele.

Ressalto isso porque, por alguma razão estranha, este é um dos aspectos do assunto que raramente é mencionado em nossa época e geração. Também é o meu argumento mais definitivo contra a ideia da pregação leiga. Consideremos o indivíduo que se estabelece como um pregador, e não hesita em subir ao púlpito para pregar, e assevera poder fazer isso como uma atividade extra, em suas horas vagas. O que ele sabe a respeito dessa "fraqueza, temor e grande tremor"? Infelizmente, às vezes ocorre o oposto, e, confiando em si mesmo, esse homem se mostra altamente crítico e desprezador dos pregadores consagrados ao ministério, pois embora estes não tenham mais nada a fazer, além de pregar, ainda são terrivelmente falhos; o pregador que comissiona-se a si mesmo, porém, é capaz de realizar a pregação como uma atividade extra!

Ora, isso contradiz totalmente o que descobrimos ser verdade a respeito do grande apóstolo e o que tem sido verdade acerca dos grandes pregadores da igreja nos séculos subsequentes. De fato, parece que, quanto maior o pregador, tanto mais hesitante ele se mostra em pregar. Com grande frequência, esses homens tiveram de ser persuadidos por ministros, anciãos e outros a se dedicarem ao ministério; visto que evitavam aquela terrível responsabilidade. Isso aconteceu a George Whitefield, um dos maiores e mais eloquentes pregadores que já honraram o púlpito. E tem acontecido a muitos outros. Portanto, o meu argumento é que o homem que se acha competente, e imagina que pode realizar essa tarefa com facilidade, e se precipita a pregar sem qualquer senso de temor e tremor, sem qualquer hesitação, esse homem está proclamando que nunca foi "chamado" para ser um pregador. O homem chamado por Deus percebe aquilo para o que está sendo chamado e compreende de tal modo a solenidade da tarefa, que procura evitá-la. Nada, exceto este senso avassalador de ser chamado e de compulsão, deveria levar qualquer homem a tornar-se um pregador.

Este é o primeiro motivo que faz um homem subir a um púlpito a fim de pregar. Preciso apressar-me a dizer que isso também precisa ser avaliado e confirmado — o que é feito pela igreja. O primeiro aspecto é apresentado novamente pelo apóstolo, em Romanos 10: "Todo aquele que invocar o nome do Senhor será salvo. Como, porém, invocarão aquele em que não creram? E como crerão naquele de quem nada ouviram? E como ouvirão, se não há quem pregue? E como pregarão se não forem enviados?" (Rm 10.13-15). O pregador é "enviado". Mas como podemos ter certeza de que somos "enviados" neste sentido e de que não estamos comissionando a nós mesmos? É neste ponto que a igreja cumpre o seu papel. Este é o ensino do Novo Testamento, não somente no tocante à pregação e ao ensino, mas também no que diz respeito aos diversos ofícios na igreja.

No acontecimento descrito em Atos 6, foram estabelecidas certas qualificações referentes aos diáconos. A igreja seleciona estes homens com base nos princípios estabelecidos; ela é ensinada quanto às qualidade que deve achar neles e procura essas qualidades. Também encontramos isso nas Epístolas Pastorais, onde são dadas instruções concernentes às qualificações de presbíteros e diáconos. Portanto, antes de termos plena certeza de que um homem é chamado para pregar, sua chamada pessoal precisa ser confirmada pela igreja; tem de ser atestada pela igreja.

Tenho de qualificar isto dizendo que a história da igreja e dos pregadores demonstra claramente que, às vezes, a igreja pode enganar-se. Ela já fez isso muitas vezes, rejeitando homens que, conforme comprovado pelo seu registro como pregadores, eram chamados por Deus. Por exemplo, o Dr. G. Campbell Morgan foi rejeitado pela Igreja Metodista da Inglaterra. Mas isso é a exceção, a exceção que comprova a regra; ninguém legisla em favor de exceções e casos difíceis. Estou falando de maneira geral. Quando há um homem excepcional e extraordinário, Deus o torna conhecido de alguma maneira, a despeito dos homens; mas isso não acontece com frequência.

O mais comum é ocorrer que homens se sintam chamados quando, na realidade, não o são; e compete à igreja averiguar isso e cuidar da situação. Eu poderia apresentar muitos exemplos e ilustrações disso. Sempre senti, ao ser procurado por alguém que me diz haver sido chamado para ser pregador, que minha tarefa primordial é colocar em seu caminho todo obstáculo que eu possa imaginar. Além disso, exerço julgamento e faço uma avaliação de sua personalidade, inteligência e capacidade de falar. A correspondência entre aquilo que o indivíduo sente e aquilo que a igreja deve sentir é muito importante. Uma história bem conhecida a respeito de Spurgeon ilustra bem esse fato. Terminado o culto de domingo à noite, um homem aproximou-se dele e lhe disse: "Sr. Spurgeon, o Espírito me diz que devo pregar aqui, neste tabernáculo, na próxima quinta-feira à noite". "Bem, é deveras curioso", retrucou Spurgeon, "que o Espírito nada me tenha dito a esse respeito!" Assim, o homem não pregou no tabernáculo na quinta-feira! Isso seguiu uma lógica bem sadia. Se o Espírito houvesse dito àquele homem que fizesse tal, também o teria dito ao Sr. Spurgeon. O Espírito Santo sempre age de maneira ordeira.

Esta é uma questão bastante sutil. A natureza, a ambição ou a preferência de um crente por certos ofícios ou trabalhos específicos podem criar nele o desejo de tornar-se pregador; e ele se persuade de que isto é orientação do Espírito de Deus. Sei que isso já aconteceu muitas vezes. E uma das tarefas mais dolorosas que se apresentam a um ministro é desencorajar um homem que se achega a ele com essa atitude. E com que base ele o desencoraja? Existem certos testes que ele deve aplicar, e o mesmo deve ser feito pela igreja. O que a igreja deve de achar em um homem que se diz chamado para pregar? Obviamente, ela tem de procurar algo excepcional nele. É claro que ele deve ser um crente, mas precisa haver algo mais.

O que a igreja deve procurar nele? Bem, vocês devem lembrar como, em Atos 6, mesmo na questão da nomeação dos diáconos, que apenas cuidariam de problemas financeiros e da tarefa caridosa de alimentar viúvas, insistiu-se em que deveriam ser homens "cheios do Espírito". Esta é a primeira e maior qualificação. Temos o direito de esperar certo grau incomum de espiritualidade; e isso deve ter a primazia devido à natureza da tarefa. Além disso, temos o direito de esperar certo grau de segurança no que tange ao conhecimento da verdade e ao relacionamento do candidato com a verdade. É claro que, se ele é um homem que vive sempre lidando com problemas, dificuldades e perplexidades; se vive procurando descobrir a verdade ou sente-se tão inseguro, que se deixa influenciar pelo último livro que tiver lido e arrastar-se "por todo vento de doutrina" e toda nova moda teológica, é claro, *ipso facto*, que ele não é um homem chamado ao ministério. O homem que vive cercado de grandes problemas consigo mesmo e em estado de perplexidade não está apto para ser um pregador, porque estará pregando a pessoas com problemas, e sua função primária será ajudá-las a resolver esses problemas. "Como pode um cego guiar outro cego?" é a pergunta de nosso Senhor diante dessa situação. O pregador deve ser homem que se caracteriza por espiritualidade de nível elevado, um homem que atingiu um conhecimento e compreensão segura e firme da verdade e que acha ser capaz de pregá-la a outros.

O que mais se deseja? Passamos agora a considerar o que comumente se chama caráter. Eu não descreveria "ser cheio do Espírito" como caráter, o que significa que o pregador é um homem de vida piedosa. Tudo isso é destacado claramente nas Escrituras, como, por exemplo, na epístola de Paulo a Tito: "Quanto aos moços, de igual modo, exorta-os para que, em todas as coisas, sejam criteriosos. Torna-te, pessoalmente, padrão de boas obras. No ensino, mostra integridade, reverência, linguagem sadia e irrepreensível, para que o adversário seja envergonhado, não tendo indignidade nenhuma que dizer a nosso respeito" (Tt 2.6-8). O pregador deve ser um homem piedoso. Mas também deve ser sábio. E não somente isso, também deve ter paciência e tolerância. Isto é importantíssimo em um pregador. O apóstolo o expressa nestes termos: "Ora, é necessário que o servo do Senhor não viva a contender, e sim deve ser brando para com todos, apto para instruir, paciente" (2 Tm 2.24).

Estas são qualificações básicas. Um homem pode ser um bom crente e ser muitas outras coisas; entretanto, se lhe faltam estas qualidades, jamais poderá ser um pregador. Outrossim, ele deve ser homem que compreende as pessoas e a natureza humana. Estas são qualidades e características gerais que devemos procurar e sobre as quais devemos insistir.

Somente depois de enfatizar essas qualidades é que chegamos à questão das habilidades. Parece-me que uma das tragédias da igreja moderna é que tendemos a atribuir às habilidades o primeiro lugar. Isso não deveria ocupar o primeiro lugar. As habilidades fazem parte do quadro e precisam ter seu lugar. Lembro-me de um jovem que se aproximou de mim há muitos anos, para dizer-me que tinha certeza de haver sido chamado para o ministério. Ele não me disse somente isso, mas também outra coisa que me deixou preocupado. No domingo anterior, eu estivera ausente da igreja, e um pregador visitante me substituiu. Meu jovem amigo conversara com aquele pregador e lhe disse que se sentia chamado a pregar e a ingressar no ministério. O pregador visitante, nada sabendo a respeito do jovem, o encorajara e elogiara, exortando-o a que prosseguisse. A verdade é que o pobre sujeito não tinha capacidade mental necessária para tornar-se um pregador. A coisa era simples assim. Ele jamais teria sido capaz de passar ao menos pelos exames preliminares; e, ainda que, de alguma maneira, tivesse passado por esses exames, faltava-lhe a capacidade mental exigida pelo trabalho que já descrevemos. Temos de enfatizar a inteligência e a habilidade naturais.

Se um homem deve manejar "bem a palavra da verdade", precisa ter habilidade. O apóstolo Paulo disse que esse homem deve ser "apto para ensinar". Visto que pregar significa entregar a mensagem de Deus do modo como temos descrito, envolvendo certo relacionamento entre a teologia sistemática e o significado exato de um texto, é óbvio que isto exige certo grau de intelectualidade e habilidade. Portanto, se falta a um homem aquele mínimo básico no que concerne a isso, por certo ele não foi chamado para ser um pregador.

Em seguida, acrescento o "dom de falar". Aqui, novamente, temos algo que tendemos a esquecer em nossos dias. Este é o motivo por que tenho ressaltado tanto o ato de pregar, o ato real de falar. O que é um pregador? É óbvio que, em primeiro lugar, ele é um orador. Ele não é, primariamente, um escritor de livros, nem um ensaísta, nem um literato. O pregador é, antes de tudo, um orador. Por conseguinte, se um candidato ao ministério não tem o dom de falar, não importando os outros dons que ele possua, ele não será um pregador. Pode até ser um grande teólogo, pode ser um homem excelente em dar conselhos e advertências particulares, além de muitas outras coisas. No entanto, por definição básica, se um homem não possui o dom de falar, não pode ser um pregador.

Posso ilustrar isso com um exemplo. Lembro-me do caso de um jovem que era um excelente cientista e que se destacara e continuava se destacando nesse mister, que lhe era próprio. Procurou-me para dizer que tinha a certeza de que era chamado para ser um pregador. Imediatamente percebi que ele estava equivocado. Por quê? Não devido a qualquer discernimento espiritual de minha parte, mas simplesmente porque ele quase não podia expressar-se numa conversa particular, quanto menos em público. Era um homem de grandes habilidades, mas não possuía o dom de comunicação. Não sabia falar sem desembaraço; mostrava-se hesitante, vacilante e cheio de dúvidas, além de extremamente acanhado em toda a sua maneira de expressar-se. Fiz tudo que estava ao meu alcance para impedi-lo de prosseguir ao seu treinamento. Entretanto, ele não quis ouvir-me, visto que estava tão seguro de sua chamada. Tornou-se estudante de teologia, saiu-se muito bem em Oxford e, eventualmente, foi consagrado ao ministério. Penso que tenho razão ao dizer que, no espaço de sete anos, ele passou por três igrejas diferentes. Então, como resultado daquela experiência, ele percebeu claramente que jamais fora chamado a pregar. Retornou aos seus estudos científicos e está se saindo muito bem naquele campo. Ali é que ele sempre deveria ter ficado, porque lhe faltava aquele dom específico e essencial de falar bem.

Estes pontos específicos possuem grande importância. Falo como alguém que se tem lidado com esse problema muitas vezes nos últimos quarenta anos. Seja-me permitido contar uma outra história, que ilustra bem o que estou dizendo. Às vezes, o equívoco sobre a chamada não foi cometido pelo próprio indivíduo, mas por algum ministro ou presbítero que tomou sobre si mesmo a tarefa de sugerir àquele homem que deveria se tornar um pregador, chegando a exortá-lo e a pressioná-lo quanto ao assunto. Lembro-me de certo incidente, ocorrido em um domingo à noite. Voltei ao gabinete, após ter pregado, quando um homem veio ao meu encontro. Ele parecia muito agitado, e então eu lhe disse: "Bem, qual é o problema? Como posso ajudá-lo?" Ele respondeu que não pretendia ocupar muito do meu tempo, mas queria apenas saber uma coisa de mim: se eu conhecia algum psiquiatra evangélico. "Bem", respondi, "por que você precisa consultar um psiquiatra evangélico?" Ele respondeu: "Estou em grave perturbação, estou em profunda confusão". Perguntei-lhe qual a causa da confusão. Incidentalmente, não devemos enviar uma pessoa a um psiquiatra se não temos certeza de que ele precisa desse tipo de ajuda. E a minha experiência mostra que a maioria das pessoas que pedem o nome de um psiquiatra evangélico precisam de ajuda espiritual, e não de tratamento psiquiátrico. Entretanto, perguntei àquele jovem: "Por que você precisa de um psiquiatra?" Novamente, ele respondeu: "Sinto-me muito confuso". "Qual é a causa da sua confusão?", insisti. Ele me contou a sua história.

Nos últimos quinze dias, frequentara certa escola recentemente aberta para treinar evangelistas. Até então ele seguia a sua profissão de padeiro, no Oeste da Inglaterra. Era dotado de excelente voz de cantor e usava-a para ajudar no trabalho de sua igreja local. Poucos dias antes, realizara-se uma campanha de evangelização em sua pequena cidade, e ele fora o solista em cada noite. Terminada a campanha, o evangelista chamou aquele jovem e lhe disse: "Você não acha que é chamado para o ministério?" Conversaram durante longo tempo e, por fim, persuadiu o jovem de que deveria dedicar-se ao ministério. Ambos concordaram que ele precisava de um pouco de treinamento; e o evangelista lhe disse o quão afortunado era ele, pois havia uma escola disponível para ele. Portanto, enviou-o à nova escola, onde ele ficou por quinze dias.

No entanto, agora, ele vinha falar comigo extremamente perturbado. Perguntei-lhe o que acontecera. "Bem, não posso continuar nas aulas", respondeu ele. "Vejo os outros alunos fazendo anotações, mas eu não sei como fazer anotações." Ele nunca fora um bom leitor e nunca recebera aulas na forma de preleções; por isso, é claro, estava totalmente confuso. O evangelista lhe dissera que ele era chamado ao ministério. Quem era ele para duvidar do veredicto daquele homem? No entanto, sentia que não podia continuar. Sentia-se tão infeliz e confuso, que falara com o diretor da escola; e esta foi a primeira coisa que o diretor lhe disse, ao ouvir sua historia: "Penso que você precisa consultar um psiquiatra".

Parece que este se tornou o conselho quase rotineiro que se dá aos crentes em perplexidade nestes dias. Por essa razão, aquele jovem estava inquirindo pelo nome de um psiquiatra evangélico. Mas eu lhe disse: "Não penso que você precisa consultar um psiquiatra de maneira alguma. O próprio fato que você está perplexo e confuso, sentindo não poder continuar, mostra-me claramente que você voltou ao 'bom senso', está em estado saudável e tem a mente sã". E acrescentei: "O momento em que você deveria ter consultado um psiquiatra foi quando deu ouvidos àquele evangelista e ingressou naquela escola. Mas agora você está vendo as coisas como elas realmente são. Volte e retome a sua ocupação de padeiro; e use a voz, o dom que Deus lhe deu, para cantar. Reconheça que você não foi chamado ao ministério e prossiga fazendo o que você sabe fazer". Aquele homem não possuía, literalmente, o equipamento mental necessário e sabia disso, pois já o percebera com clareza. Imediatamente, sentiu-se aliviado e despediu-se muito alegre. Seguiu os meus conselhos e reiniciou seu valioso e feliz serviço para a glória de Deus, em sua igreja local.

Estas são as maneiras pelas quais a igreja submete a testes o indivíduo que afirma ter recebido uma chamada. Meu argumento é que Deus age por meio do próprio indivíduo e da voz da igreja. É o mesmo Espírito que age em ambos; e, quando há acordo e consenso de opinião, temos o direito de pensar que ali há uma chamada da parte de Deus. Um homem não comissiona a si mesmo, nem é colocado no ministério apenas por pressão da Igreja. As duas coisas andam juntas. Ambos os lados têm sido negligenciados. Já conheci muitos que iludiram a si mesmos. Também já conheci muitos casos de indivíduos que foram empurrados ao ministério (e que nunca deveriam estar ali) por causa de ensinos falsos por parte da igreja. As duas coisas têm de andar juntas.

Aqui está o começo do processo. Eis um homem chamado para pregar o evangelho. Em seguida, vem toda a questão do treinamento e da preparação. Não me proponho a entrar fundo nesta questão, nem julgar os seminários teológicos, mas há algumas coisas que eu gostaria de dizer de passagem. Minha opinião é que toda a questão do treinamento para o ministério precisa ser revista com urgência e que mudanças drásticas e radicais são necessárias. Do que este homem precisa no que concerne a treinamento? Precisa, antes de mais nada e acima de tudo, de certa quantidade de conhecimento geral e de experiência de vida. Ele é um verdadeiro cristão. Passou pela experiência da conversão. Mas só isto não o equipa para ser um pregador. Isso é verdade no que se refere a muitas pessoas que não são chamadas para serem pregadores. Este homem também precisa de certa medida de conhecimento geral e de experiência de vida.

Por que estou enfatizando isto? Porque, se ele não obtém isto, ele tenderá a ser teórico demais e excessivamente intelectual em sua pregação. Talvez, ele subirá ao púlpito para abordar seus próprios problemas, e não os problemas dos ouvintes assentados nos bancos. No entanto, ele está ali a fim de pregar para eles e ajudá-los. Ele não está ali para resolver seus próprios problemas e perplexidades. O modo de proteger-se disso é que este homem tenha seu próprio acervo de conhecimento geral e experiência de vida; e quanto maior, melhor.

Há aqueles que dizem (e inclino-me a concordar com eles) que seria ótimo se todos quantos entram no ministério tivessem uma experiência anterior de vida no mundo, em um negócio ou uma profissão. Eles questionam a sabedoria de um sistema no qual um jovem sai da escola e da universidade, entra diretamente em um seminário e, depois, no ministério, sem ter qualquer experiência fora disso. No mínimo, existe o perigo de uma abordagem exageradamente teórica e intelectual; de modo que o homem por trás do púlpito sente-se realmente divorciado da vida daqueles que o ouvem. Portanto, o conhecimento e a experiência em geral são inestimáveis.

Agora, gostaria de enfatizar a importância do treinamento geral da mente. Todos precisamos contar com uma mente treinada. Podemos ter um bom intelecto, mas este precisa ser disciplinado. Assim, um treinamento geral em qualquer arte ou ciência é ótimo, porque nos ensina a pensar e a raciocinar de modo sistemático e lógico. Enfatizo isto porque, conforme temos visto, no sermão deve haver o elemento de raciocínio e progressão do pensamento. Para atingirmos isso, precisamos certa medida de treinamento. Proferir aleatoriamente certo número de pensamentos, sem colocá-los em ordem, não ajuda a congregação; por isso, o pregador precisa ter uma mente treinada nesse sentido geral. A forma particular desse treinamento não importa, contanto que produza uma mente treinada, que, em seguida, pode aplicar-se à obra específica do pregador.

Por igual modo, o conhecimento e as informações gerais serão muito valiosas ao pregador e à sua pregação. Isso o ajudará a ilustrar e a dar conteúdo às suas mensagens que ele expõe aos ouvintes, permitindo que a acompanhem e a assimilem com mais facilidade.

Porém, deixando de lado um treinamento geral, desejamos agora falar sobre um treinamento mais especial. O que é necessário neste particular? Darei apenas um esboço geral e amplo. Em primeiro lugar e acima de tudo, deve haver o conhecimento da Bíblia e de sua mensagem. O homem que se mostrar deficiente quanto a isso jamais poderá ser um verdadeiro pregador. Tenho enfatizado "todo o conselho de Deus"; tenho ressaltado todo o esquema e o plano de salvação, bem como a importância da "teologia sistemática". Não poderemos ter essa teologia, se não tivermos um conhecimento completo da Bíblia, um conhecimento da Bíblia inteira e de sua mensagem. Isto, portanto, é uma parte vital do treinamento.

Qual é o lugar do conhecimento das línguas originais? São de grande valor quando se trata de exatidão; e nada mais além disso. Não podem garantir a exatidão, mas podem promovê-la. Faz parte da mecânica da pregação, embora não seja o fator mais importante, o fator crucial; todavia, é importante. O pregador deve ser bem preciso; jamais deve afirmar algo que algum membro erudito de sua congregação possa mostrar que está errado e alicerçado em uma interpretação equivocada. O conhecimento das línguas originais é importante nesse sentido. Todavia, nunca esqueçamos que o objetivo final do treinamento desse homem é capacitá-lo a pregar, a comunicar a mensagem da Bíblia ao povo — cuja vasta maioria não é constituída de eruditos nos idiomas originais ou na filosofia. A incumbência do pregador é transmitir-lhes a mensagem; é "ser compreendido pelo povo". O objetivo de seu treinamento não é torná-lo um estudioso proficiente em linguística, e sim torná-lo um homem acurado no que afirma.

Apresentei o assunto nesses termos porque grande parte do treinamento de nossos dias gasta muito tempo abordando criticismo negativo, lidando com ossos secos; e porque os homens se tornaram mais preocupados com isto do que com a própria mensagem. Eles "perdem de vista a floresta, por causa das árvores", e esquecem que cumpre-lhes ser pregadores que transmitam a mensagem ao povo conforme esse povo é. Por conseguinte, caso se percam e gastem todo o seu tempo em questões de criticismo — alta crítica e coisas dessa natureza: as defesa e as respostas — e pensem que isso é tudo, não sabem o que é pregar, e as "ovelhas famintas olham para eles, mas não são alimentadas". Tudo isso é apenas parte da estrutura, conforme o chamarei adiante. Ou consideremos a coisa em termos de um esqueleto. Um esqueleto é essencial, mas um esqueleto, isoladamente, é uma monstruosidade; precisa ser revestido de carne.

Passemos agora ao estudo da teologia. Esta é uma necessidade óbvia, como já afirmei. Não basta um homem conhecer as Escrituras; ele deve conhecê-las no sentido de extrair delas a essência da teologia bíblica e apreendê-las de maneira sistemática. Ele tem de ser bem versado em tudo isso, para que toda a sua pregação seja controlada por esse fato.

Em seguida, eu apresentaria o estudo da história da igreja. Neste ponto, gostaria de enfatizar, em particular, a importância de aprendermos o perigo das heresias. Um homem pode ser um bom cristão e ter obtido grandes experiências e, a partir disso, imaginar que nada mais lhe é necessário. Ele possui as Escrituras, ele conta com o Espírito de Deus que nele habita, ele está resolvido a fazer o bem, e assim por diante; assim, ele tende a pensar que está suficientemente seguro e tudo lhe corre bem. Talvez descubra, mais tarde, que está sendo acusado de heresia, ficando atônito e admirado diante de tal coisa. A melhor maneira de nos protegermos disso é aprendendo algo sobre as heresias: como elas surgiram no passado, geralmente por meio de homens sérios e de bom caráter. A história nos mostra quão sutil é toda essa questão e como muitos homens, que não tiveram equilíbrio ou não mantiveram a proporção da fé e o inter-relacionamento das várias partes da mensagem, foram pressionados pelo diabo a enfatizarem demasiadamente algum aspecto específico, fazendo-o com exagero tal que, eventualmente, acharam-se em contradição direta da verdade e tornaram-se hereges. Portanto, a história da igreja é valiosíssima para o pregador. Ela não é um privilégio dos acadêmicos. Eu diria que a história da igreja é um dos estudos mais essenciais para o pregador, ainda que servisse apenas para lhe mostrar esse terrível perigo de desviar-se para as heresias ou para o erro, sem perceber o que lhe aconteceu.

Ao mesmo tempo, o estudo da história da igreja lhe narrará os grandes avivamentos. Em minha experiência, desconheço outro assunto que proporcione tanto regozijo e ajuda, que tenha agido mais frequentemente como um estimulante para mim do que a história dos avivamentos. Consideremos a época em que vivemos. Quão desanimadores são estes nossos dias — tão desanimadores, que um homem, mesmo com a Bíblia aberta, na qual ele crê, e com o Espírito Santo habitando nele, sente-se muitas vezes desencorajado e abatido, quase às profundezas do desespero. Nessa condição, não existe melhor estimulante do que nos familiarizarmos com as épocas passadas da história da igreja, épocas que eram semelhantes à nossa e sabermos como Deus cuidou daquelas condições. O pregador é um homem — e espero abordar este assunto noutra preleção — atacado de muitos lados; e talvez o maior perigo que o ameaça seja o de tornar-se desanimado e abatido, achando que não pode mais continuar. A história da igreja e, sobretudo, dos avivamentos é um dos melhores antídotos para isso.

Lembro-me de haver lido, em algum lugar, que o romancista francês Anatole France costumava dizer, sempre que se sentia cansado e abalado pela tendência de ficar deprimido e abatido: "Nunca vou ao interior do país para uma mudança de ares e um feriado; em vez disso, sempre vou ao século XVIII". Muitas vezes tenho dito exatamente isso, embora não com o mesmo sentido em que ele transmitia essas palavras. Quando me sinto desencorajado, exausto e esgotado, invariavelmente vou ao século XVIII. George Whitefield nunca me decepcionou. Vamos para o século XVIII! Noutras palavras, leiamos a história dos grandes movimentos do Espírito experimentados naquele século. Esta é a experiência mais revigorante, o tônico mais excelente que vocês conhecerão. Possui um valor incalculável para o pregador. Nada existe que lhe seja comparável. Quanto mais ele aprender sobre a história da igreja, tanto melhor pregador será.

Durante esse treinamento, ele deve se familiarizar com a história dos grandes homens do passado, dos grandes santos e pregadores. Isso agirá não somente como um maravilhoso estimulante para ele, em tempos de abatimento, mas também o manterá humilde, quando for tentado ao orgulho e ao espírito de exaltação. Isto é igualmente necessário. Quando um homem começa a pregar e tem apenas um ou dois sermões, chega a pensar que é, realmente, um pregador. O melhor tratamento para isso é fazê-lo ler a respeito de Whitefield, ou Jonathan Edwards, ou Spurgeon, ou algum outro poderoso homem de Deus. Isto logo o trará de volta à terra.

Finalmente, e só em último lugar, a homilética. Para mim, isto é quase uma abominação. Existem livros que exibem títulos como estes: A *Perícia da Construção do Sermão* e A *Perícia da Ilustração do Sermão*. Para mim, isto é degradação. A homilética apenas entra nestas considerações, nada mais que isso.

Que diremos sobre a pregação propriamente dita, o ato de pregar sobre o qual venho falando? Só me resta dizer mais uma coisa; isto não pode ser ensinado. É algo impossível. Os pregadores nascem feitos, não são fabricados. Isto é um absoluto. Se um homem não é um pregador nato, você jamais o ensinará a ser um pregador. Todos os livros tais como O *ABC da Pregação* ou *Pregação Facilitada* deveriam ser lançados no fogo o mais cedo possível. Porém, se um homem nasceu para ser um pregador, poderemos ajudá-lo um pouco — mas não muito. Talvez seja aprimorado um pouco aqui e um pouco ali.

Como podemos fazer isso? Neste ponto, provavelmente serei um tanto controverso. Eu diria: não em uma aula de pregação, não por fazer com que um estudante pregue um sermão diante de seus colegas, que passam a criticar o sermão e a maneira de apresentá-lo. Eu proibiria tal coisa. Por quê? Porque um sermão pregado em tais circunstâncias será pregado com o objetivo errado; e as pessoas que o ouvem fazem-no da maneira errada. A mensagem da Bíblia jamais deveria ser ouvida dessa maneira. Ela é a Palavra de Deus, e ninguém deveria ouvi-la sem o espírito de reverência e a expectativa piedosa de receber uma mensagem.

Quando pensamos nos refinamentos modernos, como, por exemplo, gravação em vídeo, nos quais um homem vê posteriormente seus próprios gestos, etc. — para mim, isto é repreensível em extremo. O mesmo se aplica às instruções sobre a "conduta no púlpito" ou a "conduta na televisão". Há só uma palavra para tudo isso: é a mais evidente degradação, é instrução na arte de enganar. O pregador sempre deve ser natural e não consciente de si mesmo. Se durante o treinamento, vocês tendem a torná-lo cônscio de suas mãos ou do que faz com a cabeça ou qualquer outra parte de seu corpo, lhe causam grande mal. Isso nunca deveria ser feito; deveria ser proibido! Não podemos ensinar um pregador dessa maneira. Creio que tentar fazer isso é uma injustiça à Palavra de Deus.

Então, o que o jovem pregador deve fazer? Ouvir outros pregadores, os melhores e mais experientes. Aprenderá deles muitas coisas, negativas e positivas. Aprenderá o que não deve fazer e uma grande medida do que deve fazer. Que ouçam os pregadores! De modo semelhante, leiam sermões. Mas assegurem-se de que foram publicados antes do ano 1900! Leiam os sermões de Spurgeon, de Whitefield, de Edwards e de todos os gigantes. Esses homens, por sua vez, liam os escritos dos puritanos e foram tremendamente ajudados por eles. Até parece que se nutriam dos puritanos. Que o jovem pregador, por sua vez, se alimente deles ou, talvez, que seja conduzido aos puritanos por intermédio deles. Nesta altura quero estabelecer uma distinção entre a pregação dos puritanos e a pregação daqueles homens do século XVIII. (Talvez eu venha a desenvolver este assunto mais adiante.) Eu mesmo sou um homem do século XVIII, e não do século XVII; mas acredito que devemos usar os homens do século XVII tal como os usavam os homens do século XVIII.

Então, qual é o elemento principal? Digo que não é nenhum desses artifícios mecânicos, exceto o mínimo possível. O que realmente importa? O elemento principal é o amor a Deus, o amor às almas, o conhecimento da verdade e a habitação do Espírito Santo em nós. Estas são as coisas que constituem um pregador. Se ele tem o amor de Deus em seu coração, se tem amor a Deus, se possui o amor pelas almas dos homens e interesse profundo por eles; se conhece a verdade das Escrituras; se conta com a habitação do Espírito de Deus, esse homem pregará. Esta é a coisa mais importante. As outras coisas podem ser úteis; mas conservem-nas nos seus devidos lugares, jamais permitindo que usurpem qualquer outra posição.

Ao prosseguir para considerar as pessoas que ouvirão esse jovem pregador, descobriremos outras particularidades em conexão com o treinamento de um pregador.

CAPÍTULO SETE

A CONGREGAÇÃO

Ainda estamos contemplando este quadro de um homem que sobe ao púlpito e prega a certo número de pessoas. Já consideramos de maneira geral o pregador, a sua chamada e o que lhe compete realizar. Agora, ao que me parece, é essencial considerarmos as pessoas que o ouvem, assentadas nos bancos. Afinal de contas, ele está pregando para elas; não está ali somente para expressar algumas de suas ideias e opiniões, nem para expor qualquer tipo de argumentação teórica ou acadêmica sobre os ensinos das Escrituras. Está ali, primariamente, para dirigir a palavra às pessoas que se reuniram a fim de ouvir o que ele tem a dizer-lhes. Isto, pois, suscita a questão do relacionamento entre os bancos e o púlpito, entre os ouvintes e o homem que prega. Nestes dias, isto tem se transformado em uma nova forma de problema grave. A antiga ideia tradicional deste relacionamento parece estar desaparecendo. Está sendo questionada e debatida seriamente; é claro que isso está vinculado ao último assunto que abordamos, ou seja, o treinamento do pregador. É óbvio que o relacionamento entre os bancos e o pregador afeta o treinamento deste. E nossa época revela crescentemente que isso está, de fato, acontecendo.

É bastante claro que o novo fator é a grande ênfase que hoje se dá aos ouvintes. No passado, temos de admiti-lo, pode ter havido demasiada tendência do púlpito ser quase independente dos bancos. Era comum os ouvintes reverenciarem o pregador quase ao ponto da idolatria. Você deve lembrar-se da história de uma pobre mulher que saía de uma reunião em uma famosa igreja de Edimburgo, onde um grande e erudito mestre acabara de pregar. À saída, alguém perguntou se ela havia gostado do sermão; e, quando ela respondeu afirmativamente, houve uma segunda pergunta: "A senhora foi capaz de acompanhar o que ele disse?" Ao que ela replicou: "Longe de mim presumir que poderia entender tão grande homem como aquele!" Essa era, com excessiva frequência, a atitude antiga; mas isso desapareceu, não existe mais. Estamos em uma nova posição, na qual os ouvintes estão insistindo em seus direitos, procurando dar ordens ao pregador.

Esta é uma atitude que se expressa de muitas maneiras diferentes. Eis algumas opiniões, expressas de diferentes ângulos. Certo escritor, por exemplo, disse: "O mundo está mais carente de bons ouvintes do que de bons pregadores". Isto é uma crítica aos ouvintes. Deve se observar que esse escritor sente que o grande problema de hoje é a ausência de bons ouvintes, e não de boa pregação. Entretanto, qualquer que seja a forma específica que assuma essa crítica, a grande ênfase recai sobre o homem moderno e a situação em que vivemos. Eis algumas declarações feitas pelo teólogo holandês Kuitert, da Universidade Livre, de Amsterdã, o qual tornou-se muito popular na Europa. Ele afirmou: "Além disso, não é verdadeiramente proveitoso ao crente tentar achar o seu próprio caminho através deste mundo de Deus, nesta época e neste lugar". Essa foi a crítica de Kuitert contra a teologia tradicional e o tipo tradicional de pregação. Ou, novamente: "Um grande número de crentes, convencidos de que a fé e as obras são inseparáveis, são incapazes de descobrir por si mesmos como focalizar esta unidade nos problemas de nossos próprios dias". Esta é a ênfase atual.

Ou, uma vez mais: "Precisamos conhecer os problemas, o que está em jogo em nosso tempo e lugar. É neste particular, e não em qualquer outro, que a verdade precisa concretizar-se". Observem a constante ênfase sobre o "aqui e agora", sobre "a situação atual", "o homem de hoje". Esta mesma ênfase pode ser achada nos escritos de Bultmann, cujo argumento básico em favor do que ele chama de demitologizar o evangelho é que ninguém pode esperar que o homem moderno, com seu pano de fundo e sua atitude científica, venha a crer no evangelho — a mensagem que ele mesmo afirmava estar ansioso por comunicar a outros — enquanto estiver preso ao elemento miraculoso que esse homem acha impossível aceitar. Noutras palavras, como vemos, aquilo que o homem moderno pode "aceitar" torna-se o fator determinante. É a mesma conversa de "o homem tornou-se adulto" e de outros chavões característicos de nossa época.

Examinemos algumas das maneiras pelas quais essa atitude tende a manifestar-se. Ela se manifesta em sua abordagem do que poderíamos chamar de "povo comum". Dizem-nos que nesta nossa época tais pessoas não podem pensar e acompanhar afirmações articuladas, porquanto está acostumado ao tipo de atitude e mentalidade produzidas pelos jornais, televisão e cinema, sendo por isso incapazes de seguir afirmações articuladas e argumentativas. Portanto, precisamos oferecer-lhes filmes e slides, contratar artistas para lhes falar, cantores populares para lhes dirigirem suas canções, breves discursos e "testemunhos", intercalando uma ou outra palavra do evangelho. "Crie uma atmosfera" é o que está na moda e acrescente uma bem breve palavra do evangelho no final.

Outra forma assumida por essa atitude consiste em dizer que essas pessoas não podem entender a terminologia bíblica e que falar sobre "justificação", "santificação" e "glorificação" é algo sem significado para elas. Temos de perceber que estamos vivendo em uma era "pós-cristã" e que esse é o maior obstáculo à pregação nestes dias, ou seja, as pessoas não entendem o nosso vocabulário. Nossas palavras lhes parecem arcaicas, são antiquadas, estão desatualizadas. O resultado é a grande sede moderna por novas traduções da Bíblia na linguagem familiar e comum, na qual Deus não é mais chamado de "Senhor", ou na segunda pessoa do singular e plural, e sim de "você". Isto, dizem-nos, é importantíssimo, pois, quando o homem moderno ouve uma linguagem mais elevada, como as formas de tratamento pela segunda pessoal do singular ou plural, é quase impossível que continue ouvindo o evangelho e, menos ainda, crer nele. Portanto, temos de modificar a nossa linguagem e fazemos isso em nossas traduções modernas das Escrituras, bem como em nossas orações, em nosso estilo de pregação e em todas nossas atividades religiosas. Essa é a maneira como essa atitude moderna, que considera os ouvintes como aqueles que controlam o púlpito, se manifesta no que diz respeito ao indivíduo comum.

Então, quando voltamos nossa atenção aos intelectuais, estes asseveram que possuem uma nova atitude científica, que aceitam a teoria da evolução e toda a perspectiva científica que torna impossível um mundo tridimensional, etc.; afirmam também que, por essa razão, devemos deixar claro para as pessoas comuns que a Bíblia aborda exclusivamente assuntos de salvação, vida e experiência religiosa. Se deixarmos de mostrar que a Bíblia e a natureza (conforme exposta pelos cientistas) são complementares e formas de revelação igualmente plenas autoritativas, estaremos ofendendo os intelectuais modernos, que nem ao menos atentarão ao evangelho. Portanto, devemos parar de falar, como o fizemos no passado, a respeito da origem do mundo e do homem, da queda no pecado e de milagres e intervenções sobrenaturais na história; temos de concentrar todo nosso esforço exclusivamente na mensagem religiosa da Bíblia. É claro que não há nada novo em tudo isso. Ritschl dissera tudo isso cem anos atrás. Mas isso retornou em uma nova forma.

Outra particularidade que vem sendo crescentemente ressaltada é que temos de entender que o homem moderno, intelectual, é sofisticado, que ele pensa em termos da literatura moderna, da arte moderna, do vestuário moderno, dos romances, e assim por diante, e que, se não lhe falarmos neste idioma, que lhe é tão familiar, provavelmente não causaremos sobre ele qualquer impacto. Precisamos entender que essas coisas estão controlando a sua maneira de pensar. Tivemos extraordinária ilustração desta atitude há poucos meses, na resenha de um livro, em um jornal religioso da Inglaterra. O escritor terminou o seu comentário dizendo que, se todos os pregadores lessem aquele livro, surgiria uma nova esperança para a pregação, porquanto aquele volume induziria os pregadores a conscientizarem-se de que suas noites de sábado seriam mais proveitosas se passassem a ver o que se chama de "Teatro Noturno do Sábado", pela televisão. Vendo o "Teatro Noturno do Sábado", os pregadores acabariam conhecendo e compreendendo a mentalidade, as atitudes e a gíria do homem moderno; e, deste modo, estariam melhor qualificados para pregar ao homem moderno, no domingo! Assim, esta é maneira pela qual o pregador deve preparar-se para o domingo — não mais em oração e meditação, mas vendo o "Teatro Noturno do Sábado" e entendendo a "mentalidade moderna".

Outra forma assumida por esta maneira de pensar consiste em ressaltar que o homem moderno, sofisticado, sente aversão especial às assertivas dogmáticas e não mais tolerará os antigos pronunciamentos dogmáticos feitos do púlpito. Ele é um homem erudito, e não podemos lhe falar como se ele fosse "inferior"; está no mesmo nível do homem no púlpito e, talvez, até lhe seja superior. Acredita em examinar as coisas de modo cuidadoso, racional e científico, considerando diversos pontos de vista possíveis. De fato, em uma revista pertencente a uma organização estudantil evangélica, li recentemente um apelo no sentido de que, na atualidade, o púlpito deveria apenas apresentar breves porções da Bíblia, preferivelmente das novas traduções, fazer alguns comentários esparsos e convidar as pessoas a fazerem perguntas, na forma de um debate. Deste modo, teríamos "cultos inteligentes", em vez de um único homem no púlpito a impor a Lei, por assim dizer, e a contar ao povo "todas as coisas a respeito dela". A participação das pessoas que está nos bancos é essencial. Por conseguinte, o homem no púlpito encontrar-se-ia ali apenas para ler as Escrituras de maneira lenta e inteligível, fazendo isso de acordo com as diferentes traduções, para que, em seguida, houvesse oportunidade de debate. Troca de pontos de vista, confrontação, diálogo, estão na ordem do dia!

Então, no que diz respeito ao nível prático do treinamento de ministros, é assim que se manifesta esta nova atitude. Existem aqueles que afirmam que um homem não está realmente apto para pregar a uma comunidade industrial, se não possui certa quantidade de experiência do trabalho em uma fábrica. Tem havido propostas sérias no sentido de que todos os pregadores, ao concluírem seu treinamento acadêmico, deveriam trabalhar em alguma fábrica, digamos, por seis meses, a fim de entenderem a perspectiva e a mentalidade dos operários. Os pregadores devem entender a linguagem dos operários e como eles se expressam; porque é quase impossível pregar para esse tipo de pessoa, se não temos a mesma experiência deles.

Expus a posição em linhas gerais, conforme ela se expressa mais comumente. Como devemos responder-lhe? Até que ponto os ouvintes devem controlar o pregador? Assevero que esta nova maneira de pensar sobre estes assuntos é completamente errada, pelas seguintes razões. Permita-me dividir as minhas respostas em duas categorias gerias e mais particulares. De modo geral, esta posição é errada, antes de tudo, porque erra quanto aos fatos e à experiência. É errada em toda a sua compreensão psicológica da situação.

Quero desenvolver isso. Nunca me esquecerei — e relato novamente o caso porque penso que me ajuda a esclarecer o argumento — de haver pregado, há mais ou menos vinte e sete anos, numa capela da Universidade de Oxford, certo domingo pela manhã. Eu pregara exatamente da mesma maneira como teria pregado em qualquer outro lugar. No momento em que a reunião foi encerrada e antes que eu tivesse tempo de descer da plataforma, a esposa do reitor veio correndo ao meu encontro, para dizer-me: "Você quer saber uma coisa? Essa foi a coisa mais notável que já aconteceu nesta capela". Perguntei-lhe: "O que a senhora quer dizer?" "Bem", retrucou ela, "você sabia que foi, literalmente, o primeiro homem que eu ouvi nesta capela que pregou para nós como se fôssemos pecadores?!" Em seguida, acrescentou: "Todos os pregadores que têm vindo aqui, por ser esta uma capela da Universidade de Oxford, têm cuidados especiais para preparar sermões eruditos e intelectuais, supondo que todos somos grandes eruditos. Para começar, eles mesmos deixam de antever que não são eruditos, embora tenham se esforçado ao máximo para apresentar a última grama de erudição e cultura; o resultado é que vamos embora absolutamente famintos, sem qualquer reação. Temos ouvido aqueles ensaios, e nossas almas foram deixadas ressequidas. Parece que eles não compreendem que, embora vivamos em Oxford, também somos pecadores". Ora, essa foi uma declaração dos fatos, feita por uma dama altamente inteligente, esposa do reitor de uma faculdade.

Lembro-me de certo pregador, um bom homem, que fizera um bom trabalho em uma igreja situada numa área operária. Depois, ele foi convidado para ministrar em uma igreja no subúrbio de outra cidade. Recordo-me de haver notado, após algum tempo — quando ele veio a uma reunião do presbitério ao qual eu pertencia — que aquele homem começava a parecer cansado e tenso; conversei com ele a respeito disso. Na conversa, ele admitiu que se sentia bastante tenso e cansado. Eu lhe disse: "Bem, qual é o problema? Você tem experiência, trabalhou por vários anos na outra igreja, onde foi bem-sucedido". "Ah! agora", disse ele, "eu tenho uma congregação diferente. Agora tenho de pregar a pessoas que vivem em bairros chiques". Algumas daquelas pessoas são profissionais, outras são negociantes bem-sucedidos que se mudaram dos apartamentos nas sobrelojas para bairros residenciais. Ali estava aquele pobre homem, tentando produzir sermões eloquentes e intelectuais para aquelas pessoas que ele avaliara daquela maneira. A realidade dos fatos, conforme eu soube, é que as pessoas começaram a queixar-se da superficialidade das pregações dele. Não era o que elas queriam. Mostro pouca hesitação em dizer que aquele pobre sujeito finalmente matou-se, devido à sua errônea atitude para com a pregação. Sua saúde ficou abalada e ele faleceu com idade comparativamente jovem. Isso não era o que aquelas pessoas desejavam, nem aquilo que precisavam e aguardavam da parte dele.

Em seguida, pensemos sobre a incapacidade das pessoas modernas para ouvir sermões, sobretudo sermões demorados. Recentemente, eu me achei enfermo; neste período, recebi um bom número de cartas. A carta que sempre me parecerá a mais apreciada é a seguinte. Mas antes devo dizer que, de acordo com os padrões modernos, minhas ideias sobre a pregação estão todas equivocadas; tendo a mostrar-me demorado — quarenta e cinco minutos, mais ou menos — e, por certo, não passo o meu tempo narrando histórias! Entretanto, a carta que tanto aprecio me foi enviada por uma menina de doze anos de idade, que escrevia em seu próprio nome e no de seu irmão, sem que seus pais de nada soubessem, dizendo que estavam orando por minha recuperação e esperando que em breve eu ocupasse de novo o púlpito. Então, ela apresentou-me a razão, que muito me alegrou. Ela disse: "Porque o senhor é o único pregador que podemos entender". De acordo com as ideias e teorias modernas, não sou um pregador fácil, ensino demais e há excessivo raciocínio e argumentação em meus sermões. Já ouvi dizer que certas pessoas nunca levam seus amigos recém-convertidos para me ouvir, nem aconselham a quem pareça estar sob convicção de pecado a que me venha ouvir. Dizem que isso seria uma dose muito forte para tais pessoas, que não seriam capazes de me acompanhar, e assim por diante. Mais tarde, talvez seriam capazes disso, mas não naquele estágio inicial. No entanto, eis uma criança afirmando: "O senhor é o único pregador que podemos entender". Estou certo de que ela está com a razão!

Mas, ressaltando ainda mais este ponto, frequentemente tenho desfrutado da experiência de conhecer pessoas que se converteram, passaram a frequentar a igreja e cresceram nela, para algum tempo depois virem a mim e contar-me o que lhes acontecera. O que têm dito com frequência é: "Quando começamos a frequentar a igreja, na realidade não compreendíamos muito bem o que o senhor estava falando". Então, lhes pergunto por que razão continuavam a frequentá-la; e muitas vezes tenho obtido esta resposta: "Havia algo em toda a atmosfera que nos atraía, fazendo-nos sentir que tudo estava certo. Isso nos fazia voltar e, gradualmente, começamos a descobrir que estávamos absorvendo inconscientemente a verdade. Ela começou a fazer sentido para nós". Essas pessoas não entendiam os meus sermões mais do que as outras, mas entendiam alguma coisa, e isso lhes era de grande valor. Elas continuaram a crescer em seu entendimento até que, agora, são capazes de desfrutar de todo o culto, de toda a mensagem. Esta é uma experiência bem comum; pessoas de diferentes níveis parecem ser capazes de extrair, sob a influência do Espírito, aquilo de que precisam, aquilo que lhes é útil. Esta é a razão por que se pode pregar para uma congregação mista, de entendimento, conhecimento e cultura diversos, em que todos podem obter da pregação algum benefício.

Além disso, esta ideia moderna é completamente refutada pela tradição dos séculos. Não somos as primeiras e as únicas pessoas a viverem neste mundo. Tendemos a falar como se assim fosse ou como se fôssemos uma raça especial e peculiar. Mas não é verdade, porquanto neste mundo sempre haverá esses diferentes tipos de pessoas. Eis o que Lutero disse sobre o assunto: "Um pregador deve ter a habilidade de ensinar de maneira simples, completa e clara àqueles que não têm boa instrução; porque ensinar é mais importante do que exortar". E acrescentou: "Quando prego, não levo em conta nem doutores nem magistrados, dos quais tenho mais de quarenta na minha congregação. Toda a minha atenção está focalizada nas empregadas e nas crianças. E, se os eruditos não estão satisfeitos com o que ouvem, bem, a porta está aberta". Sem dúvida, esta é a atitude correta. Alguns "doutores e magistrados" talvez sintam que o pregador, no púlpito, não lhes está dando atenção suficiente. Mas o pregador sábio focaliza a sua atenção sobre as empregadas e as crianças. E se um grande erudito pensar que não está obtendo coisa alguma, estará condenando-se a si mesmo, no sentido de que não possui mente espiritual e não absorve a verdade espiritual. Vive "inchado" e repleto de seu próprio conhecimento intelectual, a ponto de esquecer que tem coração e alma. Condena-se a si mesmo e, se deixar a igreja, será o perdedor. É evidente que, neste caso, estou supondo que o pregador esteja realmente pregando a Palavra de Deus!

Desejo reforçar este ponto com um incidente que me aconteceu, mui estranhamente, uma vez mais na Universidade de Oxford. Fui convidado a pregar em um trabalho de evangelismo da Universidade em 1941. Coube-me pregar no domingo à noite, no primeiro culto da campanha, no púlpito de John Henry Newman — posteriormente cardeal Newman — na igreja de Sta. Maria, onde ele pregava quando ainda estava na Igreja Anglicana. Naturalmente, tratava-se, acima de tudo, de uma congregação de estudantes. Preguei para eles como teria pregado em qualquer outro local. Havia sido combinado e anunciado que, se as pessoas tivessem perguntas a fazer, teriam oportunidade de fazer isso depois que o culto acabasse, contanto que se retirassem para outro edifício, atrás da igreja, após a reunião.

Assim, o capelão e eu fomos para lá, esperando encontrar poucas pessoas. Mas descobrimos que o lugar estava repleto. O capelão tomou seu assento e indagou se havia quaisquer perguntas. Imediatamente um jovem, assentado na fila de cadeiras da frente, levantou-se. Depois descobri que ele estudava Direito e era um dos diretores da famosa Sociedade de Debates União, da Universidade de Oxford, onde futuros estadistas, juízes, ministros e bispos com frequência aprendem a arte de falar em público e debater. Suas próprias vestes e posição corporal deixavam entrever quem ele era. Levantou-se e disse que tinha uma pergunta e passou a formulá-la com toda a graça e polidez características de um hábil polemista. Fez alguns elogios ao pregador e disse que muito apreciara o sermão, mas uma grande dificuldade e perplexidade ficaram em sua mente, como resultado do sermão. Na realidade, ele não podia entender por que aquele sermão, ao qual ouvira com prazer, e admitia ter sido bem construído e apresentado, não poderia ter sido pregado diante de uma congregação de homens do campo ou de qualquer outro grupo. Imediatamente ele se sentou. O grupo todo prorrompeu em gargalhadas.

O presidente voltou-se para mim, para que eu apresentasse minha réplica. Levantei-me e expus o que sempre tem sido minha resposta ante tal atitude. Respondi que estava muito interessado na indagação, mas que, na realidade, não podia ver a dificuldade do inquiridor, porque, confessei francamente, embora eu fosse tomado por um herege, tinha de admitir que até aquele momento vinha considerando os estudantes e mesmo os graduados da Universidade de Oxford como pessoas comuns, miseráveis pecadores, iguais a qualquer outra pessoa, e mantinha o ponto de vista de que as necessidades deles eram as mesmas dos agricultores e de quaisquer outras pessoas. Pregara deliberadamente daquela maneira! Isso provocou nova explosão de gargalhadas e, até, vivas. Mas o importante é que eles apreciaram o que eu disse e me deram a maior atenção possível daí em diante.

De fato, como resultado disso, fui convidado para o debate ao qual já me referi em preleção anterior, contra o famoso Dr. Joad, da Sociedade União de Oxford. Não existe maior erro do que pensar que precisamos de um evangelho diferente para pessoas especiais. Isto é totalmente contrário ao ensino bíblico e contrariado pelo que lemos nas biografias de todos os grandes pregadores como Whitefield, Spurgeon e nas histórias de evangelistas como D. L. Moody. Eles nunca reconheceram estas falsas distinções, e seu ministério foi uma bênção para todas as classes de pessoas — intelectuais, sociais, etc.

Em terceiro lugar, esta ideia moderna se alicerça em um raciocínio falso. Isto para mim é muito importante. Presume que a dificuldade e o obstáculo para o homem moderno, aquilo que o impede de crer no evangelho, é quase totalmente uma questão de linguagem e terminologia, aquilo que é descrito hoje, de forma eloquente, como "o problema da comunicação"! Esta é a razão que está por trás de muito desta maneira de pensar.

Apresso-me a dizer que concordo plenamente em que sempre devemos procurar as melhores traduções possíveis. Não devemos ser imprecisos nestas questões. Devemos ter em mãos o melhor que os tradutores nos possam dar. Mas esta não é a verdadeira questão por trás da ideia de que agora nos dirigimos a Deus chamando-o de "você", e não de "Senhor", se temos de "anunciar" o evangelho ao homem moderno. A suposição básica, por trás desse modo de pensar, é que o motivo pelo qual as pessoas não acreditam em Deus, nem Lhe fazem orações, nem aceitam o evangelho, é a linguagem arcaica de versões tradicionais. Então, se esse defeito for corrigido, toda a situação mudará, e o homem moderno será capaz de crer nestas coisas.

A resposta simples a tudo isso é que as pessoas sempre acharam estranha a linguagem da Bíblia. A resposta ao argumento de que as pessoas nesta era pós-cristã não entendem termos como "justificação", santificação" e "glorificação" consiste, simplesmente, em fazer uma outra pergunta. Quando foi que elas os entenderam? Quando foi que o incrédulo compreendeu esta linguagem? A resposta é: nunca! Estes vocábulos são peculiares ao evangelho, pertencem-lhe de modo especial. A tarefa dos pregadores é mostrar que nosso evangelho é diferente em sua essência e que não estamos falando sobre assuntos comuns. Temos de enfatizar que estamos falando sobre algo singular e especial. Precisamos levar as pessoas a esperarem isto; portanto, devemos asseverar este fato. Temos a incumbência de ensinar ao povo o significado destes vocábulos. Não são as pessoas que decidem e determinam o que e como deve ser pregado. Somos nós que possuímos a Revelação, a Mensagem e precisamos torná-la compreendida. Foi com base nesse grande princípio que trabalharam os grandes reformadores protestantes. Por esse motivo, eles produziram suas novas traduções; eles queriam, conforme expuseram a questão, que a mensagem fosse "compreendida pelo povo".

Existe toda a diferença no mundo entre o fato de um homem não entender latim e o de não compreender os vocábulos vinculados à salvação, como a palavra "justificação". Sempre é correto que a Bíblia e a pregação existam na linguagem dos ouvintes, mas isto não soluciona o problema de compreender a terminologia especial da salvação. Ora, esta é a tarefa da pregação. Não podemos esperar que as pessoas entendam estes termos; a finalidade da pregação é dar-lhes este entendimento. "Ora, o homem natural não aceita as coisas do Espírito de Deus, porque lhe são loucura; e não pode entendê-las, porque elas se discernem espiritualmente" (1 Co 2.14). É proveitoso atentarmos às palavras do professor J. H. S. Burleigh, em suas *Preleções Croall*, sobre a filosofia de Agostinho e, mormente, a obra de Agostinho, *A Cidade de Deus*. Citando Agostinho, ele afirma:

> Se Moisés estivesse vivo, eu o agarraria e lhe rogaria que desvendasse estas coisas para mim. Ofereceria meus ouvidos ao som que se derramasse de sua boca. Porém, se ele falasse em hebraico, as suas palavras feririam em vão meus órgãos de audição. Jamais chegariam à minha mente. Ainda que falasse em latim, as suas palavras chegariam ao meu entendimento?

O professor Burleigh continuou, dizendo:

> No *De Magistro,* Agostinho analisou o complexo processo de comunicação da verdade de uma mente para outra. Além do processo físico de falar e de ouvir, é mister que o processo espiritual esteja em operação. As palavras, quer faladas, quer escritas, são auxílios mecânicos indispensável para que haja entendimento, mas não são a causa do entendimento. São símbolos

que indicam a verdade, que é apreendida apenas porque a mente possui seu próprio mestre interior, identificado com Cristo, o qual é a própria Verdade e que fala ao ouvido interior.

Muitos daqueles que alegam concordar com isso na teoria parecem esquecê-lo completamente na prática.

Consideremos agora aquele outro argumento falso, o de que precisamos saber a condição exata das pessoas, antes de pregarmos verdadeiramente para elas e de que, por essa razão, o pregador deveria primeiro trabalhar por seis meses em uma fábrica, a fim de pregar com eficácia a operários. Para mim, este é o argumento mais monstruoso e falaz de todos, porquanto, se for verdadeiro e levado à sua conclusão lógica, o treinamento do pregador jamais acabará. Além disso, se alguém quiser pregar aos alcoólatras, terá primeiro de passar seis meses nos bares, etc. e gastar seu tempo experimentando todas as profissões e atividades, passando seis meses em cada uma delas. Então, e somente então, estará pronto para pregar às pessoas.

Toda esta ideia, afirmo, é ridícula, pois, se seguirmos esse argumento e suposição, jamais poderemos pregar a congregações mistas. Deveríamos ter um culto para, e uma congregação de, não-intelectuais; depois, outro culto especial para os intelectuais; e, ainda, outro culto, para os intermediários. Além disso, deveríamos ter cultos especiais para as diferentes idades, cultos para os operários, cultos para os profissionais liberais e, assim, indefinidamente. O resultado seria que dividiríamos as nossas igrejas em congregações minúsculas; nunca teríamos um ato público e comum de adoração, e um sermão jamais seria pregado. Você teria de dividir-se para atender esses cultos, e o seu trabalho seria interminável. De qualquer maneira, isso destruiria totalmente aquele grande princípio fundamental do Novo Testamento, o princípio de que somos todos um — "Não pode haver grego nem judeu, circuncisão nem incircuncisão, bárbaro, cita, escravo, livre". E acrescento que não pode haver intelectual ou não-intelectual, ou operário, ou profissional liberal, ou qualquer outro tipo de pessoa. Somos todos iguais no pecado, no fracasso, no desespero, na necessidade que todos temos do Senhor Jesus Cristo e de sua grande salvação.

Permita-me apresentar o assunto nestes termos. Passei a primeira parte de minha vida adulta como médico e frequentemente me interessei pela diferença entre o trabalho de um médico e o de um pregador. De fato, há várias semelhanças, mas também há uma diferença essencial que se destaca desta maneira. Como o médico trata com os seus pacientes? Bem, a primeira coisa que ele faz é pedir ao paciente que relate seus sintomas e dificuldades — suas dores e indisposições, onde o problema o inquieta, há quanto tempo se manifestam, como começou, se tem ocorrido alterações, etc. Toda esta descrição precisa ser feita em minúcias. O médico toma conhecimento exato da história do paciente e, em seguida, pergunta-lhe sobre a sua vida anterior, desde a infância. Tendo feito isso, passa a questioná-lo a respeito da história da família, uma vez que isso pode trazer considerável luz àquela enfermidade particular. Existem doenças hereditárias, além de predisposições familiares quanto a certas enfermidades; por isso, a história clínica da família é extremamente importante. Havendo-se certificado destes fatos, o médico passa a fazer seu próprio exame físico do paciente.

Ora, sem esse conhecimento detalhado, específico, especial e particular do paciente, o médico não pode realizar seu trabalho. É neste particular, insisto, que existe tão marcante contraste entre o trabalho de um médico e o de um pregador. O pregador não precisa conhecer estes fatos particulares a respeito de sua congregação. E incidentalmente este é um ponto que também aparece numa outra conexão, ou seja, no ato de dar testemunhos em campanhas de evangelização. Alguns atribuem excessiva importância a isso, argumentando que, se alguém ouvir outra pessoa contando a sua história de como vivia antes em seu pecado ou fraqueza particular e como foi libertado por meio de "aceitar a Cristo", aquele que a ouve receberá ajuda. A grande diferença é esta: o pregador não precisa saber estes detalhes. E por que não? Porque ele sabe que todas as pessoas à sua frente — cada uma delas — padecem da mesma enfermidade: o pecado. Os sintomas poderão variar de modo espantoso em cada caso, mas a tarefa do pregador não consiste em medicar os sintomas, e sim tratar da doença. O pregador, por conseguinte, não deveria mostrar-se sobremodo interessado pelas formas particulares que o pecado assume.

Este mesmo ponto surge, com igual importância, quando o pregador entrevista pessoas em seu gabinete, no fim do culto. Algumas pessoas virão. Ele, por sua vez, descobrirá que, quase invariavelmente, elas desejam falar a respeito de um pecado específico. Elas, ou pelo menos algumas delas, parecem ter o sentimento de que, se pudessem libertar-se deste único problema, tudo ficaria bem. Mas é neste particular que o pregador tem de ser firme e corrigi-las. Precisamos mostrar-lhes que, embora se livrem daquele pecado específico, ainda continuam em grande necessidade, como antes, e que a salvação não consiste somente em nos livrarmos de problemas particulares, e sim de colocar o "homem inteiro" no relacionamento correto com Deus.

Portanto, o pregador não precisa saber destes fatos detalhados e particulares sobre as pessoas, pois sabe que existe esta necessidade geral e comum. É vital à pregação que todos os ouvintes sejam reduzidos a este denominador comum. O pregador tem de mostrar ao fariseu auto-satisfeito que a sua necessidade é terrivelmente urgente, que ela é tão grande quanto a do publicano, ou talvez até maior; precisa mostrar ao intelectual, que se orgulha de seu conhecimento e de sua compreensão, que ele é culpado de orgulho intelectual, que é um dos piores dentre dos os pecados, pior do que muitos dos pecados da carne. O pregador tem de expor esse orgulho do homem que confia em si mesmo, em sua erudição e conhecimento. Precisa humilhar, por meio de sua mensagem, aquele indivíduo que o escuta mais como um inspetor e juiz do que como um pecador. É necessário convencê-lo de pecado, é mister que seja levado a reconhecer sua terrível necessidade. Assim, o pregador se acha numa posição tal que não precisa entrar nestas diversas secções, graus e divisões da sociedade. Ele conhece o problema do operário e o problema do profissional liberal; porque esse problema é exatamente o mesmo. Um deles pode embebeda-se com cerveja, o outro, com vinho, digamos assim, mas a verdade é que ambos são beberrões. Um deles pode pecar vestido em seus trapos, e o outro, vestido em trajes finos, mas ambos pecam. "Pois todos pecaram e carecem da glória de Deus." "Não há justo, nem sequer um." "Todo mundo seja culpável perante Deus."

A abordagem moderna se fundamenta sobre um raciocínio totalmente falso. De fato, em última análise se deve a uma teologia errônea. Baseia-se no erro de não perceber a verdadeira natureza do pecado e de não reconhecer que o problema é o pecado, e não os pecados em geral, e que as especializações nas formas e manifestações específicas do pecado são irrelevantes e, principalmente, um desperdício de tempo. A história da igreja e de sua pregação, através dos séculos, confirma esse argumento. A pregação geral do evangelho é aplicada pelo Espírito Santo aos casos específicos de pecado. Homens e mulheres são levados à percepção de sua necessidade comum e fundamental, e se convertem, e são regenerados da mesma maneira e pelo mesmo Espírito. Por essa razão, se reúnem na mesma igreja. E, se acharem que não podem fazer isso (e não o fazem), bem, neste caso, não são regenerados. Tudo se resume nisso. Se alguns deles sentirem que estão sendo negligenciados, em face de seu profundo intelecto, isso mostra que se caracterizam por falta de humildade; não foram humilhados como deveriam ter sido. A glória da igreja é que ela consiste de todos os tipos de pessoas, de todas as variedades e variações da humanidade. No entanto, visto que todos compartilham desta vida comum, são capazes de participar e desfrutar juntos da mesma pregação.

Este é o caso em linhas gerais. Mas posso imaginar que determinada pergunta está surgindo nesta altura. "O que podemos dizer sobre 1 Coríntios 9.19-23?" Paulo, ao descrever o seu próprio ministério, afirma:

> Porque, sendo livre de todos, fiz-me escravo de todos, a fim de ganhar o maior número possível. Procedi, para com os judeus, como judeu, a fim de ganhar os judeus; para os que vivem sob o regime da lei, como se eu mesmo assim vivesse, para ganhar os que vivem debaixo da lei, embora não esteja eu debaixo da lei. Aos sem lei, como se eu mesmo o fosse, não estando sem lei para com Deus, mas debaixo da lei de Cristo, para ganhar os que vivem fora do regime da lei. Fiz-me fraco para com os fracos, com o fim de ganhar os fracos. Fiz-me tudo para com todos, com o fim de, por todos os modos, salvar alguns. Tudo faço por causa do evangelho, com o fim de me tornar cooperador com ele.

Esta é uma passagem deveras relevante. Vista de modo superficial, poderia justificar muito da argumentação de nossos dias no sentido de que os ouvintes deveriam, realmente, controlar o púlpito. À primeira vista, parece que o apóstolo está dizendo aquilo que as suas atitudes eram determinadas pelas pessoas a quem ele falava.

Como lidamos com isto? Não há duvida de que nesta passagem o apóstolo abordava principalmente a sua conduta e comportamento geral, e não a sua pregação propriamente dita. Acredito, porém, que, ao mesmo tempo, ele falava sobre o método ou modo como apresentava a verdade. Certamente podemos chegar a determinadas conclusões. Este apóstolo, dentre todos os apóstolos — mas isso também era verdade no que concerne a todos os outros — não pretendia, evidentemente, dizer que o conteúdo de sua mensagem variava de acordo com os ouvintes. Nesta passagem, ele se preocupava apenas com a forma da apresentação. Porém, quando abordamos este assunto da apresentação — que é a nossa preocupação no momento — em que consiste o ensino? É óbvio que temos aqui um o ensino claro de que, na qualidade de pregadores, devemos ser flexíveis: não podemos ser tradicionalistas nem legalistas.

Há algumas pessoas que parecem se deleitar com o uso de frases arcaicas. E, se você não as utiliza, tais pessoas duvidam que você esteja pregando verdadeiramente o evangelho. São escravas de certas frases. Tenho observado alguns jovens que, depois de desenvolverem um novo interesse, digamos, pelos puritanos, começam a falar e a escrever como se vivessem no século XVII. Isto é totalmente ridículo. Usam frases que eram comuns naquela época e chegam a tentar assumir o tipo de postura e aparência que imagino caracterizava os puritanos, mas não caracteriza mais os crentes contemporâneos. E tais jovens assumem certo estilo de comportamento. Tudo isto é completamente errado.

Não devemos nos interessar pelo que é incidental, pelos aspectos temporários ou passageiros do cristianismo. Devemos nos interessar pelos princípios e coisas que são permanentes. Sem dúvida, isso era o que o apóstolo estava dizendo. Ele teve de lutar intensamente por causa deste assunto. No capítulo anterior da epístola, Paulo abordara a questão referente à carne sacrificada aos ídolos. Também falara sobre este problema em Romanos 14. As pessoas estavam presas a tradições da época em que ainda não eram convertidas e genuinamente perturbadas por esses assuntos. Os crentes judeus estavam perturbados, bem como o estavam alguns crentes gentios, a respeito de carnes que haviam sido oferecidas aos ídolos e algumas outras questões. O apóstolo assevera reiteradamente que, embora devamos nos prender ao que é essencial, devemos também ser flexíveis no tocante às coisas não-essenciais. Ele qualifica isso por estar preocupado com "o irmão mais fraco". Não devemos pisotear a consciência fraca desse irmão; pelo contrário, devemos procurar ajudá-lo e cessar de praticar coisas legítimas por si mesmas, se ofendem a nosso irmão. "Por isso", disse Paulo, "se a comida serve de escândalo a meu irmão, nunca mais comerei carne, para que não venha a escandalizá-lo... Consciência, digo, não a tua propriamente, mas a do outro", e assim por diante.

No entanto, o que ele ensina, de modo bem claro e franco, é que não podemos permitir que preconceitos se interponham entre as pessoas e a nossa mensagem. Não podemos deixar que os nossos pontos fracos nos dominem. Precisamos nos esforçar ao máximo para ajudar aquelas pessoas para quem pregamos, a fim de que venham ao conhecimento da Verdade. Assim, não devemos, ao pregar a gentios, insistir sobre certas coisas a respeito das quais os judeus continuavam insistindo; pois insistiam de maneira errada. Lembremos também como Paulo teve de "resistir a Pedro face a face", em Antioquia, exatamente por esse motivo. Pedro ficara confuso acerca disso tudo, e Paulo foi forçado a corrigi-lo publicamente. Ele falou a respeito disso em Gálatas 2. Tratava-se do princípio essencial que Paulo abordou nesta passagem de 1 Coríntios.

Deixe-me fazer um resumo em termos modernos, asseverando que sempre devemos ser contemporâneos; nosso objetivo é cuidar das pessoas vivas que estão à nossa frente e nos ouvem. Não me convém subir ao púlpito tendo em mente a figura de um pregador ideal, como, por exemplo, a figura de um pregador puritano de trezentos ou de cem anos atrás, agindo como se ainda estivéssemos naquela época. Agir deste modo significa prejudicar os ouvintes. Será uma ofensa a uma congregação moderna; dificultará a atenção dos ouvintes; e nada disso é parte essencial da mensagem. Posso e devo aprender dos pregadores do passado; mas não tenho de ser um imitador deles. Sou auxiliado pelo conhecimento que tinham da Verdade e pelas exposições deles. No que diz respeito às coisas meramente incidentais à pregação deles — às coisas passageiras e temporárias, meros costumes e usos da época deles — não me devo agarrar a elas, tornando-as quase tão essenciais quanto a própria Verdade. Isto não é "apegar-se à verdade"; isto é tradicionalismo. Isto se aplica, naturalmente, não só à maneira de pregar, mas também à forma do culto, ao modo de vestir e a muitas questões semelhantes.

O argumento do apóstolo, por certo, é que deve haver flexibilidade em nossa maneira de apresentar a mensagem. Deixemos esclarecer que há certos limites neste princípio. Não podemos ser arcaicos e legalistas; mas existem limites. Evidentemente, um desses limites é que "o fim não justifica os meios". Este é um argumento muito generalizado hoje. O argumento tantas vezes alegado é: "Mas as pessoas se convertem em resultado disto ou daquilo". Não podemos aceitar este argumento tipicamente jesuíta e temos bons motivos para nos negarmos a fazê-lo.

Em segundo lugar, os nossos métodos sempre devem ser coerentes e compatíveis com a nossa mensagem, e jamais contradizê-la. Isto, uma vez mais, é importantíssimo nesta época. Existem homens bem sinceros, genuínos e honestos, cujos motivos indubitavelmente são bons e cuja preocupação é levar pessoas à salvação. No entanto, deixam-se arrastar de tal modo por essa ideia, que, no desejo de entrar em contato com as pessoas e de facilitar-lhes a mensagem, praticam coisas que, ao meu ver, contradizem frequentemente a própria mensagem. No momento em que um método contradiz nossa mensagem, esse método torna-se pernicioso. Tenhamos flexibilidade, nunca, porém, ao extremo de contradizer a nossa mensagem.

Isto é verdadeiro não somente no que concerne aos princípios bíblicos, mas também é uma realidade comprovada na prática. O que sempre me deixa perplexo quanto a essas pessoas que se preocupam tanto com os métodos modernos é a sua ignorância psicológica. Parecem desconhecer a natureza humana. O fato é que o mundo espera que sejamos diferentes. E essa ideia de que podemos conquistar o mundo demonstrando que, afinal de contas, somos muito parecidos com ele, quase sem qualquer diferença ou mesmo com pouca diferença, é uma noção basicamente equivocada, não somente do ponto de vista teológico, mas até do ponto de vista psicológico.

Deixe-me ilustrar o que estou dizendo com um exemplo bem conhecido. Terminada a Primeira Guerra Mundial, houve na Inglaterra um famoso clérigo que se tornou conhecido como "Woodbine Willie". Por que ele era chamado de "Woodbine Willie"? A explicação é que ele fora capelão do exército e tivera grande sucesso nessa atividade. Ele mesmo atribuía seu êxito — e muitos concordavam com ele nesse particular — ao fato de que confraternizava com os homens das trincheiras de maneira familiar. Fumava juntamente com eles e, em particular, aquela marca barata de cigarros conhecida pelo nome de "Wild Woodbine", comumente chamados de "Woodbines". Antes de 1914, cinco cigarros dessa marca podiam ser comprados por um centavo. Ora, essa marca de cigarros não era do tipo que um oficial geralmente fumaria, embora fosse consumida pelos soldados. Assim, aquele homem, cujo nome era Studdert-Kennedy, a fim de deixar os seus homens à vontade e de facilitar o seu trabalho como capelão, fumava os "Woodbines". Disso lhe veio o nome "Woodbine Willie". E não somente isso, mas, observando que a maioria dos homens não sabia falar sem usar palavrões, também usava palavrões. Ele não o fazia porque tinha essa disposição natural, mas defendia a posição de que, se queremos conquistar as pessoas, temos de usar a mesma linguagem delas e ser semelhantes a elas em todos os aspectos. Tudo isso, certamente, tornavam-no uma figura popular — não se admitam dúvidas a respeito. Terminada a guerra, ele costumava percorrer o país, ensinando e exortando os pregadores a que fizessem a mesma coisa. Muitos tentaram e começaram a fazê-lo. Mas o veredicto da história quanto a isso é que tudo redundou em completo fracasso, por não passar de uma "moda" ou "astúcia" efêmera que obteve notoriedade por algum tempo, mas não tardou a desaparecer da mentalidade da igreja. No entanto, teve grande voga.

Da perspectiva do Novo Testamento, isto se fundamentava em uma completa falácia. Nosso Senhor atraía os pecadores porque Ele era diferente. Aproximavam-se dEle porque sentiam haver nEle algo diferente. Aquela pobre mulher pecadora, sobre a qual lemos em Lucas 7, não se aproximou dos fariseus para lavar-lhes os pés com suas lágrimas e enxugá-los com seus cabelos. Não, mas ela pressentiu algo em nosso Senhor — sua pureza, sua santidade e seu amor — e, por essa razão, se aproximou dEle. Ela foi atraída pela diferença fundamental que havia nEle. E o mundo sempre espera que sejamos diferentes. Esta ideia de que poderemos ganhar pessoas para a fé cristã, se lhes mostrarmos que, afinal de contas, somos notavelmente parecidos com elas, é um erro profundo, do ponto de vista teológico e psicológico.

Este mesmo princípio tem uma outra aplicação na época presente. Existem alguns protestantes insensatos que imaginam que a melhor maneira de conquistar os católicos romanos é mostrando-lhes não haver praticamente qualquer diferença entre os protestantes e eles; mas os católicos romanos que se convertem ao evangelho sempre dizem que foram atraídos pelo contraste. "Ação e reação são iguais e contrárias." O conceito moderno labora em erro teológico e psicológico.

O que faz as coisas serem assim é, inevitavelmente, o fato de que o assunto que estamos abordando é tão diferente. Neste terreno, estamos falando sobre Deus, o nosso conhecimento a respeito dEle e o nosso relacionamento com Ele. Portanto, neste particular, tudo deve ser considerado sob a perspectiva de Deus, "com reverência e santo temor". Não decidimos sobre isso; não estamos encarregados nem no controle. Deus é quem segura o leme. É o serviço dEle, e devemos nos aproximar dEle "com reverência e santo temor, porque o nosso Deus é fogo consumidor".

Além disso, os entretenimentos superficiais, a familiaridade e os gracejos não são compatíveis com a percepção da seriedade da condição natural da alma de todos os homens. Não são compatíveis também com o fato de que todos, por natureza, estão perdidos e sob o perigo da condenação eterna e que, consequentemente, precisam de salvação. E não somente isso, esses métodos não podem expor a verdade; e a nossa tarefa consiste em pregar a verdade. Estes métodos podem afetar psicologicamente as pessoas e, em outros aspectos, levá-las a tomarem "decisões". Contudo, o nosso objetivo não é meramente conseguir decisões, e sim levar os homens ao conhecimento da verdade.

Jamais devemos dar a impressão de que as pessoas precisam tão-somente fazer um pequeno ajuste em sua maneira de pensar, em suas ideias e em sua conduta. Isso milita contra a nossa mensagem. Nossa mensagem estipula que todo homem deve "nascer de novo" e que, embora lhe aconteçam muitas coisas boas, se ficarem aquém do "nascer de novo", não terão qualquer valor do ponto de vista do seu relacionamento com Deus. O ensino do Novo Testamento é que o incrédulo é plenamente errado. Não são apenas as suas ideias sobre a arte ou o teatro que são erradas; tudo o que se refere a ele é errado. Seus pontos de vista pessoais são errados, porque toda a sua perspectiva está distorcida e ele mesmo vive no erro. A regra determina: "Buscai... em primeiro lugar, o reino de Deus e a sua justiça, e todas estas (outras) coisas vos serão acrescentadas". Se pusermos a ênfase nestas "outras coisas", e não em "buscar em primeiro lugar o reino de Deus", estaremos condenados ao fracasso e menosprezaremos a mensagem que nos foi confiada.

Ninguém jamais entrou no reino de Deus à força de "argumentos"; isto é impossível. Jamais aconteceu, nem poderá acontecer. Somos todos iguais no pecado — "E todo mundo seja culpável perante Deus". Todos nos encontramos na mesma situação espiritual. Portanto, o meu argumento é que a passagem de 1 Coríntios 9.15-27 nos ensina tão-somente que devemos nos esforçar ao máximo para nos tornarmos claros, diretos e compreendidos. Nunca devemos permitir que preconceitos pessoais, pontos fracos ou as coisas incidentais à mensagem sirvam de obstáculos à mensagem. Compete-nos ser "tudo para com todos" neste sentido... e exclusivamente neste sentido.

Meu comentário final é que a verdadeira dificuldade nesta perspectiva moderna é que ela ignora o Espírito Santo e seu poder. Conforme pensamos, tornamo-nos tão peritos na compreensão de assuntos psicológicos e na capacidade dividir as pessoas em grupos — grupos psicológicos, culturais, nacionais, etc. — que concluímos, como resultado disso: aquilo que é certo para uma pessoa não é certo para outra; assim, eventualmente, acabamos tornando-nos culpados de negar o evangelho. "Onde não pode haver grego nem judeu, circuncisão, bárbaro, cita, escravo, livre; porém Cristo é tudo e em todos." Existe o ÚNICO evangelho — o ÚNICO evangelho — para todo o mundo e toda a humanidade. A humanidade é uma só. Caímos no erro grave de adotar teorias psicológicas modernas, de modo que nos desviamos da verdade, às vezes até para nos protegermos da mensagem e, com frequência, justificarmos métodos que não são coerentes nem consoantes com a mensagem que temos o privilégio de pregar.

CAPÍTULO OITO

O CARÁTER DA MENSAGEM

―― ⚜ ――

Este assunto do relacionamento entre os ouvintes e o pregador reveste-se da maior importância possível. Depois de examinar as implicações do ensino do apóstolo em 1 Coríntios 9, desejo tirar certas conclusões.

Quero estabelecer como axiomática a proposição de que os ouvintes nunca devem controlar ou ditar o pregador. Isto precisa ser enfatizado em nossos dias.

Havendo enfatizado isso, quero salientar, igualmente, que o pregador tem de avaliar a condição dos ouvintes, conservando isso em mente enquanto preparara e entrega sua mensagem. Observe como apresento esta questão. Não estou dizendo que os ouvintes devem controlar a situação, e sim que o pregador tem de avaliar as condições e a posição dos ouvintes. Deixe-me apresentar confirmações bíblicas para essa assertiva. Existem diversas, mas escolho algumas das mais óbvias. Leiamos, por exemplo, o que Paulo diz no começo de 1 Coríntios 3: "Eu, porém, irmãos, não vos pude falar como a espirituais, e sim como a carnais, como a crianças em Cristo. Leite vos dei a beber, não vos dei alimento sólido; porque ainda não podíeis suportá-lo. Nem ainda agora podeis, porque ainda sois carnais". Obviamente, Paulo afirmou que sua pregação era influenciada pela condição dos crentes de Corinto. Isto não significa que aqueles crentes ditavam a pregação de Paulo. Significa que ele os avaliava, e isso, por sua vez, determinava, em parte, de que maneira pregaria para eles.

Consideremos um segundo exemplo. Acha-se em Hebreus 5, começando no versículo 11. O autor vinha se referindo a nosso Senhor como "sumo sacerdote segundo a ordem de Melquisedeque". E prosseguiu, dizendo:

> "A esse respeito temos muitas coisas que dizer e difíceis de explicar, porquanto vos tendes tornado tardios em ouvir. Pois, com efeito, quando devíeis ser mestres, atendendo ao tempo decorrido, tendes, novamente,

necessidade de alguém que vos ensine, de novo, quais são os princípios elementares dos oráculos de Deus; assim, vos tornastes como necessitados de leite e não de alimento sólido. Ora, todo aquele que se alimenta de leite é inexperiente na palavra da justiça, porque é criança. Mas o alimento sólido é para os adultos, para aqueles que, pela prática, têm as suas faculdades exercitadas para discernir não somente o bem, mas também o mal".

Nesta passagem bíblica encontramos, outra vez, a mesma ideia. O autor queria falar-lhes sobre a grande doutrina concernente a nosso Senhor como o grande Sumo Sacerdote; no entanto, sentia que não podia fazê-lo, porque a sua estimativa era a de que eles não podiam recebê-la.

Naturalmente, este é um fator elementar no que diz respeito ao ensino. A primeira coisa que o professor de qualquer disciplina precisa fazer é determinar a capacidade de seus ouvintes, de seus alunos, de seus estudantes ou o que eles sejam. Esta regra fundamental deveria sempre estar na mente do pregador, e todos precisamos lembrá-la com frequência, especialmente quando somos jovens. A falha principal de todo pregador jovem consiste em pregar conforme gostaria que os ouvintes fossem e não conforme eles realmente são. Isto é algo mais ou menos inevitável. Ele tem lido biografias de grandes pregadores ou, talvez, os escritos dos puritanos; e, em resultado disso, sua mente forma um quadro, uma espécie de quadro ideal a respeito do que deveria ser a pregação. Depois, ele tenta realizar pessoalmente o que vem lendo, ignorando que os ouvintes dos puritanos — que, às vezes, pregavam por nada menos do que três horas seguidas — foram treinados, de várias maneiras, para aquele tipo de mensagem, durante cerca de um século. Não me convém fazer um parêntese aqui, mas parece que as pessoas esquecem que as obras dos principais puritanos, aquelas que nos são mais acessíveis, foram escritas pelos meados do século XVII, quando o puritanismo estava estabelecido havia cerca de cem anos. O povo que escutava aqueles sermões era um povo preparado, treinado e instruído, motivo por que era capaz de acompanhar o raciocínio e a argumentação complicados que haviam naqueles longos sermões. Se algum jovem pregador não entende essa particularidade e tenta pregar como o faziam os puritanos, por cerca de duas horas, logo descobrirá que não lhe resta congregação para a qual pregue. É de vital importância que o pregador avalie o povo para o qual está pregando.

Quero apresentar um exemplo que parece ridículo, mas que aconteceu recentemente. A cada semana era realizada uma reunião de senhoras em conexão com certa igreja de Londres. Não se destinava às senhoras que eram membros da igreja, mas às mulheres mais pobres do bairro. Durante anos, esta programação serviu a um propósito útil e tinha natureza evangelística. Diferentes oradores dirigiam a palavra a cada reunião semanal. A maioria das ouvintes era constituída de mulheres pobres e idosas. A média de idade tendia a subir cada vez, porque as mulheres mais jovens mantinham-se ocupadas em seus lares ou saíam para trabalhar em diversas atividades. Mas ali estavam elas, cerca de quarenta ou cinquenta vinham àquelas reuniões todas as semanas. Pouco a pouco, foi-se tornando mais agudo o problema de arranjar oradores; todavia, muitos se prontificavam a ajudar. Certa semana, um jovem profissional, que era membro da igreja, estava presente para dirigir-lhes a palavra. Ele aprontou um estudo sobre "A Trindade", para aquelas idosas senhoras! Conto esse fato para ridicularizar esse procedimento. Ali estava um profissional inteligente e bem treinado que pensaríamos ser capaz de ter alguma ideia sobre o falar ao povo; mas é evidente que nem pensara nisso e, talvez, lera recentemente algum artigo ou livro a respeito da Trindade. Mas sua palestra foi totalmente inútil. Não damos "alimento sólido" a bebês; damos leite. Esse é o princípio ensinado tanto pelo apóstolo Paulo como pela Epístola aos Hebreus.

Cumpre-me, todavia, acrescentar algo. Embora seja dever e tarefa do pregador avaliar a sua congregação, é mister que ele tenha o cuidado de fazê-lo com a estimativa legítima e exata. Certamente, isso precisa ser ressaltado. O perigo se manifesta tanto do ponto de vista do pregador como do ponto de vista dos ouvintes. O pregador pode fazer uma falsa avaliação dos ouvintes; e os ouvintes podem ter falsa avaliação de si mesmos. Creio que ambos os erros se evidenciam muito em nossos dias e que essa é uma das principais causas e explicações de nossa condição.

O principal perigo com que se defronta o pregador, quanto a isso, consiste em supor que todos quantos se dizem crentes, ou que pensam ser crentes, ou membros de uma igreja, são necessariamente cristãos. Para mim, este é o mais fatal de todos os erros; por certo, também é o mais comum. Supõe-se que, se as pessoas são membros de igrejas, necessariamente são crentes. Isto é perigoso e errado, pelo seguinte motivo: se supusermos isso, nos inclinaremos, com base nessa suposição, a pregar, em todas as reuniões, de maneira apropriada aos crentes. Nossas mensagens sempre terão um tom didático, e o comentário e elemento evangelístico serão negligenciados, talvez quase totalmente.

Esta é uma falácia grave e grandíssima. Permita-me oferecer as razões para dizer isso. Gostaria de começar contando a minha própria experiência. Durante vário anos, eu pensava ser um cristão, quando, de fato, não o era. Foi somente mais tarde que cheguei a perceber que eu nunca fora um cristão e me tornei um cristão. No entanto, eu era membro de uma igreja, participava dela e frequentava suas reuniões com regularidade. Assim, todos os que imaginavam — conforme ocorria à maioria dos pregadores — que eu era um crente nutriam uma suposição falsa. Não era uma verdadeira estimativa da minha condição. Aquilo de que eu precisava era uma pregação que me convencesse de pecado e me fizesse perceber a minha necessidade, levando-me ao verdadeiro arrependimento e esclarecendo-me a regeneração. Contudo, eu nunca ouvia falar sobre esses assuntos. A pregação que ouvíamos sempre se baseava na suposição de que todos éramos crentes, de que não estaríamos ali se não fôssemos crentes. Penso que este tem sido um dos erros fundamentais da igreja, especialmente neste século.

Entretanto, isto tem sido reforçado muitas vezes em minha experiência de pregador e pastor. Penso ser capaz de dizer, com toda a exatidão, que esta tem sido uma experiência comum para mim, quando as pessoas me procuram no gabinete para conversar sobre a questão de tornarem-se membros da igreja. Pergunto-lhes o motivo por que desejam tornar-se membros, qual é a experiência delas, etc. A resposta mais comum que tenho recebido, particularmente em Londres, nestes mais de trinta anos, tem sido algo parecido com o que digo em seguida. As pessoas — com bastante frequência, estudantes universitários ou recém-formados — me dizem ter vindo a Londres, para estudar em alguma universidade, proveniente de sua igreja local, acreditando plenamente ser crentes. Essas pessoas não têm dúvida alguma quanto a isso. Haviam perguntado à congregação local, antes de vir para Londres, que igreja deveriam frequentar aos domingos; e haviam sido recomendados à nossa. Em seguida, afirmam que, tendo chegado e ouvido a pregação, especialmente aos domingos à noite, quando, conforme já disse, minha pregação é invariavelmente evangelística em sua natureza, a primeira coisa que descobriram foi que nunca eram crentes e viviam debaixo de uma falsa suposição. A princípio, conforme alguns têm sido bastante honestos para confessar, sentiam-se irritados diante do fato. Não o apreciavam e se ressentiam com o isso; no entanto, era um fato. Essas pessoas, apesar de não gostarem da situação, mas percebendo ser essa a sua realidade, continuaram a vir. Esta situação arrastava-se por vários meses, quando, então, atravessavam um período de arrependimento, em grande aflição por sua alma. Temiam confiar em qualquer coisa, porque, tendo assumido erroneamente que eram crentes, agora temiam repetir o mesmo erro.

Eventualmente, chegaram a perceber a Verdade claramente, experimentando o seu poder e tornando-se verdadeiros crentes. Esta tem sido uma das experiências mais comuns de meu ministério. E mostra todo o perigo e o engano de supormos que todas as pessoas que frequentam regularmente os cultos são crentes.

Deixe-me contar outra história, ainda mais impressionante. Faço-o com o propósito de ressaltar este assunto vital. Tive o prazer e privilégio de pregar durante nove domingos consecutivos em Toronto, Canadá, no ano de 1932. Lembro-me de que no primeiro domingo, pela manhã, fui saudado pelo ministro daquela igreja; ele, embora estivesse em gozo de férias, ainda não se ausentara da cidade. Apresentou-me à congregação e, ao responder à boa acolhida, pensei que seria sábio se eu lhes indicasse qual era o método que usava como pregador. Então, disse-lhes que meu método consistia em supor que, de modo geral, aos domingos pela manhã estava me dirigindo aos crentes, aos santos, e que procuraria edificá-los; mas à noite eu pregaria supondo que estava falando a não-crentes, pois, sem dúvida, haveria muitos deles presentes. De certo modo, eu disse isso de passagem.

Encerrou-se o culto da manhã, e, no final, o ministro perguntou se eu ficaria com ele à porta do templo, para cumprimentar as pessoas, enquanto saíam. Assim, o fiz. Já nos havíamos despedido de certo número de pessoas, quando, subitamente, ele se pôs a sussurrar, dizendo: "Está vendo aquela senhora idosa que caminha para cá lentamente? Ela é o membro mais importante desta igreja. Ela é riquíssima e quem mais contribui para a obra". Noutras palavras, ele me pedia que exercesse a cordialidade que eu tivesse. Não preciso explicar mais isso! Bem, o fato é que a senhora idosa se aproximou e pudemos conversar; nunca esquecerei o que aconteceu. O incidente ensinou-me uma lição que jamais esquecerei.

A senhora idosa perguntou: "Entendi que o senhor disse que à noite pregaria com base na suposição de que os ouvintes não são crentes e pela manhã na posição de que são crentes?" "Sim", repliquei. "Bem", continuou ela, "ouvi o senhor hoje pela manhã e resolvi voltar esta noite". Pelo que se sabe, ela nunca ia aos cultos da noite; nunca. Frequentava somente as reuniões da manhã. Mas ela declarou: "Estarei aqui à noite". Não posso descrever quão embaraçosa foi a situação. Senti que o ministro, ao meu lado, pensou que eu estava arruinando o seu ministério e lamentava amargamente ter-me convidado a ocupar o seu púlpito!

O fato, entretanto, é que a idosa senhora voltou naquele domingo à noite, bem como em cada domingo à noite que ali preguei. Tive uma conversa particular com ela, em sua casa, e descobri que ela se sentia infeliz por causa de sua situação espiritual, pois não sabia onde estava espiritualmente. Tinha um caráter excelente e generoso, vivia uma vida exemplar. Todos supunham — não somente o pastor, mas todos — que ela fosse uma crente excelente e excepcional. No entanto, ela não era crente. Esta ideia de que as pessoas que frequentam, com regularidade, as reuniões nas igrejas são, necessariamente, crentes é uma das suposições mais fatais e sugiro que explica grande parte da condição da igreja, em nossos dias. Portanto, devemos exercer grande cautela quanto a este particular.

A mesma coisa se aplica aos ouvintes, e eles tendem a fazer a mesma suposição errônea. Visto que tais pessoas supõem ser bons crentes, sua tendência é ofender-se diante de uma pregação que dá a entender que elas não são crentes, embora precisam disso mais do que tudo. Isso, uma vez mais, pode ser ilustrado com uma história. Conheci uma senhora que deixou de ser membro de uma igreja local, após ouvir, durante cerca de um ano, as pregações de um novo pastor. Ela disse por que fez isso. Declarou: "Este homem prega para nós como se fôssemos pecadores!" Era algo terrível! Ela se sentia mal, era forçada a examinar-se a si mesma e ver como ela realmente era; mas não gostava do que via. Frequentava aquela igreja havia quase trinta anos. No entanto, a pregação do novo pastor revelou o seu antagonismo para com a verdade, quando a enfrentou diretamente, de modo pessoal. Ela apreciava exposições generalizadas das Escrituras e sermões baseados em trechos bíblicos dirigidos aos crentes. Esses trechos não a feriam, nem a perturbavam, nem a sondavam, nem a convenciam de pecado. Ela se comprazia naquelas passagens, mas não gostava da pregação que fosse pessoal e direta.

Esta é uma atitude extremamente comum, e, no que tange a todo este assunto de avaliação dos ouvintes, precisamos ter cuidado neste ponto. Lembro-me de que certa vez recebi uma carta de um dos mais proeminentes líderes de um bem conhecido grupo de evangélicos de Londres. Eu o conhecia bem de nome, mas nunca me encontrara com ele. Ao abrir a carta, reconheci seu nome. Dizia-me que estivera em nossa igreja no domingo passado, à noite, e fizera uma estranha descoberta: que era possível para um crente de sua idade e posição derivar benefício daquilo que era, clara e obviamente, um culto evangelístico. Ele declarou que, durante toda a sua vida, imaginava que isso era impossível e que um crente como ele, estando em um culto domingo à noite, tudo quanto lhe restava fazer era orar pelos não-convertidos e não podia esperar obter qualquer benefício desse culto, porque já ultrapassara esse estágio. A despeito disso, ele descobrira, para seu grande espanto, que o culto o comovera, o enlevara, o abençoara e lhe trouxera algo. Até então ele pensava que isso era impossível. Descobrira isso pela primeira vez em sua vida e sentia que devia escrever-me a esse respeito.

Obviamente, este é um assunto muito sério, porque exerce grande influência sobre o pregador e sobre o que ele faz. Como podemos explicar esta falsa suposição? Parece-me que ela resulta do fato de que muitas pessoas que pensam ser crentes, que aceitaram intelectualmente a doutrina bíblica jamais sentiram o poder da Palavra. Nunca sentiram o seu poder, pois aceitaram um ensino puramente intelectual. E, como nunca sentiram o seu poder, jamais se arrependeram verdadeiramente. Talvez tenham experimentado uma espécie de tristeza por causa do pecado, mas isso pode ser bem diferente do arrependimento. Com frequência, isso explica a situação delas. O crente verdadeiro sempre sente o poder da Palavra e a convicção que dela procede. Em certo sentido, a fé ocorre de uma vez para sempre, mas, em um outro sentido, não é assim. Há algo essencialmente errado com o indivíduo que diz ser crente e ouve um sermão evangelístico sem sentir nova convicção, sem sentir algo de sua própria indignidade, sem regozijar-se ao ouvir o remédio do evangelho ser apresentado. Foi isso que aconteceu com aquele homem que me escreveu. Seu coração era muito mais saudável do que sua mente e o ensino que havia aceitado.

Se um homem pode ouvir um sermão evangelístico e não sentir-se emocionado ou comovido, peço licença para indagar se ele é realmente um crente. Para mim é inconcebível que um verdadeiro crente ouça a exposição da excessiva pecaminosidade do pecado e da glória do evangelho e não seja comovido de duas maneiras. Primeira: sentir por um momento, em face do que sabe a respeito da perversidade de seu próprio coração, que talvez não seja crente; segunda: regozijar-se diante do glorioso remédio do evangelho, que lhe proporciona livramento. Muitas e muitas vezes, terminado um culto evangelístico, um homem ou uma mulher aproxima-se de mim e declara: "Sabe uma coisa? Se eu não me tivesse convertido antes, certamente teria me convertido nesta noite". Sempre gosto de ouvir essas palavras. Isto significa que sentiram novamente o poder do evangelho, que contemplaram todo o quadro novamente; e, por assim dizer, quase passaram de novo pela experiência da conversão. O que estou asseverando é que deve haver algo errado, radicalmente errado, naquele que diz ser crente, mas não sente o poder desse glorioso evangelho sempre que ele é apresentado, embora em formas diferentes.

Noutras palavras, devemos ser muito cuidadosos, na qualidade de pregadores, para não sermos culpados de classificar as pessoas com excessiva rigidez, dizendo: "Estes são crentes, portanto..." É mister que tenhamos plena certeza de que são crentes, porque a tendência de muitos é dizer: "Sim, tornamo-nos crentes em resultado de certa decisão que fizemos em uma reunião evangelística; agora, visto que já somos crentes, tudo de que precisamos é instrução e edificação". Eu contesto isso fortemente e exorto a que sempre tenhamos um culto evangelístico em conexão com as reuniões semanais da igreja local. Eu transformaria isso em uma regra absoluta, sem qualquer hesitação. Faço isso, como já disse, porque creio que esta confusão é o principal problema nas igrejas de todos os países.

Sempre me lembrarei do que me disse há muitos anos um crente idoso. Discutíamos o triste declínio da espiritualidade da igreja, em especial no País de Gales. Estávamos preocupados acima de tudo com a Igreja Presbiteriana, que começou no século XVIII, como resultado do Despertamento Evangélico na Igreja Metodista Calvinista. Eu já havia lido a história daquele grande e ilustre período, pelo que lhe perguntei: "Quando ocorreu a transição, daquilo que lemos na história inicial e nos primeiros cem anos dessa denominação para aquilo que sabemos, eu e você, a respeito da situação atual — quando aconteceu a transição?" Ele respondeu: "Não hesito em dizer que isso ocorreu após o avivamento de 1859". "Mas, de que maneira?" — indaguei. "Bem, da seguinte maneira", ele respondeu. "Aquele avivamento foi tão poderoso que varreu, literalmente, quase todos para dentro da igreja. Antes disso, havia a distinção entre 'a igreja' e 'o mundo'. Os testes de admissão à membresia de uma igreja até então eram rigorosos, e o resultado foi que antes de 1859 sempre houve certo número de pessoas que frequentava a adoração pública e ouvia as pregações, ouvintes e congregantes que ainda não eram membros da igreja".

Este é ponto mais interessante e importante. Quão raramente isso acontece hoje na igreja! Mas até cerca de meados do século XIX sempre houve ouvintes e congregantes, bem como membros, na maioria das igrejas não-episcopais. A mudança ocorreu parcialmente como resultado do grande avivamento do Espírito e como resultado da tendência crescente de considerar como crentes os filhos batizados dos membros das igrejas. A consequência foi que os pregadores passaram a considerar todos os ouvintes como crentes, não pregando mais de maneira evangelística; e com frequência não mais houve cultos de evangelização. Supunha-se que todos eram crentes, e o ministério se dedicou inteiramente à edificação, resultando disso que uma geração inteira cresceu sem jamais conhecer o poder do evangelho e ouvir uma pregação que contribuísse para convencer os homens de pecado.

Conforme já disse, eu mesmo pertenço a essa geração. Pertenço à segunda geração após o avivamento de 1859; mais tarde descobri que, na realidade, jamais ouvira um sermão evangelístico deveras convencedor. Fui recebido no seio da igreja porque podia dar as respostas certas às várias perguntas preestabelecidas; mas nunca fui interrogado ou sondado em sentido experimental. Não posso repreender com muita severidade essa tendência de supor que, se uma pessoa vai à igreja, ela deve ser necessariamente crente ou que os filhos dos crentes são crentes. Vendo-a por outro ângulo, eu diria que uma das mais satisfatórias e alegres experiências da vida de um pregador acontece quando pessoas que todos supunham ser crentes se convertem subitamente e se tornam verdadeiros crentes. Nenhuma outra coisa exerce mais poderoso efeito sobre a vida de uma igreja do que isso acontecendo com certo número de pessoas.

Estou insistindo em que todas as pessoas que frequentam uma igreja precisam ser colocadas sob o poder do evangelho. O evangelho não visa meramente ao intelecto; e, se a nossa pregação sempre for expositiva, para a edificação e o ensino, isso produzirá membros de igreja apáticos, frios e, com frequência, insensíveis e auto-satisfeitos. Desconheço outra coisa que mais provavelmente produzirá uma congregação de fariseus. Outro resultado dessa atitude errada é que tais pessoas só frequentam uma reunião a cada domingo; uma vez por semana é suficiente para elas, não precisam mais do que isso! E geralmente estão presentes apenas aos domingos pela manhã; tornaram-se "frequentadores de um único culto", conforme são chamados.

É uma situação verdadeiramente deplorável; e meu primeiro argumento é que isso pode ser atribuído à falsa avaliação das pessoas por parte do pregador e dos ouvintes. Ambos concordam em seu diagnóstico de que tais pessoas são crentes; assim, elas nunca ouvem um tipo de pregação que dá certeza de que realmente o são. O modo de corrigir isso, conforme já disse, é garantir que uma reunião por semana seja de natureza especificamente evangelística, no sentido bíblico.

Tudo isso tem de ser explicado com clareza aos ouvintes. A pregação evangelística faz parte do nosso ministério porque, se os membros da igreja agem com base nessa suposição errônea, muitos dos ouvintes não virão ao culto evangelístico, por acharem que não precisam desse culto e que este nada lhes pode dar.

Para mim, isto é a essência do problema da igreja atual. Que diremos a essas pessoas? Precisamos convencê-las da importância de estarem presentes a cada culto na igreja. Cada culto! Por quê? A primeira resposta — e muitas vezes tenho usado este argumento, e as pessoas têm chegado a percebê-lo — é que, se estiverem presentes em cada culto, descobrirão que estavam ausentes em um dia quando algo realmente notável aconteceu.

Isto levanta novamente a toda a questão: o que é a pregação? Refiro-me uma vez mais ao que tenho chamado de essência da pregação, o poder do Espírito.

Posteriormente, falarei mais sobe este assunto. Este é o elemento mais importante que temos de recuperar em conexão com os cultos de nossa igreja: a ideia de que você nunca sabe o que vai acontecer. Se o pregador sempre sabe o que vai acontecer, em minha opinião, ele não deveria estar no púlpito. Toda a glória do ministério está no fato de que não sabemos o pode acontecer. Em uma preleção, sabemos o que está acontecendo, estamos no controle; mas isso não acontece quando estamos pregando. Súbita e inesperadamente, outro elemento pode irromper em um culto — o toque do poder do Espírito de Deus. É a coisa mais gloriosa que pode acontecer a qualquer indivíduo ou grupo de pessoas. Portanto, digo para esses "frequentadores de um único culto" que, se não assistirem a todos os cultos, chegará o dia em que os outros lhes falarão sobre algum acontecimento admirável, em um culto de domingo à noite ou pela manhã — mas eles não estavam lá, perderam tudo. Em outras palavras, devemos criar o espírito de expectativa entre o povo, mostrando-lhe o perigo de perder certos "tempos de refrigério" "da presença do Senhor" (Atos 3.20).

Ora, isso deve ser acompanhado de uma pergunta: por que um crente não anela obter o máximo possível desses "tempos de refrigérios" e dessa "presença do Senhor"? Sem dúvida, não sentir esse anelo é antinatural e, por certo, antibíblico. Consideremos a maneira como o salmista, em Salmos 84, expressou sua infelicidade e tristeza, por não subir, juntamente com os outros, à casa do Senhor. "Quão amáveis são os teus tabernáculos, SENHOR dos Exércitos! A minha alma suspira e desfalece pêlos átrios do SENHOR; o meu coração e a minha carne exultam pelo Deus vivo!" Ele pensou, em seguida, sobre aqueles que tinham esse privilégio: "Bem-aventurados os que habitam em tua casa; louvam-te perpetuamente". Em seguida, meditou sobre eles com certa inveja, porque não podia estar com eles. Nada se comparava a estar na casa de Deus. "Pois um dia nos teus átrios vale mais que mil." Por certo, isso deve ser algo instintivo para o verdadeiro crente. No aspecto espiritual, há algo seriamente errado naquela pessoa que alega ser crente, mas não deseja receber tudo que pode ser obtido do ministério da igreja.

Ou consideremos outro aspecto deste mesmo assunto. Muitas fontes, em diferentes países, me têm dito que há uma crescente tendência, entre as congregações, de ditar ao pregador quanto tempo ele deve pregar. Vários jovens pregadores já me contaram que, ao chegarem a alguma igreja para pregar, foi-lhes entregue uma Ordem do Culto na qual tudo estava escrito detalhadamente, estabelecendo um cronograma: "Onze horas, chamada à adoração — Doze horas, bênção final". E, posto que exigiram um ou dois trechos da Bíblia para serem lidos, diversas orações, três ou quatro hinos, uma apresentação infantil ou um solo, além de tempo para avisos e recolhimento de oferta, o sermão ficava necessariamente muito abreviado.

Ora, por que acontecem essas coisas? Não há algo seriamente errado nessas congregações? Esta não é a atitude delas para com uma peça de teatro ou um programa de televisão. A dificuldade delas é que essas diversões terminam cedo demais. Outro tanto elas sentem quando se trata de uma partida de futebol ou de voleibol, ou quando se trata de qualquer outra coisa que lhes interesse — é pena que essas coisas terminam tão depressa. Porém, por que estabelecer uma distinção aqui? Esta é uma questão bastante séria. No tocante às outras coisas, as pessoas não levantam objeções quanto ao tempo, porque as apreciam e gostam delas, desejando mais e mais dessas outras coisas. Por que razão não acontece o mesmo com o crente? Estou levantando novamente a questão de supormos que aquelas pessoas são crentes apenas porque frequentam os cultos. Minha sugestão é que, se elas estabelecem esses limites aos sermões, estão praticamente confessando que não são pessoas crentes, que lhes falta a vida espiritual. Por que razão elas também se mostram tão desatentas quando ouvem a pregação? Com frequência, dão ao pregador a impressão de que ele prega por permissão delas, somente sob a condição de que a pregação seja breve. Existem até pessoas que, em sentido literal e físico, acomodam-se para tolerar o sermão.

Recordo-me que um de meus antecessores na capela de Westminster, John A. Hutton, a quem já me referi, costumava contar uma história muito divertida neste sentido. Ele defendia o ponto de vista que estou ressaltando, ou seja, que o púlpito realmente determina o caráter dos ouvintes. Bons ouvintes são produzidos por boa pregação. Ele costumava contar a seguinte história. Certa ocasião, ele pregava em uma igreja e, quando estava anunciando seu texto, viu um homem, assentado num canto extremo da igreja, que se ajeitava e realmente chegou a pôr seus pés sobre o assento — obviamente, ele se acomodava para dormir. Ora, John Hutton não podia deixar passar uma atitude como aquela, pelo que dirigiu a palavra diretamente àquele homem. Disse ele: "Senhor, eu não o conheço; mas, sem importar quem seja, não penso que esteja sendo justo". E continuou: "Se ao término do meu sermão o senhor estiver dormindo, bem, a culpa será minha; mas, como se pode ver, o senhor nem me está dando uma oportunidade; está se acomodando para dormir, enquanto ainda estou dizendo qual é o meu texto. Isto não é justo".

Não duvidemos que muitos membros de igrejas evangélicas vêm às reuniões com essa mentalidade e atitude. De fato, cheguei à conclusão, recentemente, durante minha convalescença, enquanto assentava-me ao fundo de muitas congregações, que certo número de pessoas aparentemente busca um lugar de adoração e vai ao culto apenas por costume. A principal ideia deles parece ser a de saírem da igreja e irem para casa. Por que vão à igreja, afinal? Esta é a pergunta, penso eu, que precisa ser formulada. Como explicar essa grande ansiedade para que termine o culto e, especialmente, o sermão? Há apenas uma conclusão: estas pessoas precisam ser humilhadas. Falta-lhes espiritualidade: mentalidade, atitude e entendimento espiritual.

Isto não é apenas uma questão de opinião. Digo isso após comparar essas pessoas com os crentes primitivos, descritos em Atos 2, pois temos certamente a norma daquilo que todos devemos ser. Eis o que nos diz o texto bíblico: "Perseveravam na doutrina dos apóstolos e na comunhão, no partir do pão e nas orações". "Diariamente" — sim, diariamente — "perseveravam unânimes no templo, partiam pão de casa em casa e tomavam as suas refeições com alegria e singeleza de coração, louvando a Deus e contando com a simpatia de todo o povo. Enquanto isso, acrescentava-lhes o Senhor, dia a dia, os que iam sendo salvos".

Ali estavam crentes que se reuniam diariamente para ouvir pregação, receber ensino e instrução. Eles não se reuniam só aos domingos ou apenas uma vez a cada domingo; não ficavam ansiosos por voltar para casa o mais cedo possível; não esperavam que a pregação fosse rápida, nem se aborreciam com o pregador se ele não fosse breve, mas perseveravam "diariamente", unânimes. Era isso que queriam e que desfrutavam acima de tudo. Naturalmente, isto é inevitável em todo crente verdadeiro. O apóstolo Pedro o expressou desta maneira: "Desejai, ardentemente, como crianças recém-nascidas, o genuíno leite espiritual, para que, por ele, vos seja dado crescimento para salvação" (1 Pe 2.2). O recém-nascido em Cristo deseja realmente o genuíno leite da Palavra. Se não faz isso, está doente, desnutrido, em péssimo estado; será mais conveniente levá-lo a um médico. A natureza clama por nutrição apropriada; e, se você conhece pessoas que considera crentes e que declaram ser crentes, mas não querem ouvir a pregação da Palavra, não se alegram com ela, não se comprazem nela e esforçam-se por livrar-se dela, minha opinião é que a pergunta certa a fazermos sobre tais pessoas é: "Elas são, de fato, crentes?" Esta conduta é contrária à natureza. Elas não se conformam ao que lemos a respeito dos crentes no Novo Testamento. Eles se compraziam na Palavra, eram um povo inclinado ao louvor. Não frequentavam as reuniões de maneira mecânica, nem o faziam por senso de dever, nem porque isso era o que se esperava deles, dizendo a si mesmos: "Bem, já fui à reunião; cumpri o meu dever. Agora posso escrever cartas aos meus familiares e passar o resto do dia lendo ou fazendo outras coisas de que tanto gosto". De maneira alguma. Antes, pareciam nunca saciar-se com a Palavra.

Os pregadores da época do Novo Testamento, os apóstolos, não precisavam ir de casa em casa exortando os crentes a que viessem às reuniões. A dificuldade que os apóstolos enfrentavam consistia em mandá-los de volta para casas! Eles queriam passar todo o tempo disponível naquela atmosfera; e, quanto mais recebiam, mais queriam receber. Diariamente! Com perseverança! Não podiam manter-se afastados. Esta tem sido sempre a característica da igreja em toda época de reforma e avivamento. João Calvino costumava pregar todos os dias em Genebra. Todos os dias! E o povo tinha sede de ouvi-lo, bem como a outros pregadores. Isto também acontecia com Martinho Lutero. Sempre ocorreu em todo época da vida igreja em que ela tem verdadeiramente agido como igreja. Minha contenção é que as pessoas não frequentam assiduamente os lugares de adoração hoje por causa dessa avaliação errônea que conduz àquele tipo incorreto de pregação. Ou a pregação está errada, ou o modo de ouvir está errado, ou, mais provável, ambas as coisas estão erradas.

A minha cordial exortação a esses ouvintes consiste em dizer-lhes que, se não têm qualquer outro motivo para assistir a cada culto de sua igreja, deveriam pelo menos reconhecer que os números possuem grande valor. Vejam por este prisma. Pensem sobre um homem que não é crente, um homem mundano que, de repente, se vê em grande tribulação. Ele está às voltas com um problema terrível e parece que ninguém pode ajudá-lo. Andando sem rumo pelas ruas, acontece-lhe passar diante de uma igreja, de um lugar de adoração, e resolve entrar, esperando encontrar ajuda. Ora, se achar ali apenas um pequeno grupo de pessoas de aparência abatida, que, enquanto o pregador expõe sua mensagem, olham repetidamente para o relógio, esse homem chegará à conclusão de que ali nada é proveitoso. Concluirá que aquelas poucas pessoas frequentam o lugar porque foram criadas naquele hábito e ainda não o consideraram bastante, para interrompê-lo. Pois é óbvio que estar ali não significa muito para elas; é evidente que fazem tudo por questão de rotina ou tradição. O pobre homem sentir-se-á totalmente decepcionado; nada daquilo poderá ajudá-lo, de maneira alguma. Por outro lado, se ele entrar em uma igreja repleta de pessoas e conscientizar-se de certo espírito de antecipação, vendo ali um povo que anseia receber algo, ele dirá: "Aqui existe algo de valor. O que traz essas pessoas aqui, essa grande multidão?" Portanto, ele ficará imediatamente interessado e começará a atentar a tudo que estiver ocorrendo ali. O próprio fato de que um grande número de pessoas está agindo assim tem sido utilizado frequentemente pelo Espírito de Deus para levar pessoas à convicção e à conversão. Já vi isso acontecer muitas vezes.

A dificuldade é que muitos não param para meditar nestas questões. Vão aos cultos apenas por uma questão de dever e, tendo feito isso, sentem-se melhor por haverem cumprido sua obrigação. Esta atitude para com os cultos se exterioriza, e os visitantes podem senti-la, concluindo que, se aquela é a atitude dos que frequentam regularmente a igreja, não há grande valor nisso. Mas, por outro lado, quando visitantes entram em um lugar de adoração que as pessoas frequentam por sentirem que Deus vem ao encontro delas, isto também se transmite aos visitantes, de uma maneira estranha, que ninguém compreende perfeitamente. Sentem, portanto, que algo verdadeiro está acontecendo, e este sentimento pode ser usado por Deus para levá-los ao conhecimento da verdade.

Tudo isso significa que o púlpito precisa ter autoridade, grande autoridade. Os ouvintes não estão em posição de determinar a mensagem ou o método, nem de ditar o púlpito. Quero argumentar isso como um absoluto. Compete ao púlpito avaliar o auditório, e deve fazer isso com autoridade. A maior necessidade da igreja atual consiste em restaurar esta autoridade ao púlpito.

Como isso pode ser feito? Como podemos restaurar essa autoridade? Temos de ser bastante cautelosos, porque com frequência esse tem sido o problema, abordado constantemente de maneira errada. Foi isso que aconteceu com o *Tractarian Movement* (Movimento dos Folhetos) no século XIX, vinculado aos nomes de Keble, Cardeal Newman, E. B. Pusey, Cardeal Manning e outros. Eles se preocupavam com esta questão da autoridade. Tinham consciência de que o púlpito, ou seja, a igreja, havia perdido sua autoridade e começaram a buscar um modo de conquistar e recuperar essa autoridade. Mas, do ponto de vista protestante, eles deram um passo totalmente errado. Disseram que a maneira de restaurar a autoridade consistia em afastar o ministro para bem distante do povo. E o modo de conseguir isso seria vesti-lo com roupas de várias descrições, a fim de enfatizar o seu caráter sacerdotal e o elemento misterioso de suas funções. Noutras palavras, tentaram construir sua autoridade por meio desses esquemas espetaculares e externos, chamando o ministro de sacerdote e afirmando que ele possuía autoridade especial por meio dos sacramentos e coisas desse tipo. Podemos admitir que o motivo era bom, mas tomaram um caminho errado, que, por fim, levou à depreciação da pregação e à falsa ênfase sobre os sacramentos, ressaltando, em muitos casos, o aspecto estético da adoração.

No tocante às igrejas de tradição não-episcopal do século XIX, parece-me que optaram por uma alternativa falsa; chegaram a crer que a chave para a autoridade no púlpito era a erudição. Ora, como é evidente, a erudição possui grande valor e importância; mas a erudição por si mesma não pode dar autoridade a um pregador. Ela lhe dará bom conceito entre outros eruditos, tornando-o atraente aos "sábios", mas essa não é a necessidade primordial do púlpito. A primordial e maior necessidade do púlpito é autoridade espiritual. Já disse que quanto mais capaz um homem for, tanto melhor pregador ele deveria ser. O conhecimento e a cultura têm valor inestimável, mas somente quando são usados como servos; por si mesmos, não outorgam autoridade. Só existe uma coisa capaz de dar autoridade a um pregador, ou seja: "Encher-se do Espírito". A história da igreja, através dos séculos e mormente durante os últimos cem anos, comprova e corrobora o que estou dizendo.

Nestas diversas maneiras, estou asseverando aquilo que precisa ser dito a muitos dos intelectuais modernos, que fazem objeção à autoridade no púlpito e preferem que se façam apenas simples leituras das Escrituras, com breve comentários e discussão — ou seja, que o pregador não está no púlpito por ser mais capaz do que os outros homens, e sim porque Deus lhe outorgou dons especiais que não outorgou a outros. O pregador está no púlpito porque recebeu essa "chamada", que foi confirmada pela igreja. Os outros não devem sentir que estão competindo com ele, bem como não devem impugnar o direito que o pregador tem de dirigir-se a eles com autoridade, porque têm conhecimento idêntico ao do pregador e podem ler os mesmos livros que ele lê. Tudo isso pode ser verdade, e os ouvintes talvez sejam até mais capazes e tenham maior conhecimento do que o pregador; no entanto, ele foi consagrado ao ministério. Por quê? Não somente por causa de seus dons naturais, mas especificamente por causa daquilo que Deus lhe fez. Isto é o que lhe tem dado autoridade, que não é dada a todos. E, se um crente, embora seja bastante capaz, erudito e inteligente, não está disposto a sentar-se e ouvir esse homem que Deus chamou, designou e enviou a realizar essa tarefa, com alegria e profunda antecipação, prefiro não perguntar se tal pessoa é um verdadeiro crente. Ser pregador é uma questão de autoridade espiritual, e não de autoridade intelectual ou cultural; e todos deveriam reconhecer isso, dispondo-se, por conseguinte, a ouvir o pregador.

Isto nos leva ao término destas considerações gerais sobre o que é a pregação, o "ato" de pregar. Mas, para completar minha exposição, preciso acrescentar outra palavra, que, diante do que venho dizendo, talvez pareça destituída de espiritualidade. No entanto, é algo realmente importante, a saber, o edifício. Afinal de contas, a congregação está em um edifício, assentada, ouvindo o homem que lhes dirige a pregação. O edifício, pois, é muito importante. Pode ajudar ou impedir a concretização do propósito da vinda deles. O edifício tem a sua importância, mas essa importância não deve ser exagerada. Os católicos romanos e seus diversos sucessores e imitadores têm exagerado quanto a esse particular. Pode-se reconhecer que, quanto ao seu melhor lado, eles foram animados por excelentes motivos. As grandes igrejas, imponentes e ornadas, que eles erigiram — as catedrais e coisas semelhantes — foram uma tentativa de expressar o senso deles referente à glória e majestade de Deus, a Quem desejavam adorar "na beleza da santidade". Porém, exageram de tal modo que suas igrejas se tornam entraves quase intransponíveis do ponto de vista da pregação, tornando-se assim culpados de negligenciar a coisa mais importante de todas. Um templo nos fala muito sobre as pessoas que o edificaram.

Uma transformação interessante ocorreu nos meados do século XIX, não somente na Inglaterra, mas também nos Estado Unidos. Até àquela época, as igrejas, os templos, eram construções bem simples. Eram chamadas "casas de reuniões", porque eram erguidas para que as pessoas se congregassem, adorassem a Deus e ouvissem a pregação evangelho. O que precisavam era de um local apropriado e adaptado para isso. No entanto, por volta dos meados do século XIX ocorreu uma mudança, e começaram a erguer edifícios grandes e bem ornados, imitando o estilo gótico. Quantias enormes foram gastas na construção daqueles edifícios de abóbadas elevadas, com transeptos. Enfatizou-se a beleza e a magnificência.

Quão lamentavelmente aquelas pessoas traíram a si mesmas. Começaram a dizer: "Nós, os não-conformistas e os independentes, estamos ficando mais respeitáveis. Estamos ficando mais educados e cultos, ocupando nosso lugar na sociedade, lado a lado com as classes eruditas e dominantes". Por conseguinte, começaram a imitar os edifícios dos anglicanos e dos católicos romanos, incluindo grandes cúpulas, colunas e outros ornamentos que tornam a maioria dos edifícios acusticamente inapropriados. A ideia era mostrar como quanto haviam avançado do analfabetismo e da aspereza do evangelicismo; entretanto, o que isso realmente proclamava era um trágico declínio na espiritualidade. À proporção que os edifícios se tornavam mais ornamentadas, a espiritualidade declinava invariavelmente. Os edifícios nos falam muito a respeito das pessoas que se reúnem e se deleitam neles; e nos falam muito mais sobre aqueles que os erigiram.

Então, quais as características desejáveis em uma edificação dessas? Sem dúvida o primeiro fator essencial e absoluto é boa acústica. Não podemos exagerar ao ressaltar demais esse particular. Falo com base em considerável experiência, após muitos anos de pregação, em igrejas de diversos países. Talvez pareça incrível, mas a verdade é que não posso pensar em um único exemplo de uma nova igreja erguida na Inglaterra, desde a última guerra — muitas tiveram de ser reconstruídas por causa dos bombardeios — sim, não posso pensar em uma única dessas igrejas em que já não se tenha instalado um sistema de alto-falantes. Por quê? Não por serem amplas edificações — algumas delas são bastante pequenas — mas porque a acústica é deplorável. Por que as coisas teriam de ser assim? Porque os arquitetos, falando de maneira geral, pouco sabem a respeito das leis da acústica. Interessam-se pela beleza externa, pela aparência; interessam-se pelas linhas, curvas, etc.; mas pouco sabem a respeito de questões de acústica e nada sabem a respeito de pregação. O mais essencial em um templo é que tenha boas propriedades acústicas. E, como podemos nos assegurar disso? A grande regra, a regra essencial quanto a esse particular, é um teto plano. Qualquer variação, por menor que seja, sempre produz dificuldades.

Curvas e ângulos são uma abominação. Os tetos planos deveriam ser obrigatórios. Nossos antepassados sabiam disso. Edificavam salões quadrangulares com tetos planos, e o resultado disso era que, sem importar quão amplos fossem, eram quase perfeitos em acústica. Não são as dimensões de um edifício que realmente importam; as qualidades acústicas são determinadas principalmente pelo teto. Alcovas são prejudiciais à sonoridade; também é um erro construir salões elevados demais. Neste ponto, o pendor por imitar os católicos romanos e anglicanos tem causado muito dano à pregação. A presença de instrumentos de ressonância, ao lado ou em cima de muitos dos púlpitos, presta um eloquente testemunho a respeito do que estou dizendo. Eloquente? Talvez eu devia ter dito "reverberante"! O regador deve ser livre. Concentrar a atenção na qualidade do som diminui a eficácia da pregação. O pregador deveria ser livre, e a característica do edifício cumpre um papel importante nisso.

O que posso dizer sobre o púlpito? Que este seja colocado no centro; não se deve empurrá-lo para alguma extremidade. A pregação é o ato mais importante em conexão com a igreja e sua função. Acima de tudo, é de pregação que os homens necessitam. Por conseguinte, que o púlpito seja colocado no centro. E o que posso dizer sobre a altura do púlpito? É importante que este tenha a altura correta em relação aos ouvintes. A tendência atual é que as igrejas tenham púlpitos baixos; isto acontece porque os planejadores não sabem o que é a pregação! Não compreendam mal o que digo, mas no que concerne aos aspectos arquitetônicos e mecânicos, o pregador sempre deve pregar a uma congregação posicionada em um nível inferior. Por conseguinte, o púlpito sempre deve ter altura apropriada. Se houver uma galeria no templo, o grande teste acontece quando o pregador fica de pé no púlpito, quando seus olhos deveriam estar mais ou menos no mesmo nível em que estão as pessoas assentadas na primeira fileira da galeria à sua frente. Se estiverem em maior altura, ele terá de virar a cabeça para trás, quando olhar para eles, e isso será prejudicial à sua garganta, que sempre deve estar relaxada.

Além disso, a altura da mesa de leitura no púlpito é igualmente importante. Achei extremamente difícil pregar em certa igreja, recentemente, porque a mesa de leitura estava na mesma altura da parte superior de meu peito. Eu me sentia como se estivesse me esforçando constantemente para realizar o nado de peito. Do ponto de vista da pregação, a situação era extremamente ridícula. Quase não preciso dizer que estava em um templo de construção recente. Não podemos pregar quando estamos confinados em uma espécie de caixa. O pregador não é prisioneiro em um banco de réus. Precisa de liberdade de movimentos e deve insistir em que essa lhe seja conferida.

Desejo terminar esta preleção com um episódio que ilustra este ponto. Lembro-me de haver pregado em um grande templo no Norte do País de Gales, há quase quarenta anos. O pastor daquela igreja era bem conhecido; era o que se costuma chamar de "pregador popular". Jamais esquecerei o que ele fez em seu gabinete, antes do culto. Ele me recebeu com muita educação, com as maneiras nobres pelas quais era famoso. Em seguida, passou a examinar-me com os olhos de alto a baixo. Perguntei-me se estaria suficientemente bem vestido para satisfazer-lhe ou se havia algo seriamente errado em mim, do que eu não tinha consciência. Em seguida, ele se dirigiu a mim e tocou-me na região do epigástrio. Nesta altura, eu já começava a indagar o que estaria acontecendo. Então ele afirmou, em parte para mim e em parte para certo número de diáconos que se encontravam em nossa companhia: "Penso que duas plataformas serão suficientes". A explicação para tão estranha maneira de proceder, segundo descobri posteriormente foi a seguinte. O templo era um edifício amplo onde se acomodavam cerca de 1.400 pessoas. Ele sabia que o templo ficaria repleto e ansiava que aquele pequeno pregador fosse assessorado de toda maneira possível, para que tivesse domínio sobre tão numerosa congregação.

Ele disse: "Como você sabe, nenhum homem pode pregar se a mesa à sua frente for mais alta do que mais ou menos a altura da boca de seu estômago". Portanto, no interesse dos pregadores visitantes, ele fizera seus oficiais colocar três plataformas defronte do púlpito. Um homem bem alto não precisaria de plataforma extra; outro, talvez precisaria de uma plataforma; outro, de duas; e alguns outros, até mesmo de três. Deste modo, ele queria certificar-se de que todo pregador se colocasse na mesma posição em relação à congregação. Talvez isso pareça ridículo; mas, visto que já sofri diante de muitos púlpitos, posso garantir-lhes que isto possui real importância. Equivale ao princípio de Oliver Cromwell: "Confia em Deus e conserva seca a tua pólvora".

CAPÍTULO NOVE
O PREPARO DO PREGADOR

Temos chegado agora a um novo aspecto de nosso estudo sobre a pregação, ou seja, o pregador e a sua pregação. Já examinamos o que acontece quando um homem fica de pé em um púlpito e prega em um culto da igreja. Tivemos de começar naquele ponto. Este é o fato que está em andamento. Por isso, consideramos o que é a pregação, de modo geral, bem como a preparação do homem que irá pregar.

Agora nos voltamos a um aspecto diferente desta questão. Até aqui nossa abordagem tem sido geral. Consideramos neste ponto a questão específica de como este homem realmente se prepara para a pregação, semana após semana. Espero que minhas divisões gerais sejam claras. Quando consideramos este importantíssimo assunto, precisamos ser claros e diretos em nossa compreensão do todo, antes de atentarmos às particularidades. Agora chegamos a este ponto; assim, podemos contemplar este homem, que tem consciência de seu chamamento, preparando-se para exercer seu ministério de pregação.

Como ele se prepara? Qual é o processo do preparo? Gostaria de estabelecer como primeiro axioma que ele está sempre se preparando. E estou falando literalmente. Isto não significa que o pregador está sempre assentado por trás de uma escrivaninha, e sim que ele se prepara continuamente. Assim como é veraz a afirmativa de que não existe feriado no reino espiritual, assim também sempre sinto que, em sentido semelhante, o pregador nunca tem um feriado. Há períodos de ausência de seu trabalho normal, e há período de férias; mas, devido à natureza e ao caráter de sua chamada, ele nunca está livre da necessidade de trabalhar. Tudo que ele faz, bem como tudo que lhe acontece, ele descobre ser relevante para essa grande obra; por conseguinte, tudo faz parte do seu preparo.

No entanto, voltando-nos para certas questões específicas, a primeira e mais fundamental tarefa do pregador consiste em preparar-se a si mesmo, e não o seu sermão. Qualquer homem que esteja há algum tempo no ministério concordará sinceramente comigo quanto a isto. É algo que cada pregador tem de aprender por experiência própria. A princípio, um indivíduo imaginará que a grande coisa a ser preparada é o sermão — e o sermão, conforme venho dizendo, precisa de preparação extremamente cuidadosa. Todavia, o preparo do pregador é muito mais importante.

Em um sentido, o pregador é homem de um único objetivo. No passado, alguém disse que, à semelhança de John Wesley, os pregadores haviam se tornado "homens de um Livro". Embora isto seja verdade, de maneira geral, ainda mais verdadeiro é o fato de que o pregador é um homem de um único objetivo: aquilo para o que foi chamado, a grande paixão da sua vida.

Então, o que ele deve fazer quanto a isso? A primeira grande regra é que ele deve ser bastante cuidadoso para manter uma disciplina geral em sua vida. Há muitos perigos na vida de um ministro. Diferentemente de homens ocupados em profissões e negócios, o ministro não está necessariamente limitado a horários e outras obrigações sociais, nem a condições fora de seu controle. Em comparação com esses outros, ele é o seu próprio senhor. Estou falando apenas em referência aos homens. É claro que, em relação a Deus, ele não é o seu próprio senhor. Mas existe essa distinção óbvia entre a vida de um ministro e a da maioria dos outros homens; e, visto que as rédeas estão em suas próprias mãos, cumpre-lhe perceber que há determinados perigos sérios e tentações com os quais ele se defronta de maneira especial.

Um desses perigos é o de deixar o tempo escoar-se à toa, especialmente pela manhã. Alguém começa a ler um jornal, e facilmente gasta tempo demasiado nessa atividade, de modo quase inconsciente. Além disso, há revistas e jornais semanais, as interrupções provocadas pelas chamadas telefônicas, etc. Esse homem bem poderá descobrir que sua manhã desapareceu, sem importar se estava trabalhando em casa ou no escritório da igreja. Assim, tenho sentido sempre, e cada vez mais com o passar dos anos, que uma das grandes regras do pregador é que ele saiba salvaguardar as manhãs. Que faça disso uma norma absoluta. Procure criar um sistema pelo qual não esteja disponível a responder chamadas telefônicas pela manhã; que sua esposa ou qualquer outra pessoa atenda a essas chamadas, dizendo aos que telefonam que você não está disponível naquela hora. Literalmente falando, o pregador tem de lutar pela própria vida, neste sentido!

Quão frequentemente é interrompido o trabalho da manhã, no escritório, por uma chamada telefônica a respeito de uma questão sem urgência, às vezes de um convite para pregar daqui a dois anos! Coisas assim acontecem. Você pode cuidar da situação em uma de duas maneiras. Uma delas é pedir ao bom homem que lhe escreva, para que você considere criteriosamente a questão. Mas a segunda e a mais eficaz é não atender chamadas telefônicas durante toda a manhã, instruindo a outrem para que responda, em seu lugar: "O senhor se importaria em telefonar novamente, em tal hora?" — na hora do almoço ou noutra hora, quando você tiver concluído o trabalho matinal. Essas interrupções são verdadeiramente enfadonhas; a única coisa boa a respeito delas talvez seja o fato de que lhe ajudam na questão da santificação pessoal! Não permita nem mesmo que os assuntos da igreja sejam interferências. Proteja bem as suas manhãs! Elas precisam ser dedicadas a essa grandiosa tarefa de preparo para o trabalho no púlpito.

Desejo acrescentar algo que é muito importante para mim, mas talvez não seja aceito por todos. Sou adversário de regras universais para todos. Nada é mais importante do que um homem conhecer a si mesmo. E nisso incluo a necessidade dele conhecer-se a si mesmo nos aspectos físico e temperamental, bem como em outros aspectos. Digo isso porque existem aqueles que pretendem receitar um programa para o pregador e ministro; dizem-lhe a que horas deve acordar, o que fazer antes e depois do café da manhã, etc. Não hesitam em estabelecer sistemas e programas, defendendo-os e chegando até a sugerir que, se um homem não segue esses programas, ele é um pecador e um fracasso. Sempre me opus a essas ideias, pela seguinte razão: somos todos diferentes uns dos outros, e ninguém pode determinar um programa desse tipo para todos.

Desejo ilustrar o que estou dizendo. Vivemos em nosso próprio corpo, que é diferente em cada pessoa. Também possuímos temperamentos e naturezas diferentes; por isso, ninguém pode fixar regras universais. Quero usar uma ilustração baseada na dietética. Isto tem sido assunto de muitas discussões. O que alguém deve comer? Que dieta alguém deve seguir? Sempre haverá quem se levante para advogar uma espécie de dieta universal, concebida por ele mesmo. Todos devem seguir essa dieta, pois, se todos fizerem assim, não terão mais qualquer problema. Mas existe uma resposta definitiva para isso. Afirmo que a primeira norma da dietética diz simplesmente que: "João Magriço não podia comer carne gorda, e sua esposa não podia comer carne magra". Isto é a pura verdade. João Magriço era constituído de tal forma que não suportava digerir gorduras. Ele não havia tomado qualquer decisão a esse respeito; nascera assim. É uma questão de processo metabólico do organismo, que ninguém pode determinar. Sua esposa, no entanto, era totalmente diferente; ela não podia digerir carnes magras, mas sentia-se bem com gorduras. Ora, receitar uma dieta comum para João Magriço e sua esposa sem dúvida seria a mais evidente insensatez.

Afirmo que este mesmo princípio se aplica a um nível mais elevado. Alguns de nós começamos o dia lentamente; outros despertam vigorosos e plenos de energia (como um cachorro que se solta da correia), esperando lançar-se ao trabalho. Não podemos determinar essas coisas; elas pertencem à nossa natureza constitucional. Dependem de muitos fatores e, em parte, se não principalmente, da pressão arterial e de coisas como a constituição nervosa do indivíduo, o equilíbrio das glândulas de secreção interna, etc. Todos estes fatores têm a sua contribuição. Portanto, meu argumento é que nossa primeira tarefa consiste em conhecermos a nós mesmos, como agimos em nossa constituição particular. Procure saber quando você está no seu melhor e como conduzir a si mesmo. Tendo feito isso, não permita que outra pessoa imponha regras mecânicas sobre como você deve trabalhar e dividir o seu dia. Antes, trace o seu próprio programa; você é quem sabe a que horas pode trabalhar melhor. Se não fizer assim, logo descobrirá que é possível se assentar diante de uma escrivaninha — de acordo com normas e regulamentos — por duas horas, com um livro aberto à frente, folhear as suas páginas e não absorver quase nada. Talvez mais tarde, naquele mesmo dia, você possa fazer mais em meia hora do que o fez durante as duas horas pela manhã. É isto que eu quero dizer.

Isto significa que a questão da disciplina é lançada de volta aos ombros do próprio indivíduo. Ninguém pode dizer-lhe o que lhe convém fazer. O que controla tudo é sua própria percepção de que, se tiver de ser o que lhe compete, se tiver de ser um verdadeiro pregador, se tiver de ser um homem dotado de mentalidade espiritual, que se preocupa em ministrar para a glória de Deus, para salvação e edificação das almas, ele tem de fazer isso. Isto deve compeli-lo a exercer disciplina. Se um homem tem o motivo e o objetivo certo, se foi realmente chamado, ele ficará tão desejoso de fazer tudo que lhe cumpre fazer da maneira mais eficaz, que se esforçará por descobrir como melhor ordenar e organizar o seu próprio dia. Já conheci muitos homens que caíram em dificuldades sérias por se terem deixado guiar por algum sistema imposto sobre eles, mas com o qual não se adaptaram.

Abordo o próximo assunto com pouca coragem e muita hesitação, envolto em um senso de total incapacidade. Suponho que todos falhamos no que tange a este assunto, mais do que em qualquer outra área; refiro-me à questão da oração. A oração é algo vital na vida do pregador. Leia as biografias e as autobiografias dos maiores pregadores de todos os séculos e descobrirá que essa sempre foi a grande característica da vida deles. Sempre foram notáveis homens de oração, homens que dedicavam tempo considerável à oração. Eu poderia citar muitos exemplos, mas devo refrear-me, pois são muitos e bem conhecidos. Esses homens descobriram que a oração era um fator absolutamente essencial, cuja importância aumentava à medida que eles avançavam.

Sempre hesitei em lidar com este assunto. Tenho pregado sobre a oração, quando está inserida em uma passagem que eu vinha explorando; mas nunca tive a presunção de produzir um livro sobre o assunto da oração, nem mesmo um folheto. Algumas pessoas se têm feito isso de maneira demasiado mecânica, procurando guiar-nos por seus diferentes aspectos e classificando tudo. Tudo isso parece muito simples. Mas a oração não é algo simples. Há certo elemento de disciplina na oração, mas por certo não podemos abordar a questão nesses termos, devido à sua própria natureza. Tudo quanto me aventuro a dizer é isto — e novamente falo com o respaldo da experiência própria — é muito importante que o indivíduo conheça a si mesmo quanto a este aspecto. Se isto é sinal de falta de profundidade espiritual ou não, eu não sei — não penso é um sinal — mas confesso francamente que muitas vezes encontro dificuldade em iniciar as minhas orações pela manhã.

Acabei aprendendo certas coisas que dizem respeito à oração em particular. Você não deve orar para satisfazer certa norma. Podemos nos ajoelhar para satisfazer tal norma; mas como orar? Tenho aprendido que nada é mais importante do que descobrir de que maneira entramos naquela atitude e condição em que podemos orar verdadeiramente. É preciso que você aprenda como iniciar; é nesta particularidade que o conhecimento de você mesmo é tão importante. O que geralmente tenho descoberto é que a leitura de algo que possa ser caracterizado, de modo geral, como devocional reveste-se de grande valor. Com a palavra devocional não quero dar a entender algo sentimental, mas algo que envolva verdadeiro elemento de adoração.

Observe que não estou dizendo que você sempre deve tomar impulso para a oração mediante a leitura das Escrituras; porque você pode encontrar o mesmo tipo de dificuldade neste ponto. Comece mediante a leitura de algo que lhe aqueça o espírito. Livre-se da frieza que se desenvolveu em seu espírito. Você precisa aprender como acender uma chama no espírito, como aquecer a si mesmo e como dar um impulso a si mesmo. Se for o caso, isto é comparável a dar partida em um automóvel, quando ele está frio. Você tem de aprender como usar o afogador espiritual. Já pude observar que esta é uma medida recompensadora e que, fazendo isso, não lutamos em vão. Quando você se vê nesta condição, quando lhe é difícil começar a orar, não agonize em oração por enquanto; antes, leia alguma coisa que o aqueça e estimule; então, descobrirá que se colocará noutra condição, na qual poderá orar com maior liberdade.

Mas nem por um momento estou sugerindo – bem pelo contrário - que você deve limitar suas orações à manhã, quando começa seu trabalho ou estudo. A oração é algo que deve continuar durante todo o dia. As orações não devem ser necessariamente longas; podem ser breves, pois, às vezes, uma simples exclamação é uma verdadeira oração. Não há duvida de que o apóstolo Paulo quis dizer isso em sua exortação em 1 Tessalonicenses 5.17: "Orai sem cessar". Isto não significa que o crente deva viver sempre de joelhos, e sim que deve sempre estar em atitude de oração. Enquanto você caminha ou enquanto trabalha no escritório, volte-se frequentemente para Deus, em oração.

Acima de tudo — e considero isto o fator mais importante — sempre reaja favoravelmente a todo impulso para orar. O impulso de orar pode ocorrer quando você está lendo ou lutando com um texto. Sempre faço disto uma lei absoluta — obedecer sempre a esse impulso. De onde ele vem? É obra do Espírito Santo; faz parte do significado das palavras "desenvolvei a vossa salvação com temor e tremor; porque Deus é quem efetua em vós tanto o querer como o realizar, segundo a sua boa vontade" (Fp 2.12-13). Geralmente isso nos conduz a algumas das mais extraordinárias experiências da vida de um ministro. Por conseguinte, jamais resista, jamais adie esse impulso e nunca o coloque de lado, por estar demais ocupado. Antes, dedique-se e renda-se a ele; você descobrirá que não estará desperdiçando tempo no que tange ao assunto que estiver à sua mão e que, na realidade, isto o ajudou muitíssimo. Você experimentará a facilidade de compreender o que estiver lendo, de pensar, de colocar em ordem o assunto de um sermão, de escrever ou de fazer qualquer outra coisa; e isso é bastante surpreendente. Essa chamada à oração jamais deve ser considerada uma distração; sempre lhe responda imediatamente e dê graças a Deus se esse impulso lhe ocorre com frequência.

De todos os pontos de vista, o ministro, o pregador deve ser um homem de oração. Isto é constantemente enfatizado nas epístolas pastorais e noutras passagens bíblicas. E, conforme tenho asseverado, isto é abundantemente confirmado ao longo da história da igreja, especialmente na vida de seus mais notáveis pregadores. John Wesley costumava dizer que tinha em pouco conceito o homem que não orava quatro horas por dia. Por igual modo, nada se destaca tão claramente na vida de homens como David Brainerd, Jonathan Edwards, Robert Murray McCheyne e um exército de outros santos. É por essa razão que nos sentimos tão humilhados, ao ler a história desses homens.

Isto nos leva ao próximo ponto essencial na vida de um pregador — a leitura da Bíblia. Obviamente isto é algo que ele faz regularmente, todos os dias. Meu principal conselho é o seguinte: leia sistematicamente a sua Bíblia. O perigo está em ler ao acaso, o que significa que toda pessoa tende a ler somente as passagens que lhe são favoritas. Noutras palavras, o indivíduo não lê a Bíblia toda. Não posso deixar de enfatizar a importância vital da leitura de toda a Bíblia. Diria mesmo que todos os pregadores deveriam ler a Bíblia, de começo ao fim pelo menos uma vez por ano. Você poderá traçar seu próprio plano para fazer isso ou usar métodos criados por outros.

Lembro-me de como, após ter esquematizado um plano para mim mesmo e para os membros da minha igreja, nos primeiros anos de meu ministério, encontrei o esquema elaborado por Robert Murray McCheyne para os membros de sua própria igreja, em Dundee. Este plano encontra-se em sua biografia escrita por Andrew Bonar. Se você seguir o esquema de Robert Murray McCheyne, lerá quatro capítulos da Bíblia a cada dia; e, assim fazendo, lerá o Antigo Testamento uma vez, os Salmos e o Novo Testamento duas vezes, a cada ano. Diferentemente de muitos dos esquemas modernos, ele não selecionou pequenas seções, ou alguns versículos, ou breves parágrafos, o que exige muitos anos para que a Bíblia seja lida em sua inteireza e, em alguns casos, omite completamente certas passagens. O principal objetivo do esquema de McCheyne era fazer as pessoas lerem completamente as Escrituras a cada ano, sem omitir nada. Este deve ser o mínimo de leitura bíblica para todo pregador.

Tenho percebido que este é um dos fatores mais importantes. Então, tendo feito isso, você poderá estudar por conta própria algum livro específico da Bíblia, com a ajuda de comentários ou de quaisquer outros auxílios que deseje usar. A leitura que venho descrevendo até o momento é apenas uma leitura geral; mas agora fica subentendido que você estudará porções específicas, como um dos capítulos que tem lido, se assim o quiser, com detalhes e com cuidado, usando toda a ajuda que puder encontrar e o conhecimento que tiver das línguas originais, etc.

Desejo enfatizar mais fortemente tudo isso. Um dos hábitos mais fatais em que um pregador pode cair é o de ler a Bíblia simplesmente para encontrar textos de sermões. Isto é um verdadeiro perigo; deve ser reconhecido, combatido e resistido com todas as forças. Não leia a Bíblia para descobrir textos para sermões;

antes, leia a Bíblia porque é o alimento que Deus proveu para a sua alma, por ser a Palavra de Deus, por ser o meio através do qual poderá chegar a conhecê-Lo. Leia a Bíblia porque ela é o pão da vida, o maná providenciado para nutrição e bem-estar de sua alma.

Asseguro que o pregador não lê a sua Bíblia com o propósito de achar textos; mas, se ler a Bíblia do modo que sugerimos — o que, de fato, deve ser feito por todos os crentes —subitamente descobrirá, no decorrer de sua leitura, que algum trecho particular se destaca, o qual, por assim dizer, fala com ele e o abala, sugerindo-lhe imediatamente um sermão.

Nesta altura, quero dizer algo que, de inúmeras maneiras, considero a mais importante descoberta que já fiz em minha vida de pregador. Tive de descobrir tal coisa pessoalmente, e todos aqueles a quem tenho revelado a questão, sempre se mostraram muito gratos por causa dela. Quando você estiver lendo as Escrituras dessa maneira — sem importar se lê pouco ou muito — se algum versículo destacar-se, prendendo a sua atenção e arrebatando-o, não continue lendo. Pare imediatamente e lhe dê ouvidos. Ele estará falando com você; portanto, escute-o e fale com ele. Interrompa a leitura imediatamente e concentre-se sobre a declaração que tanto o impressionou. Continue fazendo isso até que surja o "esqueleto" de um sermão. Este versículo ou declaração falou com você, sugeriu-lhe uma mensagem.

O perigo que há esse ponto, conforme descobri, consiste em dizer a si mesmo: "Sim, esta passagem é muito boa; eu me lembrarei dela mais tarde"; e continuar na leitura. Se assim o fizer, não terá sermão algum para o domingo; nem ao menos um texto e dirá a si mesmo: "Bem, que trecho era aquele sobre o qual li dias atrás? Ah! sim, era este versículo deste capítulo". Então, folheará a Bíblia e descobrirá, para seu desânimo, que ele não lhe diz nada. Por essa razão, eu disse que, ao ser impressionado por alguma passagem, você deve parar imediatamente e formular o esboço de um sermão em sua mente. Porém, não pare por aí; anote tudo no papel.

Há muitos anos não leio a Bíblia sem ter uma caderneta de notas ou sobre minha escrivaninha ou no bolso. E, no momento que qualquer pensamento me ocorre ou me arrebata, eu o anoto na caderneta. O pregador precisa ser semelhante a um esquilo, pois tem de aprender a relacionar e armazenar material para os dias futuros de inverno. Assim, você formula em sua mente o esboço e o escreve no papel, porque, de outro modo, não lembrará mais dele. Talvez você imagine ser capaz de recordá-lo, mas logo descobrirá que não é verdade. O princípio aqui envolvido é o mesmo que opera nos exames escolares. Todos sabemos bem o que significa assentar-se para ouvir uma aula e o professor dizendo certas coisas. Enquanto você ouve, talvez diga: "Muito bem, eu sei disso". Mais tarde, porém, quando faz as provas e tem de responder uma pergunta sobre aquela matéria, descobre repentinamente que não sabe muito a seu respeito. Pensava que sabia, mas estava enganado. Por conseguinte, a regra é: sempre que alguma coisa o impressionar, deve anotá-la no papel. O resultado disso é que você descobrirá que acumulou em pouco tempo uma pequena pilha de "esqueletos" — esboços de sermões — porque agiu deste modo. Então, estará bem suprido.

Já conheci pregadores que se sentiam nervosos quando, no sábado, ainda não contavam com textos nem sermões para o domingo e que tentavam agarrar-se desesperadamente a alguma coisa. Isto acontece apenas porque não põem em prática o que estou advogando. Isto equivale a dizer que, se eu tivesse de separar alguma coisa mais importante do que qualquer outra, no nível prático, esta seria a mais importante de todas. Lembro-me de que, em certa ocasião, quando examinava minha pilha de esboços, pouco antes de partir em minhas férias de verão, observei que havia dez esboços que tinham o mesmo tema. Ali mesmo os arranjei na ordem certa; assim eu sabia que tinha uma série de dez sermões consecutivos, prontos para quando eu retornasse. Em certo sentido, eu não precisava mais de férias!

Em segundo lugar eu colocaria — não posso pensar em melhor vocábulo, embora deseje encontrar outra expressão, por ter sido esta tão desvirtuada — a "leitura devocional". Não quero dar a entender, com isso, aquilo que se chama de comentários devocionais. Abomino os comentários "devocionais". Não quero que outras pessoas façam as minhas devoções; apesar disso, não posso pensar em expressão melhor. Estou pensando no tipo de leitura que nos ajuda na compreensão geral e no deleite das Escrituras, preparando-nos para subir ao púlpito. Esse tipo de leitura deve vir depois da leitura das Escrituras. E no que consiste? Não hesitaria em colocar, dentro dessa categoria, a leitura das obras dos puritanos. É exatamente isso o que aquelas obras fazem por nós. Aqueles homens eram pregadores, eram pregadores práticos e experientes, que tinham grande interesse pastoral e cuidado pelo seu povo. Portanto, quando lemos suas obras, descobrimos que não traziam somente conhecimento e informação, mas, ao mesmo tempo, faziam algo pelas pessoas. Novamente, quero enfatizar que é importantíssimo que o pregador chegue a conhecer bem a si mesmo e o seu estado de espírito, suas atitudes e condições. O pregador jamais deve mostrar-se melancólico, mas sua disposição está sujeita a variações. Ninguém pode dizer como se sentirá amanhã; você não pode controlar isso. Nossa tarefa consiste em fazer algo sobre essas mudanças de estado de espírito e não permitir que sejamos vítimas delas. Você nunca será exatamente a mesma coisa dois dias em seguida; e terá de lidar consigo mesmo de acordo com essas condições variáveis. Por conseguinte, terá de descobrir qual é leitura a mais apropriada para você, nestes diversos estados de espírito.

Penso que, de modo geral, você descobrirá que os puritanos são sempre úteis. Não preciso falar exageradamente sobre este particular, mas existem puritanos e puritanos! John Owen, no seu todo, é difícil de ler; ele foi um homem de elevada intelectualidade. Mas havia escritores puritanos mais calorosos, mais diretos e mais experimentais. Jamais deixarei de sentir-me grato a Richard Sibbes, que serviu de bálsamo à minha alma em uma época da vida quando eu estava por demais ocupado e exausto e, portanto, estava sujeito, de modo incomum, aos assédios do diabo. Nesse estado e condição, ler obras teológicas não traz qualquer proveito; de fato, talvez seja quase impossível. Nesses momentos, precisamos é de um tratamento gentil para as nossas almas. Descobri naquela época que Richard Sibbes, o qual era conhecido, na Londres dos primórdios do século XVII, como "O Celeste Doutor Sibbes", era um remédio infalível. Suas obras *The Bruised Reed* (A Cana Quebrada) e *The Souls Conflict* (O Conflito da Alma) me tranquilizaram, confortaram, consolaram, encorajaram e curaram. Sinto tristeza por aquele pregador que desconhece o medicamento apropriado para aplicar a si mesmo nas diversas fases pelas quais a sua vida espiritual tem de passar inevitavelmente.

Talvez isto pareça estranho ou mesmo errado para certas pessoas. Elas podem ter uma perspectiva teórica; não estão no ministério e nada sabem a respeito de seus problemas, preocupações e provações. O apóstolo Paulo sabia o que era viver com "lutas por fora, temores por dentro". Sabia o que significa estar "abatido", em "grande conflito" e em meio a grandes lutas. Qualquer ministro digno do nome está destinado a experimentar essas coisas. "A preocupação com todas as igrejas", escreveu o apóstolo em uma de suas epístolas. Todos esses fatores — problemas com as pessoas, problemas conosco mesmo, estado e condições físicas — conduzem a este tipo de variação no nível da experiência espiritual do indivíduo. Esse tem sido o testemunho dos santos no decorrer dos séculos. Desconfio muito de qualquer crente que me diz que não sabe nada a respeito destas variações. Existe um corinho que diz: "Agora sou feliz todo o dia..." Não acredito nisso; não é verdade. Porque haverá ocasiões em que você se sentirá infeliz. Existem estes estados e condições de espírito; e, quanto mais cedo você aprender a tratar e lidar com eles, melhor será para você e para aqueles para quem estiver pregando.

Sob este mesmo assunto, eu colocaria a leitura de sermões. Quanto a isso, preciso ser cauteloso. Já dei a entender que existem sermões e sermões e que a data em que foram publicados tem certa importância. Posso apenas testificar que, em minha experiência, recebi muita ajuda da leitura dos sermões de Jonathan Edwards, nos primeiros anos de meu ministério. É claro que me refiro não somente aos seus sermões, mas também às narrativas sobre aquele grande despertamento, aquele grande avivamento religioso que ocorreu na América do Norte, no século XVIII, e sua grande obra *The Religious Affections* (Emoções Religiosas). Todas estas leituras obras me foram valiosas porque Edwards era exímio em lidar com os estados e condições da alma. Ele abordava, de maneira eminentemente prática, os problemas surgidos em um ministério pastoral entre as pessoas que atravessam as diversas fases da experiência espiritual. Isto é de grande valia para o pregador.

O pregador deve escolher criteriosamente o seu material de leitura, não apenas por amor à sua própria alma, mas também para que ajude outras pessoas, não somente de modo direto, mas também em suas leituras. Frequentemente, muito dano é causado por aconselhar as pessoas a lerem o tipo errado de livro — podemos torná-las piores e não melhores. Se um homem já é propenso à melancolia, inclinando-se à morbidez e à introspecção, e alguém lhe dá um livro cuja finalidade é, principalmente, a de produzir convicção de pecado, despertá-lo e alarmá-lo, isso pode levá-lo à loucura. Tal homem não precisa disso, precisa de encorajamento e de instruções positivas no momento. Por conseguinte, temos de saber o que nós mesmos devemos ler e o que convém a outros. Deixo o assunto neste ponto. Há abundância de material de leitura; de fato, a grande dificuldade do pregador consiste em achar tempo suficiente para leitura; é uma batalha constante.

Precisamos achar tempo para ler; agora nos volvemos ao tipo de leitura que é mais puramente intelectual. A primeira delas é a teologia. Não existe maior erro do que pensar que devemos nos divorciar da teologia, ao deixar as aulas de seminário. O pregador deve continuar a ler obras teológicas em todos os anos de sua vida — quanto mais, melhor. E há muitos autores e diferentes sistemas que precisam ser examinados. Tenho conhecido ministros do evangelho, bem como homens de outras profissões, que interromperam esse tipo de leitura ao terminarem o seu treinamento. Imaginam que já obtiveram tudo o de que precisavam; têm suas anotações das aulas, e nada mais lhes é necessário. O resultado disso é que ficam vegetando e tornam-se praticamente inúteis. Continue a ler. Leia as grandes obras. Tenho muitos motivos para falar assim. Retornaremos a este ponto mais adiante.

Em seguida, volto a falar sobre aquilo que enfatizei ao considerar o treinamento do pregador — a importância da leitura da história da igreja. Esta jamais deve ser reputada como mais uma disciplina a ser estudada com o propósito de fazer os exames de seminário. Ela tem muito mais valor para o pregador do que para os estudantes. Ele precisa ser constantemente lembrado dos grandes fatos históricos. Por essa mesma razão, o pregador deve continuar a ler biografias e crônicas dos homens de Deus, sobretudo aqueles que foram grandemente usados como pregadores — Whitefield, os irmãos Wesley, e assim por diante. Continue a examinar suas histórias; é uma pesquisa interminável. Quanto mais você ler sobre esses assuntos, melhor equipado ficará. Tudo isso, lembre-se, está incluído no assunto do seu preparo pessoal.

Em ordem descendente, coloco agora a leitura apologética. Com isso quero frisar que existem modas na teologia e na filosofia; elas surgem e desaparecem. A tarefa do pregador é familiarizar-se com tudo isso; por esse motivo, terá de ler algumas dessas obras. Não poderá ler todas, porquanto são inúmeras; mas poderá, ao menos, ler algumas delas. Outrossim, há questões vinculadas à ciência, onde esta parece entrar em conflito com a fé e com o ensino das Escrituras. Todas essas questões precisam ser devidamente consideradas. Finalmente, como é natural, existe a questão da psicologia, com seus ataques particularmente sutis contra a nossa fé.

Ninguém pode ser exímio em tudo; mas um homem pode tentar manter-se atualizado e informado de tudo isto, do melhor modo possível. Assim, cumpre-lhe ler sobre essas questões, para que se mantenha informado a respeito do que acontece. Até aqui venho pensando principalmente em termos de livros. Mas, em adição, há os jornais e periódicos — não somente aqueles que pertencem a certa denominação, mas também outras revistas relevantes à obra, mormente nestes dias ecumênicos. Tudo isso é necessário para ajudar o pregador a fazer uma avaliação correta das pessoas que o ouvirão. Ele precisa saber algo a respeito do contexto e das atitudes delas, o que pensam, o que lêem e as influências que sofrem. As pessoas, em sua inocência e ignorância, continuam prontas a ouvir oradores plausíveis e a acreditar em tudo que lêem em jornais e revistas populares. Nossa tarefa consiste em ajudá-las e protegê-las. Somos pastores, cuidamos de ovelhas; devemos saber cuidar e proteger essa gente que foi entregue aos nossos cuidados. Nossa tarefa, por conseguinte, consiste em equipar-nos para essa grande obra.

Antes do prosseguir a outros tipos de leitura, desejo enfatizar a importância de manter equilíbrio em nossa leitura. Não posso ressaltar demasiadamente esta necessidade. Devido às diferenças naturais, todos temos preconceitos e preferências. Assim, há aquele tipo de homem que passa todo o seu tempo lendo teologia, outro, filosofia, e outro, psicologia; e tendem a não ler praticamente nenhum outro tema. Isto é realmente perigoso; e o modo de reagir a isso é programar-nos para uma leitura bem equilibrada. O que quero dizer é o seguinte. Leia teologia, conforme já disse, mas sempre a contrabalance não somente com a história da igreja, mas também com biografias e leituras mais devocionais. Deixe-me explicar por que isto é tão importante. Lembre-se: você está se preparando; e o perigo que ameaça um homem intelectual que lê somente teologia ou filosofia é deixar-se arrastar pela soberba. Acaba persuadindo-se de que possui um sistema perfeito, que não há nenhum problema, nenhuma dificuldade. Mas logo descobrirá que há problemas e dificuldades; e, se quiser evitar o naufrágio, a melhor coisa que ele pode fazer, quando acha que sabe tudo, quando está exaltado e tentado ao orgulho intelectual, é ler, por exemplo, o diário de George Whitefield. Ali ficará sabendo como aquele homem foi usado por Deus, na Inglaterra, no País de Gales, na Escócia e nos Estados Unidos; e conhecerá as experiências do amor de Cristo desfrutadas por Whitefield. E se não sentir imediatamente que é apenas um verme, minha sugestão é que tal homem nunca foi regenerado.

Precisamos ser continuamente diminuídos. Eis por que uma leitura bem equilibrada é um essencial absoluto. Se o seu coração não estiver tão envolvido nessas coisas como a sua cabeça, sua teologia será defeituosa — à parte de qualquer outra coisa. Existe o perigo real de você tornar-se ultra-teórico, ultra-acadêmico, ultra-objetivo, ultra-intelectual. Isto significa não somente que você se acha em um estado espiritual perigoso, mas também que será, na mesma proporção, um pregador e pastor deficiente. Não ajudará sua igreja e fracassará diante da tarefa para a qual foi chamado.

A maneira de evitar esse erro e guardar-se dele é manter uma leitura equilibrada. Nunca deixemos de fazer isso. Assevero que todos os dias o pregador sempre deve ler de acordo com esses diferentes temas. Tenho criado uma espécie de rotina, que penso ser saudável e proveitosa, tanto do ponto de vista físico como do outro ponto de vista. Se estiver lendo livros mais solenes e difíceis ou obras mais teológicas pela manhã, lerei outros tipos de obras à noite. É conveniente que a mente não seja por demais estimulada e exercitada, antes de nos recolhermos ao leito, se quisermos evitar a insônia. Isto não nos incomoda muito quando somos jovens — naquele estágio, podemos fazer o que quisermos e ainda dormiremos — mas, à medida que envelhecemos, descobrimos que isso não é tão fácil. Muitas vezes tenho de dizer isso a homens por demais nervosos, à beira de um colapso. Ao ouvir suas histórias, torna-se óbvio que tinham o hábito de ler assuntos pesados (que exigem todas as reservas e habilidades mentais) até ao momento de se deitarem para dormir. Então, se surpreendem quando sua mente se recusa a deixar de trabalhar, não podendo relaxar e dormir. Isto é uma questão de bom senso, mas é importante. Então, por todas essas razões, procure equilibrar sua leitura.

Qual o propósito de toda essa leitura? Reitero que o objetivo dela não é primariamente prover ideias para os sermões. Isto é outro perigo terrível. Assim como os homens tendem a ler a Bíblia em busca de textos para sermões, assim também se inclinam a ler outros livros para encontrarem material de pregação. Posso descrever isso como enfermidade ocupacional do ministério. Lembro-me de certo ministro que me contou, em 1930, que estivera em uma reunião ou festa particular, cujo desígnio era aprofundar as experiências espirituais das pessoas. Falou-me do grande benefício que obtivera daquela reunião. Esperava que ele me contasse algo do que havia experimentado ou que tivera significação espiritual para ele; mas não foi sobre isso que ele falou. Antes, disse: "Ali obtive material maravilhoso para as minhas pregações". Material de pregação! Material para sermões! Ele não fora à reunião para obter benefícios espirituais, e sim para obter material — ilustrações, narrativas, experiências de outras pessoas, etc. — para os seus sermões. Ele se imunizou de qualquer influência espiritual, porque se aproximava de tudo desta maneira. Tornara-se um profissional. Lia a sua Bíblia a fim de arranjar textos, fazia as suas leituras para obter ideias, e assim por diante.

De fato, isto pode se tornar bastante ridículo; e regozijo-me com o fato de que as coisas sejam assim, pela seguinte razão: os pregadores que precisam recorrer aos livros para obter sermões geralmente acabam sendo apanhados! Isso se fixou em minha mente quando eu vivia no Sul do País de Gales. Havia uma famosa livraria religiosa em certa localidade, e os pregadores dos distritos circunvizinhos tinham o costume de visitar as estantes uma vez por semana ou com maior frequência. Todos eles se dirigiam a essa livraria e compravam vários livros. A tendência, naturalmente, era todos comprarem os mesmos livros, e o resultado era que muitos deles pregavam o mesmo sermão!

Infelizmente, os membros de suas igrejas, o seu próprio povo, conheciam uns aos outros e, quando se encontravam, conversavam sobre as suas respectivas igrejas e seus ministros. Um deles falaria sobre um maravilhoso sermão que tinha ouvido no domingo anterior. "E qual foi o texto?", o outro perguntava. Ao ser informado, o inquiridor começava a sorrir, porque também ouvira quase a mesma coisa. De fato, havia pequenas variações, mas era essencialmente o mesmo sermão! Aqueles pobres homens haviam se tornado dependentes de livros para obterem ideias.

Recordo-me de outro ministro, um bom pregador, que encontrei em certa ocasião, quando eu viajava no mesmo compartimento de um trem, e que lia a obra *Testament of Beauty* (Testamento da Beleza), escrito por Robert Bridges. Ele me disse que "obtinha" mais subsídios "desses sujeitos" do que de quaisquer outros autores. O que ele desejava dizer era que extraía desses livros mais ideias e material de pregação. Existem homens que arranjam suas ideias em livros e jornais e, de fato, em toda espécie de fontes estranhas.

Afirmo que este não é o objetivo primário de nossas leituras. Então, qual é o seu propósito e função primordial? É prover informações; todavia, o mais importante: este é o melhor estímulo geral. E o pregador sempre precisa de estímulo.

Em certo sentido, ninguém deveria buscar ideias nos livros; o objetivo dos livros é fazer o leitor pensar. Não somos toca-discos, por isso devemos pensar com originalidade. Aquilo que pregamos deve ser resultado de nossas meditações. Não nos compete apenas transmitir ideias. O pregador não tem por finalidade ser um mero canal pelo qual a água flui; ele deve parecer um manancial. Por conseguinte, a função da leitura é estimular-nos de forma geral, estimular-nos a pensar, a pensar por nós mesmos. Tomemos tudo que lemos e mastiguemo-lo totalmente. Não devemos repetir tudo da maneira como o recebemos; antes, comuniquemo-lo à nossa própria maneira. Tudo deve emergir de nós mesmos, com o nosso próprio selo. Esta é a razão por que enfatizo o princípio geral de que esta é a principal função do aprendizado. É trágico quando os homens se transformam em meros toca-fitas nos quais a mesma gravação é reproduzida e repetida incessantemente. Esse tipo de homem logo ficará árido, logo cairá em dificuldades; e seus ouvintes reconhecerão isso antes dele mesmo.

Mais uma observação sobre as nossas leituras. Leituras gerais também são importantes. Por quê? Bem, se não houver qualquer outra razão — simplesmente por motivo de descanso mental. A mente precisa de descanso. O homem que se mostra muito tenso e sobrecarrega a sua mente, não demorará a cair em dificuldades. Precisamos dar alívio e repouso à mente. Entretanto, aliviar a mente não significa que você deixará de ler, e sim que lerá algo diferente. Se você ler alguma coisa inteiramente diferente, sua mente sentir-se-á relaxada. Uma mudança na leitura é tão boa quanto um descanso. Ao mesmo tempo, você acrescentará algo ao seu tesouro de boas informações gerais; e isso é um excelente pano de fundo para a pregação.

Portanto, advogo a leitura de obras históricas. Agora falo a respeito de história secular, de biografias, da história de grandes estadistas e a respeito da história de guerras, se você gosta de tais narrativas. Ou talvez você tenha interesse especial por algum assunto; bem, neste caso, use-o, desenvolva-o. Uma vez mais, uma solene advertência! Não dedique a isso muito do seu tempo. Esse é o perigo. Você sempre terá de lutar nesta questão. Sempre haverá a tendência de ir a extremos. Porém, se você tiver algum interesse especial, cultive-o com moderação. Isto será bom para a sua mente; preservará a resiliência e o frescor. Portanto, sempre tenho procurado fazer isso, examinando certas revistas que tratam de assuntos gerais e de material literário, onde há bons artigos, bem escritos, e resenhas que sugerem outros livros à nossa leitura. Não acredito muito em obras condensadas e enciclopédias, que encorajam a mentalidade de "computador imediato" mais do que a meditação.

O ministro sempre deveria ler desta maneira equilibrada, que programa para si mesmo. Há muitos anos eu tinha o costume de levar comigo um livro grosso, quando estava em gozo das férias de verão. Naquela época, geralmente eu levava algum livro contendo as palestras das últimas Conferências Bampton. Estas conferencias eram realizadas geralmente por homens que não eram evangélicos, mas eram homens que faziam uma extensa pesquisa sobre algum aspecto particular da verdade. Descobri que as palestras das Conferências de Bampton ou das Conferências Hibbert tinham grande valor. Um pregador atarefado raramente dispõe de tempo para a leitura consecutiva que esse tipo de livro exige; por esse motivo, eu aproveitava minhas férias para ler essas obras. Minha esposa sempre estava disposta a concordar com o meu esquema e, mais tarde, por semelhante modo, os filhos. Eles me deixavam desfrutar à vontade das minhas manhãs, para que fizesse isso; então, cumprido esse propósito, eu estava preparado para fazer o que eles propusessem. Olhando em retrospectiva, alegro-me de que tenha tido bom senso e sabedoria para agir dessa maneira.

Tenho de dizer uma palavra sobre a música. A música não ajuda todos, mas ajuda muito algumas pessoas; e, felizmente, sou uma delas. Recentemente, alguém me disse que ficara atônito ao ler notícias a respeito da morte de Karl Barth e descobrir que Barth costumava dar início às suas atividades matinais ouvindo música composta por Mozart. Aquela pessoa me disse que não podia entender isso. Perguntei-lhe: "Qual é a sua dificuldade?" "Bem", retrucou ele, "estou surpreso pelo fato de que um pensador como Karl Barth recorria a Mozart. Esperaria que ele gostasse de Beethoven, ou de Wagner, ou talvez de Bach". Essa pessoa estava admirada. Meu sentimento a respeito dessa pessoa é que evidentemente ele desconhecia o real valor da música ou não sabia como usá-la. "Posso dizer-lhe por que Karl Barth apreciava Mozart", respondi. "Barth não buscava em Mozart pensamentos ou ideias, mas Mozart fazia algo por ele em sentido geral. Mozart o colocava em bom estado de espírito, fazendo-o sentir-se feliz em sua alma. Mozart o liberava, deixando-o à vontade para pensar os seus próprios pensamentos". Um estímulo geral nesse terreno é, com frequência, mais proveitoso do que um estímulo especificamente intelectual. O próprio indivíduo é maior do que o seu intelecto. Não seria essa uma das razões por que os profetas da antiguidade pediam que lhes fosse tocada música, na harpa ou em outro instrumento? Mais adiante farei nova alusão a isso. Qualquer coisa que nos faça bem, que nos coloque em estado de espírito ou em boa condição, qualquer coisa que nos satisfaça, ou que afrouxe as tensões, e nos deixe relaxados terá valor inestimável. A música faz isso para algumas pessoas, de maneira admirável. Lembremo-nos de que continuamos a falar sobre as maneiras pelas quais o pregador se prepara e cuida de si mesmo. Portanto, ouça música ou faça outra coisa — qualquer coisa que você saiba que o ajuda.

Termino como comecei, dizendo: conheça-se a si mesmo. Você descobrirá que ocorrerão mudanças em sua vida; passará por fases diferentes e experimentará estados de alma variados. Procure conhecer a si mesmo. Descobrirá que haverá períodos, talvez de dias, ou mesmo semanas, quando, por alguma razão inexplicável, a sua mente estará trabalhando em seu máximo; quando você estará em condição fértil, capaz de descobrir em toda parte ideias para sermões — "Línguas em árvores, livros nos riachos, sermões nas pedras e bondade em todas as coisas". Quando isso acontecer, estenda as mãos e receba tudo; registre no papel tudo quanto você puder, a fim de que, ao chegarem os tempos de sequidão e esterilidade, você tenha algo em que possa descansar. "Conhece-te a ti mesmo" era o conselho dos filósofos gregos do passado. E para os pregadores não há exortação melhor do que esta.

CAPÍTULO DEZ
A PREPARAÇÃO DO SERMÃO

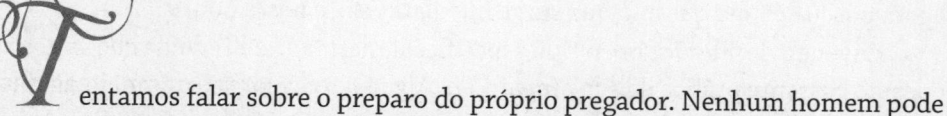

Tentamos falar sobre o preparo do próprio pregador. Nenhum homem pode fazer isso adequadamente, mas precisamos estar cientes dessa necessidade e continuar lutando com esse problema até ao final de nossa vida. Tendo feito isso, chegamos agora à preparação do sermão.

Permita-me enfatizar uma vez mais que, nestas preleções, estamos examinando a pregação. Alguém perguntou: "O que você diz sobre a visitação?" Não estou tratando de todos os aspectos do trabalho pastoral, e sim da pregação, porque acredito que esta ocupa o primeiro lugar, possui importância máxima. A visitação ou qualquer outra atividade jamais compensará a falta de pregação. Sugiro que a visitação não terá grande significado, se a pregação não é o que deve ser, preparando o caminho de antemão. Provavelmente, tudo não passará de uma visita social, incluindo talvez uma xícara de chá e uma conversinha agradável; mas isto não é visitação pastoral. A pregação prepara o caminho para todas as demais atividades de um ministro. Conforme já demonstrei, ela prepara o caminho para o trabalho pessoal e para a visitação.

Não examinarei o tema da visitação. Realmente, você pode ter observado que nem ao menos tratei da questão das orações feitas do púlpito ou das orações públicas. A razão de ter feito isso não é por que as considero menos importantes, mas por que o tempo disponível e outros fatores me compelem a limitar-me ao tema da pregação. As orações feitas do púlpito são importantíssimas; a maneira de dirigir todo o culto é sobremodo importante. Contudo, proponho, outra vez, que tudo isso será determinado principalmente pela pregação e pela maneira como a abordamos. É claro que isto não se aplica a uma igreja de cultos litúrgicos, embora eu pense que, mesmo neste caso, o modo pelo qual o ministro lê a liturgia depende muito do que ele estava fazendo durante a preparação de seu sermão. Contudo, não estou interessado em examinar todas estas outras questões. Quero, antes, ressaltar aquilo que considero a questão primordial — a pregação. Não posso enfatizar isso demais; a pregação controla todo o culto e determina o caráter de todas as outras coisas.

Quando pensamos na preparação do sermão, nos encontramos imediatamente diante de uma das decisões fundamentais, a respeito da qual já me referi na introdução geral. Qual será o tipo deste sermão? Será evangelístico? Será um sermão de conforto, edificação e fortalecimento aos crentes, aos membros da igreja? Ou será um tipo mais geral de instrução na mensagem da Bíblia? Como é evidente, esta é uma decisão importante. E, visto que já me referi a ela, reafirmo-a agora porque é uma questão que surge imediatamente neste ponto.

Havendo decidido sobre o tipo específico de sermão, em seguida chegamos à questão bastante prática da sua preparação. Alguns pregadores parecem imaginar que existem regras absolutas quanto a esta questão; creio que as coisas não são assim. Portanto, exponho apenas algumas sugestões experimentais, baseadas em meu próprio entendimento e experiência sobre estes assuntos.

Considerando todo o quadro, eu diria que não devemos pregar sobre assuntos, por si só. O que estou tentando dizer é o seguinte. Lembro-me de um capelão das forças armadas dos Estados Unidos que serviu durante a Segunda Guerra Mundial; ele me contou o que fizera em certa oportunidade quando estava na Inglaterra. Encontrava-se estacionado em certa porção do país quando lhe pediram que pregasse em um domingo em certa igreja local, que ele frequentava. Ele chegara a determinadas conclusões a respeito do estado espiritual daquela congregação. "Portanto", disse-me ele, "em face do que eu havia observado, resolvi apresentar-lhes meu sermão sobre a Justificação pela Fé". Fiz-lhe algumas perguntas e descobri que, após terminar o seu treinamento em um seminário teológico bem conhecido, aquele homem preparou uma série de sermões sobre vários temas teológicos e doutrinários. Ele tinha um sermão sobre a justificação, outro sobre a santificação, outro sobre a providência divina, outro sobre escatologia, e assim por diante. Em outras palavras, ele começava com um assunto e, depois, procurava um texto bíblico com o qual abordasse aquele assunto. Mas o que ele estava fazendo, na realidade, era apresentar preleções sobre "justificação pela fé" e outros temas diversos. É isso que pretendo dizer quando falo que não se deve pregar sobre assuntos.

Aventuro-me a avançar mais um passo, expondo-me a ser alvo de críticas, ao dizer que, no todo, não acredito na pregação de catecismos. Existem pessoas, as quais respeito grandemente, que fazem disso uma prática regular; mas proponho que este não é um modo sábio de proceder, especialmente por que tende a produzir uma atitude teórica para com a verdade, uma atitude ultra-intelectual para com a verdade. Não estou dizendo que não acredito em ensinar o catecismo ao povo. É claro que acredito. Mas a minha opinião é que isso deve ser feito noutra ocasião e de maneira diferente. Eu colocaria isso sob a categoria de instrução, abordando o assunto por meio de uma série de preleções. Ao que me parece, o melhor é dizer às pessoas que leiam e estudem o catecismo por si mesmas e considerem-no juntas, em grupos de discussão e debate.

Digo tudo isto porque creio, conforme venho indicando, que na pregação a mensagem sempre deve originar-se diretamente das Escrituras, e não de formulações preparadas pelos homens, embora eles sejam os mais excelentes indivíduos. Afinal, esses catecismos foram produzidos por homens, cujo intuito era enfatizar certas coisas, em sua situação histórica peculiar, em contraposição a outros ensinos ou atitudes específicas. No melhor dos casos, por conseguinte, eles tendem a ser incompletos, tendem a caracterizar-se por alguma ênfase específica; por isso mesmo, inclinam-se a deixar de fora certas coisas. Mas, o meu argumento final contra a pregação de catecismos é que esse mesmo objetivo pode ser alcançado por meio da pregação fundamentada nas Escrituras, da maneira como venho salientando; pois, afinal de contas, os catecismos se derivam das Escrituras. A função de um catecismo, conforme penso, em última análise, não é prover material para a pregação; é salvaguardar a fidelidade da pregação, e também salvaguardar a interpretação dada pelo povo, quando estiverem lendo a Bíblia. Visto que esta é a principal função dos credos e dos catecismos, sem dúvida é um erro pregar constantemente com base no catecismo, ano após ano, em vez de pregar a Palavra diretamente das Escrituras, tendo-as sempre abertas diante das pessoas, e a mente das pessoas voltada às Escrituras, em vez de serem dirigidas à compreensão dos homens a respeito dos ensinos da Bíblia. Embora aquilo que você esteja pregando seja a sua compreensão sobre o significado e o ensino das Escrituras, este método preserva — e enfatiza de forma bem clara — a ideia de que está expondo uma mensagem extraída da Bíblia e não os dogmas de uma igreja em particular.

Supondo que esta seja toda a verdade concernente a assuntos e a catecismos, chegamos à grande indagação: "O que, exatamente, devo fazer? Pregarei sobre textos avulsos?" O que entendo por textos avulsos é que eles não pertencem a uma série, mas são textos dos quais você toma um versículo ou um parágrafo específico, aqui e acolá, de tal modo que não há sequência ou conexão entre os sermões de domingo a domingo. Portanto, devemos pregar sermões baseados em textos esparsos ou sermões que constituem séries?

Os pregadores com frequência têm defendido acirradamente os seus pontos de vista quanto a isto. Esta é uma questão deveras interessante e, como é lógico, muito importante. Um dos maiores pregadores do século passado, se não o maior de todos, Charles Haddon Spurgeon, assumiu uma posição firme sobe isso. Ele não acreditava que devemos pregar uma série de sermões; de fato, opunha-se vigorosamente a tal prática. Ele dizia que, em certo sentido, é atrevido um indivíduo decidir pregar uma série de sermões. Também afirmava que os textos deviam ser dados ao pregador e que este deveria buscar a vontade do Senhor quanto a este assunto, pedindo-Lhe orientação. Spurgeon mantinha que o pregador não devia tomar pessoalmente essa decisão, e sim que devia orar, pedindo orientação e direção da parte do Espírito Santo, para em seguida submeter-se a Ele. Assim, ele seria levado a determinados textos e declarações, que exporia em forma de sermões. Esse era o ponto de vista defendido por Spurgeon e muitos outros. Pessoalmente, fui criado em uma tradição que adotava essa posição. Jamais ouvíamos uma série de sermões com base em um livro ou parte de um livro da Bíblia ou com base em um tema.

Em oposição direta a esse preceito, temos a posição advogada pelos puritanos, os quais eram grandes adeptos de sermões pregados em série. É interessante observar, de passagem, que embora fosse um leitor profícuo dos escritos dos puritanos e um profundo admirador deles, Spurgeon discordava deles totalmente nessa particularidade

Então, o que podemos dizer a respeito disso? Tudo que posso dizer é que parece um tanto errado uma pessoa mostrar-se inflexível sobre esta questão e baixar regras inflexíveis e momentâneas. Não vejo por que o Espírito não poderia guiar um homem a pregar uma série de sermões sobre uma passagem ou um livro da Bíblia e guiá-lo também a um texto isolado. Por que não? O que importa — e neste ponto coloco-me, de todo o coração, ao lado de Spurgeon — é que temos de preservar e salvaguardar "a liberdade do Espírito". Não podemos assumir o controle neste particular; não podemos decidir insensivelmente o que faremos, e estabelecer uma agenda de pregação, e fazer outras coisas desse tipo. Estou convicto de que isso é um erro. Já conheci homens que costumam fazer isso. Já conheci homens que, no começo de um novo ano, após gozarem férias, distribuíam uma lista de seus textos para vários meses à frente, revelando o que pregariam em cada domingo específico durante aquele período de tempo. Reprovo plenamente essa prática.

Não estou dizendo, nem presumo dizer, que isto é impossível; sob a liberdade do Espírito não é impossível, porque "o vento sopra onde quer". Não podemos dizer que o Espírito sempre operará ou deve operar de uma maneira específica. Mas, falando em termos gerais, sinto que a prática de planejar e publicar um programa desse tipo significa, com certeza, impor limites ao senhorio e à orientação do Espírito quanto a este assunto. Portanto, assevero que devemos estar em sujeição ao Espírito e ser cuidadosos em certificar-nos de que realmente estamos submissos a Ele; com base nisso, argumento que Ele poderá conduzir, em certa oportunidade, a pregarmos sobre textos esparsos e, noutra oportunidade, a pregarmos uma série de sermões. Posso afirmar humildemente que em minha experiência isso já ocorreu várias vezes.

Existe um volume de sermões pregados por mim que foram publicados sob o título de *Depressão Espiritual*. A história de como cheguei a pregar aquela série talvez ajude a ilustrar essa questão. Eu já havia resolvido — parecia-me estar sendo guiado naquela direção, mas, sem dúvida, tudo resultou de minha própria escolha — que iniciaria a uma série de sermões fundamentados na Epístola aos Efésios. No entanto, certa manhã, quando me vestia, pareceu-me que o Espírito de Deus me compelia, de modo bastante súbito e avassalador, a pregar uma série de sermões sobre "Depressão Espiritual". Literalmente, enquanto eu me vestia, aquela série tomou forma em minha própria mente, e tudo quanto tive de fazer foi apressar-me, tão rápido quanto possível, para escrever no papel os diversos textos, na ordem em que me tinham ocorrido. Nunca antes eu pensara em pregar uma série de sermões sobre o tema de depressão espiritual; jamais me ocorrera tal coisa; no entanto, foi assim que aconteceu. Sempre dou grande atenção a esses impulsos. Esta é uma experiência admirável, gloriosa e singular; e jamais ousaria desobedecer o que considero uma injunção bem definida, outorgada dessa maneira. Tenho plena confiança de que a pregação daquela série de sermões me foi ditada pelo próprio Espírito.

Gostaria de acrescentar mais uma palavra para justificar a minha atitude de que devemos evitar a rigidez excessiva neste assunto. Estou sugerindo que é correto pregar tanto sobre textos esparsos como sobre textos em série; e, de qualquer modo, uma série sempre poderá ser interrompida. De fato, uma série sempre deve ser interrompida, se sentirmos no espírito uma pressão específica que nos exorte a fazer tal coisa. Por essa razão, eu jamais mandaria imprimir um programa daquilo que me proponho a pregar durante os próximos três meses. Não podemos dizer o que faremos — eu, pelo menos, nunca posso dizê-lo. Podem surgir circunstâncias que exijam atenção e proporcionem maravilhosas oportunidades para a pregação. Na verdade, eu jamais poderia garantir que terminaria o sermão preparado para determinada ocasião. Por muitas e muitas vezes, me tenho encontrado na situação de que o tempo usual do sermão já havia terminado, mas eu pregara apenas metade do meu sermão! Como poderíamos prever o que pode acontecer? Não estamos no controle das coisas ou, pelo menos, não devemos estar.

O Espírito é quem está nos usando e lidando conosco enquanto pregamos, assim como esteve conosco durante o processo de preparação. Não me compreenda mal; não estou advogando ou justificando o descaso. Tenho feito tudo que é possível para enfatizar o contrário. No entanto, apesar de toda a preparação e previsão, precisamos manter "a liberdade do Espírito", procurando manter-nos abertos e sensíveis a todos os movimentos dEle. Para mim, um programa impresso seria ridículo, devido à possibilidade de interrupções e variações e ao desenvolvimento de alguns assuntos, de um modo inteiramente imprevisível, ou durante a preparação ou durante a pregação. Qualquer que seja a sua decisão, no que concerne a este assunto, mantenha-se em liberdade.

Ou deixe-me expressar o assunto deste modo. Estabeleceria como regra que existem ocasiões especiais que sempre devem ser observadas. Neste ponto, receio expressar uma critica a respeito dos puritanos. Acredito em pregar sermões especiais no Natal e na época do Advento; também acredito em pregar sermões na Sexta-Feira da Paixão, no domingo da Páscoa e no domingo de Pentecostes.

Como justificar isso? Bem, por que os puritanos faziam objeção a essa prática? A resposta, naturalmente, é que faziam objeção a essas ocasiões especiais por causa de sua violenta reação contra o catolicismo romano. Os católicos romanos haviam transformado a celebração do nascimento de nosso Senhor em uma missa; assim, os puritanos, sendo criaturas de reação, como todos nós o somos, inclinaram-se por reagir violentamente, donde resultou o desejo de eliminarem tudo que tivesse o cheiro de missa e tudo que estivesse associado à maneira de pensar do catolicismo romano, caindo assim em outro extremo e se opuseram a qualquer observância desses dias.

Embora eu compreenda plenamente a atitude deles e simpatize com ela de modo geral, penso que eles estavam equivocados. Digo isso porque creio que o perigo que muitos de nós enfrentamos é o de nos tornarmos tão interessados pelas implicações e consequências da fé cristã, que tendemos a esquecer essência e os próprios fundamentos da fé. Nós os entendemos, mas nunca pregamos sobre eles. E, se isto é verdade quanto à pregação, também é verdade quanto às pessoas que nos ouvem. Entretanto, quando examinamos as epístolas do Novo Testamento, descobrimos que os apóstolos não podiam abordar qualquer assunto sem constantemente referirem-se a esses fatos básicos da fé cristã. De qualquer maneira, existem quatro evangelhos que nos fazem lembrar os fatos e a sua historicidade.

Por certo, o grande perigo em nossos dias, sobretudo em certos círculos, é a ultra-intelectualização. Muitas vezes me tenho esforçado para convencer as pessoas a se tornarem mais intelectuais e menos sentimentais na sua abordagem da fé cristã; mas, neste instante, estou igualmente certo de que alguns indivíduos precisam ser advertidos a respeito do perigo de se tornarem ultra-intelectuais, perdendo contato com os grandes fatos históricos sobre os quais se fundamenta a nossa fé. Qualquer crente que não reaja favoravelmente a um sermão sobre o nascimento de Cristo, faria bem em reexaminar a sua posição em Cristo. E, se você mesmo, na qualidade de pregador, não se pode comover por um sermão que aborde os fatos e os detalhes da morte de nosso bendito Senhor, na cruz, no monte do Calvário; se você não sente como se jamais os houvesse pregado antes; se não for tão tocado por esses fatos como jamais fora no passado, então, reafirmo que seria aconselhável examinar os seus alicerces. E a mesma coisa é verdadeira no caso dos ouvintes. Portanto, essas ocasiões especiais têm grande valor nestes aspectos, de modo que nos compelem a voltar ao passado e relembrar estas coisas que, afinal de contas, são os princípios fundamentais sobre os quais repousa toda a nossa posição.

Vou mais além. Acredito que devemos lançar mão de quase todas as ocasiões especiais como oportunidades para pregar o evangelho. Portanto, em acréscimo ao que já disse, sempre me aproveito do primeiro domingo de um ano novo dessa maneira. Você poderá indagar: "Qual é a diferença entre o dia 1° de janeiro e 31 de dezembro?" Ora, em certo sentido, você está correto. Esta é uma atitude puramente intelectual. Para essa atitude, todos os dias são idênticos. Para a pessoa comum, no entanto, existe certa diferença. O Ano Novo! O tempo de tomar boas resoluções. Naturalmente, sabemos que mormente essas resoluções são imprudentes e não levam a nada. As pessoas repetem-nas a cada ano e provavelmente não as mantêm nem mesmo por uma semana. No entanto, continuam fazendo isso.

"Mas", talvez alguém pergunte, "de que adianta atentar a essas coisas?" Uma vez mais, este é um ponto de vista teórico. Não devemos aceitar esses pontos de vista teóricos, conforme venho procurando demonstrar; precisamos avaliar nossa congregação, nosso povo, tratá-los como seres humanos. Relembrando a verdade de que "aquele que ganha almas é sábio", devemos tirar proveito de tudo e qualquer coisa que apresente o evangelho às pessoas. Por conseguinte, quando se inicia um Ano Novo, há uma oportunidade óbvia de lembrarmos às pessoas a natureza da vida. Todos nós tendemos a esquecer este fato; você pode ficar tão interessado em grandes problemas teológicos, intelectuais e filosóficos, que esquece que haverá de morrer um dia. E o povo, imerso nos negócios, nos prazeres e na família, é igualmente dado esquecer-se.

Portanto, eis uma oportunidade preparada e oferecida a você, para esclarecer a todos o caráter passageiro da vida neste mundo e lembrar-lhes que ninguém pode se dar ao luxo de assentar-se como espectador ou crítico dos pregadores e da pregação. Você poderá lembrar-lhes que estão envolvidos em tudo isso, que não lhes dirige a palavra a respeito de um assunto teórico, e sim do mais vital de todos os assuntos e que, gostem ou não, eles se aproximam de um fim inadiável e inevitável, porque está chegando o Juízo Final. O pregador que não aproveita estas oportunidades é um tolo, e não está apto para ocupar o púlpito.

Jamais esqueci meu senso de desapontamento, há poucos anos passados, quando tive a experiência que descrevo em seguida. Sentindo-me um tanto exausto, aproveitei para descansar durante a passagem do ano e fui a uma reunião dirigida por um jovem ministro, na manhã do primeiro domingo de um Ano Novo. Mas, para meu total espanto, ele começou o seu sermão, dizendo: "Bem, vocês estão lembrados de que no domingo passado estávamos estudando tal versículo; neste domingo consideraremos o próximo versículo". Não fez qualquer referência ao Ano Novo ou a qualquer desses assuntos, de maneira alguma. Fiquei lamentando por ele, lamentei por ele ser capaz de desperdiçar tão excelente oportunidade. À parte de qualquer outra coisa, essas ocasiões especiais facilitam a nossa tarefa — são oportunidades preparadas para o pregador.

Qualquer coisa que acontece no mundo, qualquer coisa notável, qualquer fenômeno é algo que sempre devemos aproveitar. Recordo que li sobre um incidente na vida de John Fletcher, de Madeley, aquele homem consagrado e extraordinário, que viveu há duzentos anos. Ele era capelão em Madeley, no condado de Stafford, na Inglaterra. Repentinamente, ocorreu um terrível desastre no rio Severn. A enchente do Severn, naquele ano, foi anormal, resultando em grande número de pessoas mortas por afogamento, por causa do transbordamento do rio. Essa catástrofe levou John Fletcher a pregar um inesquecível sermão, no qual fez alusões frequentes a acontecimentos trágicos, de consequências terríveis.

Também me lembro de haver lido como, mais ou menos na mesma época, um bom número dos pregadores do século XVIII se utilizaram do terremoto que sacudiu a cidade de Lisboa, em Portugal, no ano de 1751. Todos eles tiravam proveito desses eventos. Não pregaram sobre o terremoto, propriamente dito, mas usaram o fato para ressaltar diante das pessoas a natureza efêmera da vida, reforçando o convite para que se arrependessem. Um terremoto faz as pessoas meditarem, tal como o faz um tornado ou um vendaval; e isso dá ao pregador a sua oportunidade. "Porquanto o teu coração se enterneceu" é o comentário favorável do Antigo Testamento a respeito do rei Josias. Também devemos lembrar estas palavras de um hino: "Salvador, enternecido o meu coração, eu o entrego a Ti". Há ocasiões em que nosso coração se abranda, e inclinamo-nos mais a responder favoravelmente. É a essência da sabedoria e, de fato, bom senso aproveitarmos todas essas circunstâncias. Embora você tenha planejado a mais extraordinária série de sermões que o mundo já conheceu, interrompa-a se houver um terremoto! Se você não pode ser desviado de uma rotina mecânica por meio de um terremoto, não há esperança para você.

Estes são os meus sentimentos concernentes ao assunto de pregarmos com base em trechos esparsos ou usarmos uma série de sermões. No que tange à pregação sobre textos esparsos, já comentei isso quando tratava do preparo do pregador. Adverti contra o péssimo hábito de ler as Escrituras à procura de "textos" e salientei que sempre devemos lê-las para nosso próprio bem e edificação. Também ressaltei como, ao fazê-lo, você encontraria certas declarações que muito o impressionariam e comoveriam; e já disse o que você deve fazer quanto a isso. Qualquer pessoa que siga essa prática descobrirá que nunca se entristecerá por falta de textos; antes, acumulará uma pilha de esboços de sermões, preparados enquanto lê a Bíblia visando à sua própria edificação.

Além disso, você descobrirá que os sermões como que lhe serão dados. Eles lhes virão de maneira direta, e você quase não terá de mexer neles. Não sei se todos concordam comigo nesse respeito, mas a minha própria experiência tem sido que isso me acontecia com maior frequência nos primeiros anos de meu ministério; desde então, tem ocorrido menos. Penso que isso se deve totalmente à bondade de Deus. Ele sabe quem somos. "Pois ele conhece a nossa estrutura" e sabe que precisamos mais dessa forma de ajuda no começo da carreira ministerial. Assim como damos encorajamento extra às crianças e lhes fazemos coisas que não faremos mais tarde, porque desejamos que elas cresçam, assim também, conforme penso, Deus age para com o pregador. Você descobrirá que Ele se mostra muito bondoso e gracioso para com você no princípio, dando-lhe textos e sermões; às vezes, um sermão completo, talvez, lhe ocorrerá. Mas, em outras oportunidades, você perceberá que precisará trabalhar arduamente, esforçando-se e suando da maneira como tenho indicado. Deixo a questão da pregação sobre textos esparsos nesse ponto.

Voltando a nossa atenção à preparação de um sermão, há diversas possibilidades. Uma delas é que você exponha todo um livro da Bíblia, considerando-o sistematicamente. Outra possibilidade é que você exponha uma seção de um livro, do Sermão do Monte, ou algo parecido, ou, talvez, até de uma parte de um capítulo da Bíblia. Há muitas possibilidades quanto a isso. Ou, conforme eu já indiquei, você pode ter uma série de sermões que abordam algum aspecto específico da vida cristã e do viver diário dos crentes.

Já me referi ao exemplo de *Depressão Espiritual*. Permita-me dizer um pouco mais sobre isso. O que determinou a minha pregação daquela série, na realidade, foi uma combinação de alguns dos fatores que tenho mencionado. Já esclareci como você pode acumular um grande número de esboços de sermões. Eu estava fazendo isso há alguns anos, razão pela qual eu tinha inúmeros sermões. Isto foi que aconteceu na ocasião, quando me vestia naquela manhã: Deus me mostrou que já havia, na pilha de esboços, uma série de sermões, já pronta, sobre o tema *Depressão Espiritual*. Toda a pilha de sermões não tratava do assunto, mas havia sermões esparsos que poderiam ser postos na ordem certa, formando uma série. Foi uma experiência marcante para mim, que ainda não esqueci, nem esquecerei. Se estou bem lembrado, ali mesmo fui capaz de registrar no papel vinte e um esboços de sermões. Obtive os esboços ali mesmo; e tudo que parece haver acontecido naquele momento foi que o Espírito os pôs em ordem para mim. Portanto, tudo que tive de fazer foi examinar a pilha de esboços, para escolher entre eles o que me interessasse mais particularmente. Logo me pareceu que a ordem sugerida era perfeita, e não ousei mudá-la de maneira alguma. Acrescentei mais um ou dois sermões no final — mas até neste caso os esboços já estavam naquela pilha.

Este método, repito, não somente é correto em si mesmo, mas alivia grandemente a carga e o labor do ministro. Evita aquela terrível posição, na qual com tanta frequência tenho encontrado certos homens, de procurarem freneticamente textos no sábado, para pregarem no domingo. Já soube até de homens que foram para a cama, na noite de sábado, sem estarem preparados para a tarefa. Porém, se você agir conforme tenho sugerido, descobrirá que este método funciona de maneira interessante e, até, estimulante.

Gostaria de enfatizar novamente que, enquanto agimos assim, sempre devemos nos mostrar expositivos. Sempre expositivos. Se você seguir o método que venho defendendo, será expositivo, porque, quando esses textos o impressionarem, você fará uma pausa para os examinar e desenvolver os esboços deles. Noutras palavras, os esboços serão os tópicos de uma exposição. Não aprovo o método mediante o qual alguém toma um assunto como *Depressão Espiritual*, desenvolvendo-o por si mesmo, para depois procurar textos que servirão como ganchos convenientes nos quais ele pendurará seus pensamentos sobre o assunto. Eu me oponho a isso. O assunto do sermão sempre deve ser derivado das Escrituras, sempre deve ser expositivo. E, se alguém mostrar-se leal ao ensino das Escrituras, descobrirá que pode abordar todos os diferentes aspectos da verdade, fazendo-o de maneira melhor do que se estivesse procurando desenvolver essas coisas por si mesmo, de um modo mais ou menos filosófico.

Uma série de sermões pode ser longa ou breve. Como é que podemos decidir isso? Lembro-me de que, anos atrás, em uma conferência de estudantes de teologia, houve intensa discussão sobre o assunto concernente a quão longa deve ser uma série de sermões. Recordo que, na ocasião, defendi ardentemente as séries breves. Como é que alguém pode viver o bastante para desdizer o que dissera antes?! No entanto, aquela era a minha posição na época, e quero justificá-la. Ninguém pode determinar normas e regulamentos sobre estes assuntos; é precisamente neste ponto que, segundo penso, temos de ser criteriosos no uso dos escritos de pregadores como os puritanos. O perigo consiste em lermos esses escritos e, depois, afirmar: "Isto é uma maravilha! É assim que se deve pregar". Entretanto, se você tentar imitá-los, descobrirá que não é assim que deve proceder. Por quê não? Uma da razões é que tudo depende muito do pregador. O que um homem pode fazer, outro não pode; e para este é perigoso tentar fazê-lo. Tudo isso depene não apenas da pessoa do pregador, bem como igualmente do seu estágio de desenvolvimento. Um pregador sempre deve estar crescendo, avançando e se desenvolvendo, de modo que aquilo que ele não podia fazer em sua juventude deve ser capaz de fazê-lo na maturidade e na velhice. Assim, qualquer rigidez quanto a estas questões tem de ser evitada.

Lembro-me de ter ouvido falar a respeito de um homem muito capaz — que viveu no século XIX — um excelente teólogo que, antes de haver-se tornado presidente de uma instituição teológica, havia sido pastor de uma igreja em Londres. Ele começara a pregar à sua gente, principalmente aos operários e às esposas destes, aos domingos à noite, uma série de sermões sobre a Epístola aos Efésios. O resultado foi que ele acabou perdendo a sua congregação. Todos eles tinham o maior respeito e admiração possível por ele e apreciavam-no como homem; mas o fato é que simplesmente não podiam digerir aquilo. Ele estava pregando acima da capacidade de compreensão dos ouvintes, que não estavam sendo alimentados. A intenção dele era boa, mas os sermões, conforme eles mesmos diziam, eram profundos demais para eles; e a série era exageradamente longa. Não suportavam tal coisa e clamavam por alívio.

Portanto, você precisa ter cuidado com isso. Em outras palavras, retorno a algo que já disse, mas agora reitero enfaticamente, ou seja, você precisa avaliar-se continuamente, bem como à sua congregação. E sempre deve estar preparado a fazer ajustes. Não siga um plano rígido preestabelecido, o qual você não queira mudar. Lembro-me de ter ouvido falar a respeito de um pregador insensato que experimentara uma mudança em sua maneira de pensar e em suas atitudes, o qual, em resultado disso, pregava constantemente sobre um único tema, seguindo uma única linha de pensamento. Alguém lhe disse que já ouvira queixas por causa disso, da parte de algumas pessoas de sua igreja. Sua resposta foi: "Eles têm de aceitar isso, quer gostem, quer não". Há um sentido em que posso justificá-lo por ter falado assim; mas, da maneira como ele o disse, certamente isso era muito errado. A tarefa do pregador consiste em persuadir e ensinar as pessoas a "aceitarem a verdade", afastando-as do que é falso, mas não jogando sobre elas a verdade. Assim, ele deve estar se ajustando continuamente, à medida que toma consciência da mudança das condições.

Talvez isso pareça muito difícil e, em um sentido, realmente o é. Contudo, para mim, é um dos mais gloriosos aspectos do ministério. Faz parte do romance da pregação, que sempre será algo ativo e vivo; jamais será algo preestabelecido e formal. Sempre haverá essa interação e reação constante entre o pregador e a sua gente. Ambos crescem e se desenvolvem juntos; e o pregador precisa fazer tais ajustes. Afinal de contas, qual é o propósito da pregação? O que fazemos quando pregamos? O que tentamos fazer? Qual é o nosso objetivo? Porventura, não é ajudar as pessoas, levá-las a Deus e ao conhecimento dEle, edificando-as em nossa "fé santíssima"? Portanto, sempre devemos estar prontos a ajustes.

No fim desta seção, ressalto o que venho dizendo a todo tempo, isto é, que devemos nos certificar de que cada sermão em particular é uma unidade completa em si mesmo, uma entidade em si mesmo. Isto se aplica até a uma série de sermões. A maneira de conseguir isso é dedicar poucos minutos, no começo do sermão, a um breve resumo do que foi dito na mensagem anterior. Enfatizo o vocábulo "breve". Houve um pregador popular — não popular segundo o conceito usual do termo, e sim um homem que obteve certa notoriedade — na Inglaterra, há alguns anos. Parece que sua popularidade se devia principalmente ao tom de sua voz; e isso o levava a falar com frequência no rádio, o que, por sua vez, enchia a sua igreja de pessoas. Recordo-me de haver conversado com uma senhora que costumava ouvir aquele homem, mas, segundo me informou, havia deixado de fazê-lo. Perguntei-lhe o motivo; e ela respondeu: "Bem, ele passa muito tempo dizendo o que havia falado na mensagem anterior e tanto tempo dizendo o que espera pregar na próxima oportunidade, que fala pouca coisa sobre a mensagem do momento". Isso a perturbara de tal modo que terminara por não ouvi-lo mais. Essa é uma armadilha e uma tentação real para o pregador. Embora essa tendência de sermos muito demorados, quando apresentamos o resumo do sermão anterior, tenha de ser resistida com firmeza, um resumo é essencial aos ouvintes. Isso ajudará a todos eles, incluindo os que frequentam os cultos com regularidade; e para os estranhos que ali estejam essa é uma medida essencial. Assim, você precisa mostrar o contexto do sermão específico dentro da série e seu relacionamento com o todo e oferecer uma breve indicação do que virá depois. Mas cada sermão deve ser uma inteireza em si mesmo — isso é algo importantíssimo.

Estamos abordando uma decisão fundamental. Tendo chegado a essa decisão fundamental, passemos à obra propriamente dita da preparação do sermão, de um sermão em particular. Como abordamos esta particularidade? Bem, como é óbvio, a primeira coisa a ser feita é averiguar o significado do texto escolhido. Quanto a isso, existe uma regra áurea, uma exigência absoluta — a honestidade. É mister que o pregador seja honesto com o seu texto. Com isso quero dizer que ele não deve selecionar um texto exclusivamente para apanhar uma ideia que lhe interesse, para, em seguida, desenvolver essa ideia. Isso é mostrar-se desonesto com um texto. Talvez algumas ilustrações ajudem a esclarecer este ponto.

Lembro-me da primeira vez que ouvi pelo rádio um pregador famoso. Ele anunciou que pregaria sobre "transformando o lugar de sua crucificação em um jardim". De imediato, comecei a perguntar-me qual seria a fonte daquele tema. Logo ele disse-nos que o seu texto se encontrava no Evangelho de João, onde lemos "No lugar onde Jesus fora crucificado, havia um jardim" (Jo 19.41). Assim dizia o texto. Mas, conforme podemos ver, o sermão se propunha a "transformar" em um jardim o lugar de nossa crucificação. No entanto, no próprio texto não havia coisa alguma nesse sentido. O jardim estava lá; e estava lá desde antes da crucificação. Não foi a crucificação que produziu o jardim.

No entanto, para dar a si mesmo a oportunidade de pregar um sermão bastante sentimental a respeito de como as pessoas que padecem de enfermidades devem reagir à sua triste condição, ele deturpou o texto. E anunciou que as pessoas boas, que aceitam tudo com bom espírito, sem jamais se queixarem ou murmurarem, transformam os seus lugares de crucificação em um jardim. Em seguida, foram expostas diversas histórias sentimentais de pessoas nessas condições, e isto se prolongou por vinte e cinco a trinta minutos. Ora, resta somente uma coisa para dizer sobre isso — esse artifício é a mais completa desonestidade; nada mais se pode dizer a respeito.

Consideremos outro exemplo: o de um homem que pregava sobre Naamã, o sírio. Você deve estar lembrado que a história gira em torno da recusa daquele comandante de exército em mergulhar nas águas do rio Jordão — um rio miseravelmente pequeno, em contraste com os rios Abana e Farfar. No entanto, o tema do sermão era: "A importância de coisas insignificantes na vida". Isto, novamente, é apenas uma afronta contra um texto. Porquanto o sentido daquele texto e seu contexto não é demonstrar "a importância de coisas insignificantes na vida", e sim mostrar que Naamã nunca poderia ser curado por Deus, enquanto não se humilhasse, o que é uma ilustração de que todos precisamos nos submeter ao caminho de salvação oferecido por Deus. Mas isso não foi sob hipótese alguma mencionado em todo o sermão. O conceito subjacente dessa afronta contra um texto é que simplesmente retiramos dele uma ideia, qualquer pensamento que nos agrade, como, por exemplo, o fato de que o rio Jordão era realmente menor que os outros rios, e ignoramos o real significado do texto e seu contexto. Este procedimento não é apenas superficial, é verdadeiramente desonesto, é um abuso contra as declarações das Escrituras.

Ou consideremos outro exemplo, ainda mais impressionante. Estou oferecendo deliberadamente ilustrações baseadas em incidentes que envolveram pregadores populares. Esse outro homem anunciou o seu tema como "meu evangelho". O seu texto era a declaração de Paulo em 2 Timóteo 2.8: "Lembra-te de Jesus Cristo, ressuscitado de entre os mortos, descendente de Davi, segundo o meu evangelho". Ele começou fazendo a seguinte indagação: "Vocês podem dizer 'meu' evangelho?" E acrescentou imediatamente: "É claro, talvez não seja o meu evangelho; mas é o de vocês?" Esse era o ponto principal dele: "Podeis dizer 'meu' evangelho?" Então, houve uma tirada contra o tradicionalismo, a ortodoxia, a teologia sistemática e, de fato, contra todo tipo de teologia. A única coisa que realmente importaria seria a experiência pessoal — o "meu evangelho". O que era realmente espantoso, e quase incrível, é que aquele homem pudesse dizer tal coisa, porquanto o que Paulo afirmava realmente é que não se tratava de seu próprio evangelho, não se tratava de algo que se originou em sua própria experiência, e sim em "Jesus Cristo, ressuscitado dentre os mortos, descendente de Davi". O apóstolo, na verdade, estava escrevendo especificamente para contradizer o tipo de coisa que aquele pregador asseverava e enfatizando que existe um único evangelho — aquele que ele pregava — o evangelho fundamentado sobre o fato histórico e vital de que Jesus, o Cristo, é o Filho encarnado de Deus, nascido da descendência de Davi segundo a carne e que ressuscitou literalmente do sepulcro, em seu próprio corpo. Tudo isso estava sendo totalmente ignorado; de fato, estava sendo negado. A grande mensagem daquele pregador era: já passastes por alguma experiência pessoal? Vossa vida foi transformada? Ele simplesmente extraiu as palavras "meu evangelho" e ignorou totalmente o restante do versículo, quanto mais o contexto do mesmo. Na verdade, tudo não passava de uma afronta à compreensão teológica do evangelho ou ao entendimento de como "dar razão da esperança que há em vós". Tudo não passou de uma exaltação da experiência pessoal, sem importar a causa dessa experiência. Uma vez mais, resta-nos dizer apenas uma coisa — isto é um artifício completamente desonesto, é um abuso, uma distorção daquilo que o texto diz.

Temos de ser honestos com os textos que escolhemos; e sempre devemos aceitá-los dentro de seus respectivos contextos. Essa é uma regra absoluta. Esses outros indivíduos não observam essa norma; não estão interessados por ela, pois vivem sempre procurando "ideias". Querem um tema, uma ideia e, depois, filosofam sobre ela, expressando seus próprios pensamentos e moralismos. Isso é um abuso contra a Palavra de Deus. Temos de aceitar os textos escolhidos dentro de seus devidos contextos e ser honestos com esses textos. Cumpre-nos descobrir o significado das palavras e de toda a afirmação. Já falamos sobre isso, mas o que quero enfatizar neste ponto é o sentido espiritual do versículo ou da passagem. Em primeiro lugar, exatidão, mas, em segundo (e o mais importante), o seu significado espiritual. O que determina a exatidão de nosso entendimento de vocábulos específicos, em última análise, não é a erudição, e sim o significado spiritual da passagem escolhida. Você descobrirá que os eruditos discordam frequentemente uns dos outros e que o significado de uma passagem tem de ser determinado não por meio de uma ciência exata, e sim por meio de percepção e entendimento espiritual — aquela "unção" sobre a qual o apóstolo nos fala em 1 João 2.20 e 27.

Esta maneira de agir nos leva à essência da mensagem desta afirmação específica. A fim de chegarmos a esta essência, temos de aprender a fazer perguntas ao texto. Nada é mais importante do que isto. Façamos perguntas como as seguintes: por que o autor disse isso? Por que ele o disse desta maneira específica? Onde ele quer chegar? Qual era o seu objetivo e propósito? Sim, uma das primeiras coisas que um pregador tem de aprender é conversar com os seus textos. Eles falam conosco, e devemos conversar com eles. Façamo-lhes perguntas. Este é um método bastante proveitoso e estimulante. Ao mesmo tempo, jamais devemos forçar os nossos textos. Uma ideia poderá ocorrer-lhe, emocionando-o e arrebatando-o; porém, se você perceber que precisa manipular ou forçar alguma passagem, para que ela se coadune com uma ideia pessoal, não faça isso. É melhor sacrificar um bom sermão do que forçar qualquer texto bíblico. Depois de fazer perguntas ao texto ou enquanto as faz, você precisa averiguar a exatidão do entendimento que você obteve do texto, consultando dicionários e comentários.

Aquilo que almejo, aquilo que me interessa, é que você se certifique de que está chegando realmente à mensagem central, à ideia central e ao significado deste texto, desta afirmação específica. É deveras espantoso como homens bons podem evitar fazer isso. Tenho chegado a um estágio em que não estou muito certo de que alguém aprende mais a pregar por pregar pessoalmente ou por ouvir a outros! Suponho que o melhor é a combinação das duas coisas. Entretanto, durante certa enfermidade recente e enquanto me recuperava de uma cirurgia, tornei-me um ouvinte durante quase seis meses e aprendi muito.

Certa manhã de domingo ouvi um homem pregar sobre Gálatas 3.1: "Ó gálatas insensatos! Quem vos fascinou a vós outros, ante cujos olhos foi Jesus Cristo exposto como crucificado?" O tema do sermão era "o perigo de deixar-se desviar". A introdução do sermão foi boa e legítima, à parte da exagerada elaboração do assunto "olhos fascinadores" e de uma pequena investigação a respeito do mesmerismo. Muito bem — eu estava preparado para aceitar isso. Porém, o restante do sermão foi devotado às coisas que, na opinião dele, tendem por distrair o povo, especialmente a teologia e a ortodoxia.

Ora, segundo o meu parecer, aquele bom homem estava perdendo de vista a mensagem principal. Por certo, o apóstolo dizia algo assim: "Ó gálatas insensatos! Quem fascinou vocês a que não obedeçam à verdade, pois ante os olhos de vocês Jesus Cristo foi apresentado como um espetáculo, crucificado entre vocês?" O apóstolo estava perplexo por causa daqueles gálatas. Mas, a respeito de quê? Bem, o que deixava Paulo perplexo era que houvesse algo capaz de afastar a atenção desses gálatas insensatos da sublime e gloriosa verdade exibida diante deles — a morte do "Filho de Deus" na cruz, no monte Calvário — a verdade que Paulo havia exposto ante os olhos deles. Paulo estava admirado com o fato de que alguma coisa pudesse afastá-los da "glória da Cruz".

No entanto, a cruz, bem como seu significado e sua mensagem, jamais foi mencionada naquele sermão. Todo o tempo foi dedicado a falar-nos sobre os "espetáculos paralelos", as coisas que geralmente distraem a nossa atenção. Contudo, nada foi dito sobre o objeto do qual a nossa atenção é desviada. Por certo, Paulo expressava sua completa perplexidade e espanto ante o fato de que alguém que tivesse recebido uma rápida visão desta glória a esquecesse, devido à sua preocupação com questões como a circuncisão. No entanto, nada disso transpareceu naquele sermão. Em certo sentido, aquele pregador não disse nada errado, exceto seu ataque incidental contra a ortodoxia; mas o que me causou admiração foi que ele falhou totalmente em destacar o impacto principal de seu próprio texto, o texto mesmo sobre o qual pregava. Era óbvio que ele fora seduzido por algum "olho fascinador"!

Nada é mais importante do que nos assegurarmos de ter obtido o significado central do texto e permitir que este se manifeste. Não devemos nos assemelhar a certo homem que ouvi pregar, num domingo de Páscoa, sobre a passagem de Romanos 1.1-4: "E foi designado Filho de Deus com poder, segundo o espírito de santidade pela ressurreição dos mortos, a saber, Jesus Cristo, nosso Senhor". O que me admirou na ocasião foi que a mensagem continha muito pouco a respeito da ressurreição. O bom homem explicou de modo excelente o significado das palavras e enfatizou, com certeza, que Jesus é o Filho de Deus. Todavia, saí da reunião sem um senso de admiração em face deste maravilhoso evento da ressurreição, aquilo que, de conformidade com o apóstolo, designou Jesus Cristo como "Filho de Deus". Esse não era, de maneira alguma, o principal enfoque do sermão naquela manhã de domingo de Páscoa; no entanto, esse é certamente o âmago do que o apóstolo estava dizendo.

Lembro-me também de um pregador bem conhecido que pregou, em uma manhã de sexta-feira da Paixão, sobre o texto de Romanos 8.2: "A lei do Espírito da vida, em Cristo Jesus, te livrou da lei do pecado e da morte". Seu tema revelou sua característica particular de ensino sobre a santidade — ele cria na "santificação plena". Naquela manhã de sexta-feira da Paixão, quando o próprio dia e a ocasião que motivara o nosso ajuntamento nos faziam pensar sobre a morte física de nosso Senhor (aquele fato histórico), eis que nossas mentes foram desviadas a um ensino particular sobre a santidade. E, uma vez mais, isso aconteceu não somente porque aquele versículo foi mal compreendido, mas também porque o pregador ignorou os versículos anteriores e posteriores. Não posso deixar de enfatizar a importância de chegarmos ao significado, à mensagem fundamental do texto escolhido. Que isso nos guie e nos ensine. Ouçamos o texto e questionemo-lo a respeito do seu significado; e que este significado seja o enfoque central de nosso sermão.

CAPÍTULO ONZE

A ESTRUTURA DO SERMÃO

Havendo descoberto a mensagem e o significado principal de um texto, você deve prosseguir e afirmar isto em seu contexto e aplicação atual. Por exemplo, pode haver uma aplicação à igreja específica para a qual o apóstolo escrevia. Você deve mostrar seu contexto original e sua aplicação.

Em seguida, mostrará que isto também é a afirmação de um princípio geral que é sempre válido. Expressava uma verdade naquelas circunstâncias especiais, mas envolve um princípio espiritual de aplicação permanente. Deste modo, você demonstrará uma verdade que tinha não somente uma aplicação temporária e local, mas também uma aplicação mais geral.

Nesta altura, sempre acho prudente reforçar isto chamando a atenção a trechos paralelos, em outras partes das Escrituras. Isto, conforme acredito, é um princípio deveras valioso e importante: apoiarmos aquilo que descobrimos em um texto por meio de afirmativas similares em outras partes das Escrituras, comprovando assim não se tratar de algo isolado. Por muitas razões, esta é uma maneira sábia de proceder. Em geral, os hereges são pessoas que se apegaram a uma ideia extraída de uma afirmação específica que eles interpretaram erroneamente e, depois, levam-na consigo, em vez de compararem-na com outras passagens das Escrituras. Sempre é proveitoso os ouvintes perceberem que a doutrina que está sendo pregada é ensino bíblico correto e firme. Por conseguinte, você deve procurar esses textos paralelos em outras partes da Bíblia e mostrar como esta mesma coisa é dita em circunstâncias diferentes, mas frisando essencialmente o mesmo assunto. Tendo feito isso, você poderá mostrar sua relevância para os nossos dias, bem como para aquelas pessoas às quais você estiver pregando.

Nisso consiste a introdução de um sermão; é assim que avançamos para abordar o tema, o assunto ou o princípio que descobrimos desta maneira.

Ora, a despeito de acreditar que este é o procedimento que o pregador deve adotar em geral, apresso-me a acrescentar que certamente nada existe de errado se variarmos de vez em quando. Em outras palavras, às vezes você poderá começar pela situação de hoje, esboçá-la, delineá-la e, depois, indagar: "Bem, o que as Escrituras têm a dizer a respeito disso?" É claro que, ao preparar o sermão, não foi dessa maneira que você chegou a este ponto, mas às vezes esta é uma boa maneira apresentá-lo. Se houver algum problema ou uma situação grave que tenha surgido em sua igreja local ou em um âmbito mais amplo, essa não é uma maneira errada de abordar a questão. Isso despertará o interesse, focalizará a atenção dos ouvintes e certamente capacitará as pessoas a perceberem com clareza que aquilo que você está fazendo não é algo teórico e acadêmico. Ocasionalmente, portanto, é bom começar com uma declaração sobre a situação predominante na igreja e mostrar que a passagem que você está expondo aborda exatamente tal situação. Isso evidencia que as Escrituras sempre são contemporâneas, que elas jamais serão ultrapassadas e que nunca deixam de abordar toda e qualquer situação. Ao mesmo tempo, isso ressalta o fato de que a sua pregação sempre se alicerça sobre as Escrituras. Portanto, se por um lado advogo aquilo que sugeri como um hábito e prática geral, também assevero que nunca devemos nos escravizar a qualquer método; sempre devemos nos manter livres e dispostos a variar nosso método, por amor à proclamação da verdade.

Chegamos agora ao princípio ou ensino que você deseja apresentar ao povo. O próximo passo consiste em dividir isso em proposições, títulos ou divisões — podemos chamá-los como o quisermos. Há certas coisas que devemos dizer a respeito disso. Talvez me fosse apropriado tratar, antes de mais nada, da questão numérica. Há alguns pregadores que se tornaram escravos absolutos desse aspecto. Alguns pensam em ter apenas "três" divisões, e somente três. Se alguém tiver um número menor de divisões, esse é um mau pregador; e, se tiver um número maior, também é um mau pregador. Ora, isso é perfeitamente ridículo. Contudo, é espantoso observar quão facilmente um indivíduo cai em hábitos e se torna escravo de uma tradição. Fui criado na tradição que preceitua: "Sempre devemos ter uma introdução e três divisões". Os ouvintes sempre esperavam por esse esquema; era o costume quase invariável dos pregadores.

O fato de que isso se transformou numa tradição, naquela denominação específica — a Igreja Presbiteriana do País de Gales — é extraordinariamente ridículo, porque um dos maiores pregadores daquela denominação; de fato, seu maior pregador e um de seus fundadores, Daniel Rowlands, com frequência tinha nada menos do que dez divisões em seus sermões. Um escritor que lhe foi contemporâneo testificou que ouvir Rowlands era como observar um boticário com certo número de frascos que continham fragrâncias maravilhosas. Ele tomava o primeiro frasco, tirava-lhe o selo e a rolha, liberando o maravilhoso aroma que se propalava por toda a congregação. Então, colocava de lado aquele frasco e pegava o segundo, fazendo a mesma coisa que fizera com o primeiro. E frequentemente havia nada menos do que dez desses frascos. Conto essa história a fim de respaldar o ponto que não nos devemos nos tornar escravos neste aspecto da mensagem.

Entretanto, consideremos agora algo mais importante. O que há de importante nestas "divisões" é que elas devem estar bem visíveis no texto escolhido e devem surgir naturalmente desse texto. Isto é vital. As divisões, conforme lhe mostrarei, não são tão fáceis como parecem. Algumas pessoas parecem haver sido dotadas de habilidade incomum nesse particular. Costuma-se dizer, sobre Alexander Maclaren — um falecido pastor batista inglês, dos últimos anos do século XIX e dos primórdios do século XX, cujos volumes de sermões continuam sendo reimpressos — que ele parecia ter uma espécie de martelo de ouro em sua mão, com o qual meramente tocava em um texto, e imediatamente este se separava em divisões. Entretanto, todos possuímos esse martelo de ouro; mas sempre devemos estar certos de que essas divisões surgem naturalmente do texto. Deixe-me expressar isso, em primeiro lugar, de forma negativa, por ser algo tão importante. Nunca forcemos uma divisão. Jamais acrescente uma divisão meramente tendo em vista completar o conceito que tem em mente ou a fim de se conformar à prática usual. As divisões devem ser naturais, e aparentemente inevitáveis.

Seja-me permitido relatar um acontecimento para ridicularizar esta noção de três divisões e, ao mesmo tempo, advertir sobre os falsos acréscimos. Havia um pregador idoso e singular do qual tenho vaga lembrança — não recordo tê-lo ouvido, e sim tê-lo visto e ouvido muitos comentários a respeito dele. Era um verdadeiro excêntrico. No passado, houve um bom número de homens desse tipo no ministério; e, ocasionalmente, ainda surge um ou outro. Em certa ocasião, esse homem pregava sobre o texto que diz: "Então, Balaão levantou-se pela manhã, albardou a sua jumenta". Após introduzir o assunto, lembrando aos seus ouvintes a narrativa bíblica, chegou às divisões, aos pontos principais. "Em primeiro lugar", disse ele, "encontramos uma boa qualidade em um mau caráter — 'Balaão levantou-se pela manhã'". Levantar-se cedo é coisa boa; portanto, aí estava a primeira divisão. Em segundo lugar, a antiguidade da arte de selaria — "albardou a sua jumenta". Essa arte não é algo moderno ou novo, mas uma técnica antiga.

Então, a sua inspiração parecia ter-se extinto e não conseguia imaginar no texto outra divisão. Apesar disso, sentia que devia ter três divisões em seu sermão, pois, de outro modo, não seria um grande pregador. Por conseguinte, as divisões do sermão foram eventualmente anunciadas como: "uma boa qualidade em um mau caráter"; "a antiguidade da arte de selaria"; e, "em terceiro e último lugar, algumas observações concernentes à mulher samaritana"! Ora, isso aconteceu literalmente. Aprendamos disso a não forçar um texto, bem como a não acrescentar-lhe nada. Não nos tornemos escravos dessas noções mecânicas.

Apresso-me a acrescentar aqui algo igualmente importante: não sejamos talentosos demais nas divisões; não sejamos espertos demais. Isto tem sido um verdadeiro ardil para muitos pregadores. Talvez não esteja acontecendo com tanta frequência em nossos dias, mas no início deste século não houve provavelmente outro costume que prejudicou tanto a pregação: divisões talentosas. Divisões que deixavam entrever esperteza e engenhosidade, nas quais os pregadores exibiam sua habilidade. Um dos maiores perigos com que se defronta o pregador (espero poder tratar disso mais adiante) é a ameaça do profissionalismo. Por muitas vezes, tenho observado que, ao realizarem os ministros os seus encontros, ao invés de "contarem piadas", como o fazem os homens mundanos, perguntam-se mutuamente: "O que você pensa disto? O que você pensa das seguintes divisões deste versículo?" Trocam entre si as suas divisões e quase entram em uma competição por causa dessas divisões. Ora, isto é profissionalismo — e todos estamos sujeitos a essa fraqueza. Porém, de qualquer ponto de vista, esse é um hábito extremamente mau. Jamais devemos manipular a Palavra de Deus dessa maneira. Assim, evitemos a engenhosidade e a esperteza. As pessoas acabarão detestando esse artifício e terão a impressão de que você está mais interessado em si mesmo e em sua habilidade do que na verdade de Deus e na alma dos ouvintes.

Além disso, existe aquilo que tem sido chamado de "Auxílio Artístico de Aliteração Adequada". Existem aqueles que acreditam ser proveitoso ter divisões que comecem, todas elas, com a mesma letra do alfabeto, como, por exemplo, três "B" ou três "M", etc. Eles precisam apelar à aliteração. Hesito em julgar que isto seja realmente errado, mas estou certo de que é uma armadilha para diversos homens. Para que sua terceira divisão se inicie com a mesma letra das divisões anteriores, às vezes eles têm de manipular um pouco o seu material. Ora, isto é exatamente o que eu vinha dizendo que não devemos fazer. Sempre fiquei confuso a respeito do motivo pelo qual aqueles que se consideram pregadores "devocionais" ou os assim chamados "pregadores da santidade" são os mais constantes devotos dessa prática. Quanto a mim mesmo, sou contra essa prática e geralmente sinto que ela é um obstáculo no caminho da verdade, além de ser uma importunação. Evitando toda suspeita de engenhosidade ou esperteza, nossos títulos devem mostrar a maneira inevitável de ser dividida a matéria dos textos que tivermos selecionado.

Há outras particularidades quanto a este assunto das divisões ou pontos principais de um sermão. Dedique tempo a este mister, porque todo o propósito de dividir o assunto desta maneira é tornar mais fácil às pessoas o assimilarem e guardarem a verdade. Esta é a única razão para que tenhamos divisões. Não devemos ser crentes da "arte por amor à arte". Mas, à medida que fazemos isso a fim de ajudar as pessoas, então eis algo que deve ser bem feito.

O problema da forma do sermão, ao que já me referi antes, também entra em cena nesta altura; eis por que você deve dedicar tempo a esse trabalho. Às vezes, entretanto, você perceberá que é extremamente difícil conseguir a forma exata. Você já tem sua mensagem e está começando a visualizar a "forma" pela qual haverá de apresentá-la; no entanto, não consegue fazer as divisões de modo totalmente satisfatório.

Assevero que precisamos de muito cuidado quanto a isso; não podemos nos precipitar e nem forçar a situação. É neste ponto que, especialmente, que o conhecimento que o indivíduo tem de si mesmo se mostra mais útil e recompensador. Em preleção anterior frisei que um homem precisa conhecer a si mesmo e ao seu próprio temperamento, bem como às suas diversas condições mentais, físicas e espirituais, e que deve conduzir-se de conformidade com isso.

Com grande frequência tenho descoberto que a luta por colocar o material de do sermão em suas divisões corretas, bem como em uma forma que lhe seja apropriada, o pregador pode cair em um labirinto mental. Você descobre que não pode pensar com clareza e fica tenso. É possível alguém gastar horas nestas condições, procurando em vão dar forma a um sermão. Mas, por outro lado, há muitas maneiras de alguém sair dessa situação e sentir alívio. O que acontece conosco neste ponto pode acontecer igualmente a todo homem que não é crente. Um dos melhores estudos sobre este assunto é um livro escrito por Arthur Koestler, publicado alguns anos atrás com o título de *The Act of Creation* (O Ato de Criação). É claro que Arthur Koestler não se interessava por aquilo que estamos discutindo; ele estava interessado na maneira pela qual são feitas as grandes descobertas científicas (bem como no âmbito da poesia). Um dos pontos ressaltados por Koestler é que, em geral, as mais notáveis descobertas científicas não têm sido resultado de processo lógico de pensamento. Sem dúvida, isso tem desempenhado certo papel no processo; mas as grandes descobertas, disse Koestler, tem ocorrido de modo súbito e inesperado; elas foram "outorgadas". A história não é que o cientista foi subindo de degrau em degrau, para, então, chegar eventualmente ao último degrau. A questão vital tem sido, frequentemente, desvendada por meio de um lampejo de revelação.

Para ilustrar a sua tese, ele narra a história do francês Sr. Poincaré, que foi grande matemático e, em certa ocasião, estava trabalhando para solucionar um problema matemático. Estava engajado no problema havia vários meses, mas não conseguia chegar à solução. Podia chegar até certo ponto em cada tentativa, mas não conseguia avançar além disso. Sabia que existia uma solução, mas não era capaz de atingi-la. Após meses gastos dessa maneira, ele começou a sentir-se um tanto cansado e desanimado, por isso foi passar um tempo em um vilarejo à beira-mar, em parte para mudar de ares e em parte por questões de saúde. No entanto, levou consigo o seu trabalho, pensando que talvez pudesse dedicar-se a ele, vez por outra; e continuou fazendo isso durante algum tempo. Eventualmente, chegou a um ponto em que sentiu que deveria ir a Paris, a fim de consultar alguns de seus colegas, para obter alguma ajuda a respeito do problema. Ora, eis o que finalmente aconteceu. Ele teve de embarcar em um pequeno ônibus para dirigir-se do vilarejo a uma cidade do interior, onde pegaria um ônibus maior, que o conduziria, por sua vez, a uma cidade maior e, por fim, o último ônibus que o levaria a Paris.

Iniciou a jornada sem suspeitar o que estava prestes a acontecer. O ônibus local se atrasara na viagem, de tal modo que quando Poincaré chegou à cidade do interior, soube que o ônibus que o levaria à segunda escala da viagem estava prestes a sair e que lhe seria difícil apanhá-lo. Assim, apanhou às pressas a sua mala, saltou do pequeno ônibus e, correndo ao máximo de sua capacidade, conseguiu agarrar-se à grade que havia na parte traseira do segundo ônibus e saltou à plataforma. Quando seus dois pés pousaram na plataforma do ônibus, ocorreu-lhe, de repente, com clareza e nitidez, a solução para o seu problema matemático! É assim que as coisas acontecem às vezes. Este é um fenômeno dos mais impressionantes, e creio que é um estudo sobremodo fascinante. Eu mesmo já passei por esse tipo de experiência em diversas ocasiões.

Todos somos diferentes uns dos outros, sei disso, e cada um só pode falar por si mesmo; porém, até onde me diz respeito, se meu sermão não estiver claro e bem ordenado em minha mente, não posso pregá-lo a outras pessoas. Suponho que poderia ficar de pé e começar a falar, mas provavelmente isso deixaria as pessoas confusas, em vez de serem ajudadas. Esta é a razão por que considero a boa ordem e estrutura do sermão como algo muito importante; advogo que deveríamos lutar até poder dar-lhe boa forma. Recordo bem como, de certa feita, eu lutava com um texto, havendo gasto a manhã inteira com o texto, mas sem conseguir imprimir-lhe uma boa forma. Minha esposa chamou-me para almoçar.

Naquele tempo — e isso aconteceu há muitos anos — existia um homem chamado Christopher Stone, que dirigia um programa de rádio todos os dias, no qual apresentava novos discos musicais. Costumávamos ouvir aquele programa enquanto almoçávamos. Na ocasião, começamos a ouvir o programa. Ele já tocara dois ou três discos que não me interessaram em coisa alguma. Em seguida, anunciou que apresentaria um disco de dois cantores famosos que entoariam um dueto bem conhecido. Acredito que um desses cantores era Beniamino Gigli. Ao ouvir aquele disco, com aquelas duas vozes extraordinárias, em perfeita harmonia, a cantarem uma linda música, não somente me senti satisfeito, mas também fui profundamente tocado em minhas emoções; imediatamente, o problema com o qual eu lutara por tantas horas, durante toda a manhã, foi inteiramente resolvido, no sentido de que todas as coisas se ajustaram em seu devido lugar, de uma só vez — ordem, divisões, forma, enfim, tudo. No momento em que terminou o disco, corri apressadamente ao escritório e escrevi no papel tudo aquilo, o mais rapidamente possível, confiando que eu não havia esquecido nada, não havia deixado nada de fora. Aquele cântico e aquela música proveram-me o alívio de que eu precisava para ser liberto da confusão e embaraço mental em que me achava.

Disponho-me a confessar que considero tão importante esta questão da estrutura e da divisão de um sermão que, se não posso traçar as divisões certas, de modo que fique totalmente satisfeito, no caso de um texto específico, em vez de pregar dessa maneira insatisfatória, ponho o texto de lado e seleciono outro, "preparando", por assim dizer, outro sermão baseado nesse outro texto. Em vez de arruinar uma mensagem que sinto haver me sido dada; a qual, conforme eu creio, tem um significado especial; que Deus provavelmente honraria durante a pregação e que, sem dúvida alguma, ajudaria os ouvintes — em vez de arruinar algo que sinto que seria melhor do que o normal, em vez de estragar um sermão ou comunicá-lo de modo imperfeito, prefiro deixá-lo de lado por um momento. Sermões desse tipo tenho deixado de lado por uma semana, uma quinzena ou mais tempo. Depois, volto a pensar sobre ele. E, somente quando, finalmente, estou satisfeito com sua forma, aventuro-me a pregá-lo.

Convém fazermos disto uma norma: jamais estragar algo que sentimos no íntimo será um bom sermão. Os sermões variam tremendamente; e, às vezes, sentimos que aquilo que estamos preparando resultará num dos melhores sermões que já pregamos em toda a vida. Sempre que você tiver esse sentimento, não estrague um sermão, não o arruíne por meio de uma preparação apressada e inadequada; dedique tempo em prepará-lo.

O próximo ponto é se deveríamos ou não anunciar todas as divisões de uma vez. Conheço pessoas que insistem em anunciar imediatamente essas divisões, antes de passarem a considerar o primeiro ponto. Assim decretava a antiga tradição. Você descobrirá que os puritanos faziam isso, que era a norma seguida por Spurgeon.

Minha tendência é rebelar-me contra essa tradição, apesar de minha admiração por seus praticantes. A razão para essa atitude é que sinto as pessoas se tornam mecânicas quanto a esse aspecto da pregação e tenho percebido que isso exerce um efeito adverso sobre a congregação. Não podemos reiterar muito frequentemente que, enquanto um homem está pregando, ele sempre está em uma batalha; e essa batalha ocorre entre o conteúdo e a forma do sermão. É claro que esses dois aspectos são importantes; este é o motivo da tensão entre elas. Embora eu já tenha salientado, com todo vigor possível, a importância da forma, com igual vigor quero afirmar o perigo de permitir que a forma domine o conteúdo. Procuro sempre evitar a prática de declarar todas as divisões no início da pregação, porque sinto que isso, com frequência, encoraja as pessoas a se interessarem em demasia pela forma, pela mecânica, pela habilidade da estrutura e não pela verdade que está sendo pregada.

Nesta altura, convém que você avalie o que tiver feito, retornando uma vez mais aos seus comentários. Você já terá consultado obras de auxílio quanto ao significado exato das palavras, do contexto, e assim por diante; mas, agora, deverá retornar a essas obras para avaliar a si mesmo em relação à mensagem e à maneira como a dividiu. Você deve fazer isso por causa de exatidão. Por conseguinte, até este ponto você preparou o esboço do sermão, certificando-se de que as divisões conduzem a um clímax e à aplicação do mesmo. De fato, esse é o propósito e a finalidade de toda a preparação de um sermão e de sua pregação.

Tudo isso pode ser realizado de duas maneiras. Existem aqueles que fazem tudo em sua própria mente, sem escrever qualquer coisa no papel. Quanto a mim, eu frisaria outra vez, com insistência, a importância de colocar na forma escrita esse esboço que você acabou de preparar. Acho que isto é melhor pois tenho descoberto que ajuda a estimular um pouco mais a própria mente do pregador. Sei que existem aqueles que são capazes de pensar "interiormente", conforme isso às vezes é descrito. Há diversas maneiras de pensar; e todos diferimos uns dos outros neste aspecto. Algumas pessoas pensam melhor quando estão falando; outras, quando estão escrevendo; também se tem dito que "o sal da terra" pensa interiormente. Pois bem, que você descubra a que grupo pertence; mas certifique-se de que não se enganou em sua avaliação. Talvez seja verdadeiro afirmar que a maioria de nós obtém mais proveito se escrever o seu "esboço". Tenho conhecido muitos homens que, ao lhes ocorrer uma boa ideia, visto terem-se entusiasmado por ela, pensaram terem-na guardado na memória, mas, por fim, terminaram descobrindo, no momento de pregar o sermão, que realmente não haviam guardado a ideia conforme imaginavam. Portanto, escreva tudo!

Havendo chegado a este ponto, você estará face a face com uma das mais importantes decisões. O que fará com o esboço que preparou? Duas possibilidades principais lhe estarão abertas: este esboço deveria ser escrito na íntegra ou não? De novo, parece-me que a única coisa equilibrada que pode ser dita é que não podemos estabelecer leis absolutas sobre este assunto; porque você descobrirá que suas regras não subsistirão ao teste da história da pregação. Charles Haddon Spurgeon, aquele notabilíssimo pregador, não escrevia na íntegra os seus sermões; ele somente preparava e usava um esboço. Ele não aprovava a escrita de sermões em geral. Escrevia artigos, o que fazia com grande frequência, mas não escrevia os seus sermões na íntegra. Por outro lado, o Dr. Thomas Chalmers, o grande líder da Igreja Livre da Escócia e notável pregador, descobriu que tinha de escrever na íntegra os seus sermões. Por diversas vezes, ele tentou ser um pregador extemporâneo, mas a cada tentativa sentiu que era um fracasso total; não conseguia fazê-lo. Portanto, tinha de escrever seus sermões do começo ao fim. O resultado é que isso se tornou e continua sendo uma tradição na Escócia até os nossos dias. Chalmers foi o homem que iniciou essa tradição. Antes dele houve grandes pregadores na Escócia que não escreviam os seus sermões e que foram excelentes pregadores extemporâneos. No entanto, Chalmers foi um homem ilustre e grande líder do Rompimento de 1843; assim, ele iniciou toda uma tradição. É assim que as coisas acontecem às vezes.

Jonathan Edwards é um personagem interessantíssimo neste aspecto. Até recentemente, sempre eu tivera a impressão de que Edwards escrevia na íntegra todos os seus sermões. É certo que nos seus primeiros dias ele costumava fazer isso; além disso, ele realmente lia, do púlpito, os seus sermões para as pessoas. Existe uma bem conhecida história a respeito de como ele permanecia em seu púlpito com uma vela numa das mãos e o manuscrito na outra; era assim que ele costumava pregar. Mas foi interessante o que descobri em 1967 — quando conheci os dois eruditos responsáveis pela republicação das obras de Jonathan Edwards, na biblioteca da Universidade de Yale; esses dois eruditos possuem todos os manuscritos de Jonathan Edwards. Sim, foi muito interessante saber que, com o passar dos anos, Edwards não continuou a escrever na íntegra os seus sermões, contentando-se apenas em rabiscar algumas poucas notas. É óbvio que ele variava o seu método na medida em que avançava e se desenvolvia no ministério. Quão sábio ele se mostrou quanto a isso, bem como em relação a muitas outras coisas!

Sempre é errado estabelecer regras absolutas nestas questões. Um vez mais, cada indivíduo precisa conhecer a si mesmo e decidir por conta própria. O que sempre considero importante é que cada um preserve a sua liberdade. Este elemento jamais pode ser levado ao exagero. No entanto, precisamos, ao mesmo tempo, ter ordem e coerência. Conforme observamos diversas vezes neste assunto da pregação, tendemos sempre a permanecer entre dois extremos; estamos sempre em um tipo de fio de navalha.

Todavia, quero fazer uma pergunta: o que há de errado em combinar ambos os métodos — o escrito e o extemporâneo? De muitas maneiras, essa combinação parece o método ideal; afirmo que eu mesmo agi assim nos dez primeiros anos de meu ministério. Naquela época, eu procurava escrever um sermão por semana; nunca tentei escrever dois. No entanto, durante os dez primeiros anos, sempre procurava escrever por extenso um dos meus sermões. Sentia que fazê-lo era uma boa disciplina, que contribuía para produzir pensamentos ordenados, um bom arranjo, sequência, desenvolvimento da argumentação, e assim por diante. Assim, meu costume era combinar ambos os métodos: o escrito e o extemporâneo. E estaria pronto para defender isto.

Se me perguntarem quais sermões eu escrevia, repito que costumava dividir o meu ministério, como ainda o faço, em edificação dos santos pela manhã e um sermão mais evangelístico à noite. Pois bem, minha prática era escrever o sermão evangelístico. Eu fazia isso por achar que, ao falar aos santos, os crentes, o pregador se sente mais à vontade. Neste caso, o pregador fala no âmbito da família. Noutras palavras, acredito que devemos ter um cuidado singular em nossos sermões evangelísticos. Esta é a razão por que é completamente errada a ideia de que um evangelista pode ser um homem meramente dotado de certa facilidade para falar e autoconfiança, para não dizer ousadia. Os maiores homens sempre deveriam ser os evangelistas, e geralmente tem sido assim. A ideia de que Fulano, Beltrano e

Sicrano podem ser colocados a falar numa esquina e de que devemos ter um grande pregador no púlpito da igreja — essa ideia, na minha opinião, é a reversão da ordem correta. Quando dirigimos a palavra ao mundo incrédulo, precisamos ser mais cuidadosos. Por esse motivo, costumava escrever os meus sermões evangelísticos, e não os outros sermões. No entanto, estou apenas sugerindo que não nos convém ser ultra-dogmáticos ou rígidos a este respeito. À medida que o tempo passou, adquiri maior experiência e escrevi menos frequentemente os sermões. Agora, não posso recordar quando escrevi um sermão. Entretanto, o fato importante é que cada pregador deve conhecer a si mesmo e mostrar-se sincero consigo mesmo, a fim de usar aquele que lhe parecer o método mais eficaz.

No obstante, quer alguém escreva na íntegra um sermão, quer o escreva em parte, quer pregue de maneira mais extemporânea, jamais deve pregar os seus "esqueletos". Estes "esqueletos" devem ser revestidos; precisam ser cobertos de carne. Voltamos, assim, à questão da forma do sermão. Um sermão não é uma simples coletânea de afirmações; ele tem qualidade, forma, totalidade. A única razão para isso é que o sermão é proveitoso aos ouvintes. Não é uma questão de "arte por amor à arte"; o sermão ajuda grandemente as pessoas que o ouvem. Podemos dizer isso desta maneira. Na construção de um edifício, a estrutura é essencial; mas, quando contemplamos o edifício terminado, já não vemos a estrutura, e sim o próprio edifício. Por dentro há uma estrutura; mas esta agora está recoberta, pois se acha ali somente para ajudar os construtores a erigir o edifício desejado.

Isto também ocorre com o corpo humano. Há o arcabouço, o esqueleto, que precisa estar revestido de carne, antes de tornar-se um organismo vivo. Isto é igualmente verdadeiro quanto a um sermão. Recordo que um jovem pregador, um homem capaz que se formou com distinção em Teologia, em Oxford, me contou como vinha pregando, em certo tempo, na presença de um velho pregador, um idoso mas excelente pregador. Este, depois de ouvir o jovem por três ou quatro vezes, lhe disse: "Você quer saber uma coisa? Você está trazendo para o mercado vacas de raça excelente, mas é lamentável que os ossos e esqueletos delas apareçam tanto. Não há bastante carne sobre elas. A pessoa que vai ao mercado comprar um animal não quer comprar um esqueleto; gosta de comprar animais bem alimentados e cobertos de carne! Ninguém compra ossos no açougue; todos querem carne". Exatamente da mesma maneira, nunca devemos apenas lançar fatos às pessoas, nem jogar pensamentos ou "esqueletos" diante delas; precisamos dedicar tempo para cobrir de carne esses "esqueletos".

Embora este seja o maior risco concernente à pregação extemporânea, voltemos agora a nossa atenção aos perigos vinculados à escrita de sermões. A razão para escrevê-los é que desejamos revestir de "carne os esqueletos"; mas logo surgem certos perigos e armadilhas. O primeiro é produzir um estilo demasiadamente requintado, prestando exagerada atenção à qualidade ou ao elemento literário. Este é um aspecto sobremodo interessante, do ponto de vista da história da pregação. Os pregadores cristãos parecem haver atravessado certas fases que dizem respeito a isso. Pensemos, por exemplo, sobre o que aconteceu no século XVII, um grande século em muitos aspectos. No começo daquele século, houveram os pregadores clássicos na Igreja da Inglaterra — o bispo Andrewes, o famoso Jeremy Taylor e, até certo ponto, John Donne. Esses homens foram considerados e aclamados como grandes pregadores; em muitos sentidos, eles realmente o eram. No entanto, parece-me, como parecia nitidamente aos puritanos naquele tempo, que eles penderam demais para certo extremo. Os sermões daqueles homens haviam-se transformado em obras de arte. Eram obras-primas literárias, perfeitamente constituídas, livremente recheadas de alusões e citações clássicas e literárias. No entanto, o resultado foi que o povo comum era mantido mais ou menos no estado de ignorância da verdade salvadora, das verdades autênticas das Escrituras e ia às reuniões apenas para desfrutar daqueles sermões bem elaborados e perfeitos. Ouvi-los era um banquete literário e estético.

Os puritanos desencadearam uma tremenda reação contra isso; e fizeram-no de maneira bastante deliberada. Eles sentiam que esses sermões perfeitos estavam "ocultando" a verdade, ao passo que o intuito de todo sermão consiste em "declarar" a verdade. E, uma vez mais, a forma havia triunfado sobre o conteúdo.

Talvez a melhor maneira de ressaltar vividamente esse ponto seja contar a história que envolve Thomas Goodwin, um dos mais eminentes puritanos. Thomas Goodwin era, por natureza, um homem eloquente; e, quando estudava na Universidade de Cambridge, tinha por hábito ouvir um famoso orador e eloquente pregador daquela universidade. Ora, Thomas Goodwin admirava tremendamente aquele homem; ele era o seu ideal como pregador. Por isso, Goodwin começou a moldar-se ao estilo e métodos daquele orador. No entanto, Thomas Goodwin experimentou profunda e notável transformação espiritual, que mudou toda a sua perspectiva e o afetou de maneira radical, conforme ocorre em toda conversão verdadeira (2 Co 5.17). Como resultado disso, Goodwin entrou em grande conflito consigo mesmo no tocante à sua pregação. Pouco depois de sua conversão, foi-lhe pedido que pregasse o sermão da universidade; e, obviamente, de maneira instintiva, ele começou a preparar-se e a escrever segundo os moldes clássicos que tanto havia admirado. Produziu um grande sermão, com admiráveis trechos requintados e embelezamento literário, que o despertaram e emocionaram à medida que escrevia. Mas, nesta ocasião, o Espírito de Deus e a própria consciência de Goodwin começaram a atuar no seu interior; e ele passou por uma luta terrível. O que devia fazer? Ele sabia que entre os ouvintes haveria não somente as pessoas cultas da universidade, mas também algumas pessoas comuns e, talvez, algumas criadas sem instrução, que costumavam frequentar tais reuniões. Thomas Goodwin reconheceu que lhe cumpria pregar tanto para essas criadas quanto para aquelas outras pessoas; ele sabia que aqueles trechos bem elaborados nada significariam para aquela gente simples; pelo contrário, seriam apenas um empecilho. Então, o que faria? Por fim, com o coração quase partido e a sangrar, retirou as porções requintadas de seu sermão e jamais se referiu a elas.

No interesse da verdade, no interesse da comunicação do evangelho, no interesse pela alma das pessoas, não há dúvida de que ele estava com toda a razão. A preocupação com a forma literária, se não for algo criteriosamente disciplinado, pode conduzir facilmente a um estilo primoroso e artificial, que pode arruinar a verdadeira pregação.

Certamente, há muitos sinais desta tendência em nossos dias. Lembro-me de ter lido, em 1943 ou 1944, um relato sobre o Rompimento de 1843, ocorrido na Igreja da Escócia. Ao comentar sobre o grande Thomas Chalmers, o autor arriscou-se a criticar a pregação de Chalmers. A crítica era que havia uma ausência quase lamentável de citações literárias e históricas nos sermões de Chalmers. Deste modo, uma pessoa insignificante, cujos esforços na pregação jamais foram ouvidos e que nunca conseguiu coisa alguma, aventurou-se a criticar um gigante. Mas, que motivos para críticas! Quanta ignorância sobre a verdadeira função da pregação!

Desejo expressar o problema em outras palavras. No início deste século, houve um bispo da Igreja Anglicana chamado Hensley Henson. Ele escreveu sua própria biografia em dois volumes, sob o título *A Diary of an Unimportant Life* (Diário de uma Vida Insignificante)! Lembro-me de que, em um dos volumes, ele narrou como, em certa ocasião, passou três semanas escrevendo um sermão que tinha de apresentar numa ocasião especial. Ele conta como labutou com o sermão, reescrevendo determinadas porções, alterando outras e fazendo diversos acréscimos — três semanas elaborando e polindo aquele sermão perfeito!

Sem dúvida, esta é uma prática difícil de ser conciliada com a pregação do evangelho, conforme a observamos nas Escrituras ou conforme a observamos na pregação que tem caracterizado os mais notáveis períodos da história da igreja.

De que modo esse refinamento de frases, esse escrever e reescrever sermões se relaciona com a verdade? Sim, deve haver forma, porém jamais devemos dar atenção excessiva a esse elemento. Poderíamos imaginar o apóstolo Paulo gastando três semanas na preparação de um sermão, aprimorando as frases, modificando uma palavra aqui e outra acolá, trocando um adjetivo ou acrescentando outra frase espirituosa? A ideia é totalmente inconcebível. Disse o apóstolo: "Não com sabedoria de palavra"; e: "Não... em linguagem persuasiva de sabedoria". Quão facilmente nos precipitamos de um extremo a outro! Por conseguinte, coloco a questão nestes termos gerais, dizendo que sempre devemos ter o cuidado de evitar um estilo excessivamente requintado. Talvez isso não constitua hoje um risco tão grande como o foi antigamente, porque também o povo não está tão interessado pela pregação como já esteve; mas tenho plena certeza de que essa atenção exagerada, centralizada no estilo literário e na forma perfeita do culto, observada no final do século XIX e no início do século XX, causou grande prejuízo à pregação e a toda a causa da pregação.

Isto nos leva ao assunto do emprego de citações. Novamente, esta pode ser uma questão difícil e complexa. Na época em que vivemos, o emprego de citações é um problema mais agudo do que o problema anterior. Isto se deve ao fato de que todos pensamos ser bem instruídos e de que nossas igrejas se constituem de pessoas bem educadas, portadoras de grande conhecimento. E a tentação é pensar que a prova da erudição é o número de citações utilizadas. Isto é particularmente verdadeiro, conforme você bem sabe, em referência a livros. Como podemos saber se um homem é erudito ou não? A resposta simples diz: "Pelo número de notas de rodapé". Se um livro não contém notas de rodapé e referências abundantes a outros escritores e citações extraídas de suas obras, seu autor não é um erudito, não é um pensador. É claro que tudo isto é simplesmente ridículo. Devemos interessar-nos pela qualidade da mente de um autor, na sua capacidade de pensar, na sua originalidade; e jamais no número de notas de rodapé. No entanto, esta é a tendência de nossa época. Contudo, quando essa tendência se transfere à pregação, ela se torna uma ameaça mortal. Nada pode militar mais do que isso contra a verdadeira pregação.

Por que digo isso? Uma das respostas é que o verdadeiro objetivo do uso de citações não deve ser a exibição de nossa erudição, nem o atrair a atenção para nós mesmos. Se este for caso, é aconselhável não usarmos nenhuma citação, porque seremos impelidos por um motivo completamente errado. Tenho na memória o presidente de certo seminário teológico que desfrutou de considerável prestígio como pregador popular, por alguns anos, na Grã-Bretanha. Certo dia, alguém lhe pediu que pregasse um sermão em um programa de rádio, dois meses depois. Imediatamente, ele dispôs a ler todo o *Oxford Book of Religious Verse* (Livro de Oxford de Versos Religiosos), e outras obras semelhantes. Com que finalidade? Encontrar alguma citação impressionante com a qual poderia iniciar seu sermão. E não somente fazia isso, mas também levava seus alunos favoritos a fazerem a mesma coisa; pedia-lhes que lessem obras poéticas, a fim de ajudá-lo. Disse-lhes qual o tema que exploraria, e eles tinham a incumbência de procurar alguma citação extraordinária que provesse um início cativante ao seu sermão. Um daqueles alunos contou-me essa história, naquela ocasião. Só pode haver um comentário a respeito desse comportamento — é a mais descarada deturpação. Também é um abuso do uso de citações. Por que isso é tão errado? Assevero que é errado porque a forma, neste caso, torna-se novamente mais importante do que o conteúdo do sermão. No entanto, espera-se que a forma seja subserviente ao conteúdo.

Nesta conexão, lembro-me de uma frase que me impressionou muito. Li um artigo no qual o autor traçava a distinção entre o que ele chamou de "Artifício do que é Artístico e a Inevitabilidade da Arte". Esta afirmação é perfeita. O que é artístico depende de artifícios; pode-se ver o homem a esforçar-se e a extenuar-se para produzir certa impressão. Mas o que caracteriza a obra de um artista, de um artista autêntico, por outro lado, sempre será aquele senso de "inevitabilidade" — pode-se sentir que as coisas não poderiam mesmo ser diferentes. Há algo artificial quanto ao outro lado; este é apenas um artifício; e sempre será característica do aviltador que busca produzir um efeito que contribua às suas próprias finalidades. Jamais nos devemos tornar culpados disso. Sempre devemos nos assegurar de que em nossos sermões existe essa qualidade da "inevitabilidade".

Não me cabe estabelecer regras sobre este aspecto, mas quero dizer que, no todo, é bom evitar o uso de livros de citações. O único emprego verdadeiramente legítimo de um livro de citações é avaliar a precisão daquilo que tomamos como citação exata ou ajudar a suprir alguma palavra ou palavras que estejam faltando na nossa citação. Esse tipo de livro existe a fim de poupar-nos tempo. Noutras palavras, não devemos buscar o índice de um livro de citações para acharmos uma citação. Pelo contrário, o que deveria acontecer é que, enquanto pensamos ou escrevemos, algo nos ocorre na memória, algo que lemos em algum lugar ou que aprendemos na escola. Para nos certificarmos de que citamos corretamente as palavras, bem como o seu autor, averiguamos os livros de citações. Porém, começar por um livro de citações é algo artificial e mecânico; e, seja como for, trata-se de uma maneira preguiçosa de realizar o trabalho.

Eu diria mais: não tente pensar em citações. Se o fizer, a mecânica do sermão se tornará novamente óbvia e proeminente no seu método. Em outras palavras, só utilize uma citação quando ela vier à sua mente e parecer inevitável. Ou, se preferir expressá-lo assim, empregue uma citação somente quando ela parece afirmar com perfeição aquilo que você está procurando transmitir; quando ela diz algo melhor do que você poderia expressar; quando ela diz algo de maneira quase perfeita.

Talvez você pense que estou dando excessiva importância a esta questão, mas posso assegurar-lhe que não é bem assim. Um número muito grande de citações, em um sermão, pode tornar-se cansativo para os ouvintes e, ocasionalmente, ridículo. Lembro-me de que certa vez conversei com um homem que era professor de poesia, em Oxford, além de ser um clérigo. Falamos sobre essa questão e sobre a maneira como ela se tornava ridícula. Contou-me ele que na semana anterior havia ouvido um sermão na Abadia de Westminster, em Londres. O pregador erudito apresentou grande número de citações (demonstrando sua leitura profunda!), quando, a certa altura do sermão, chegou a afirmar: "Conforme Evelyn Underhill nos lembrou recentemente: Deus é amor".

Nem precisamos comentar isso. Se tudo precisa ser dito na forma de citação, chegamos ao ponto em que a verdade é escondida, e o pregador se torna ridículo, aborrecendo os ouvintes.

Um sermão deve ser uma proclamação da verdade de Deus por meio do pregador. As pessoas não desejam ouvir inúmeras citações do que outras pessoas pensaram e disseram. Antes, elas vieram para ouvi-lo; você é o homem de Deus, você foi chamado ao ministério; você foi consagrado. Elas querem ouvir a grandiosa verdade fluindo por meio de você, por meio de todo o seu ser. Elas esperam que a mensagem tenha passado por seu pensamento, que seja parte de sua experiência; querem esse tom pessoal autêntico. Posso assegurar-lhe que, se os seus sermões não passam de uma série de citações, talvez algumas pessoas menos instruídas dirão: "Que homem erudito!" Mas outras pessoas, em especial algum pregador que esteja presente, perceberão exatamente o que você estiver fazendo. Mas o fenômeno invariável em tudo isso é que não haverá poder na pregação. Posso garantir isso. Nunca há poder em sermões que consistem de frases do tipo "conforme Fulano ou Sicrano disse" ou "Beltrano nos lembra que", e assim por diante. Essas declarações se enfileiram uma atrás da outra, e todos sentem que o bom homem permitiu que sua leitura substituísse seus próprios pensamentos.

Espera-se que os pregadores pensem por si mesmos; e tudo que você lê deve estimular-lhe os pensamentos e dar-lhe certa quantidade de informações.

A próxima advertência que oferecerei é que devemos ser cautelosos — especialmente quando estivermos escrevendo — quanto a raciocínios muito próximos uns dos outros. De modo geral, enfatizei, no começo de meu esboço original, a importância do raciocínio, do desenvolvimento e da sequência em um sermão. Todavia, não deve haver raciocínios muito próximos, refinados ou sutis. Isto se deve ao fato que um sermão visa a ser falado; e, quando estamos ouvindo, não conseguimos acompanhar argumentos muitos próximos e bem elaborados, como o fazemos quando estamos lendo. Por conseguinte, se você exagerar neste aspecto, impedirá as pessoas de apreenderem a verdade. Esta advertência aplica-se igualmente a sermões extemporâneos, mas creio que é um perigo mais específico no caso dos sermões escritos.

Portanto, encerro esta preleção dizendo: prepare-se, mas acautele-se do perigo do preparo excessivo. Isto é especialmente verdadeiro no que concerne aos sermões escritos. O perigo consiste em sermos demasiadamente perfeitos. Você tem o seu próprio ideal e sabe o que deseja fazer. Mas o perigo está em exagerar neste ponto, de modo que o sermão se torna um fim em si mesmo. Como evitar isso? Qual é o antídoto? É algo bem simples — lembre-se, do começo ao fim, que você está fazendo algo que visa ser apresentado ao povo, a todo tipo de pessoa. Você não está preparando um sermão para sábios ou mestres, e sim para uma congregação mista. A sua e a minha tarefa consiste em que ajudemos, de alguma maneira, todos que estiverem na congregação. Se não conseguirmos isso, falharemos. Portanto, evitemos toda abordagem ultra-acadêmica e teórica. Sejamos práticos. Lembremo-nos das pessoas: pregaremos para elas.

CAPÍTULO DOZE

ILUSTRAÇÕES, ELOQUÊNCIA, HUMOR

Considerando agora a pregação extemporânea, bem como a preparação necessária para ela, há pouco a ser dito. Neste caso, os perigos não são muitos; embora exista um ponto que eu gostaria de destacar, e faço isso como resultado de minha própria experiência. Trata-se do perigo que surge quando um homem tem o costume de escrever seus sermões e, por diversos motivos, resolve não mais fazê-lo e tornar-se um pregador extemporâneo. O maior perigo com que se defronta esse homem é o de contentar-se com uma preparação inadequada. Instintivamente, ele acha que, se não escrever na íntegra seus sermões, precisa apenas preparar um esboço simples ou um "esqueleto", deixando tudo nesse ponto. Mas o resultado disso pode ser desastroso no púlpito.

Quando nos ocorre algum pensamento, durante nossa leitura bíblica, e preparamos um esboço ou "esqueleto" apressado de um sermão, talvez pareça que transbordamos em ideias e sentimos que não haverá qualquer dificuldade em pregarmos aquele sermão. Infelizmente, porém, acabamos descobrindo, dias ou semanas mais tarde, que, ao pregarmos no púlpito com base naquele esboço, todas as ideias pareceram ter-nos abandonado, e pouco temos a dizer. Por mais que tentemos, não podemos recaptar aquilo que nos ocorreu e começamos a perguntar a nós mesmos como foi que chegamos àquelas divisões do sermão. Parecia-nos óbvio que antes tinham grande significado, mas, de alguma maneira, tudo desapareceu.

A maneira de lidar com este perigo talvez pareça perfeitamente óbvia, todavia, se você não tiver consciência do problema, terá de aprender por meio de dolorosa experiência, assim como ocorreu comigo. Você deve preparar os seus pontos, as divisões principais, contendo certo número de divisões secundárias ou subordinadas. Em outras palavras, você deve ter certeza de que possui material suficiente. As divisões principais poderão ser bem trabalhadas, desenvolvidas e ilustradas de diversas maneiras. Tenha o cuidado de escrever isso. Uma vez que já aconselhei a respeito do próprio esboço do sermão, enfatizo novamente a importância de escrevê-lo, para que você lembre, enquanto prega, aquilo que gostaria de dizer sobre essa divisão específica. A regra áurea consiste em não permitir que a preparação seja muito breve; desenvolva a sua mensagem nessas subdivisões da melhor maneira possível; assim, não lhe faltará material. Muitos pregadores têm confiado na inspiração que lhes ocorreu quando um texto lhes falou repentinamente ao coração e descobrem que tal inspiração não lhes ocorreu de novo quando estavam no púlpito. Eles caem na tolice e na tentação de imaginar que isso sempre acontecerá e que não há necessidade de preparação cuidadosa. Mas a experiência não tardará a livrá-los desse conceito errôneo.

Outro fator que atua nessa conexão talvez seja mais bem ilustrado se eu contar a história de um ministro que conheci no Sul do País de Gales. Essa história demonstra como há períodos de altos e baixos, fluxos e refluxos na experiência espiritual de um indivíduo. Bem, esse pregador passara por grande experiência no despertamento e avivamento espiritual no País de Gales, nos anos 1904 e 1905. Ele era um homem hábil e muito estudioso. O avivamento irrompeu quando ele era estudante; e isso lhe afetou muito, bem como a outros. De modo bastante regular, durante uma época de avivamento, é concedida às pessoas uma facilidade incomum de falar, orar e pregar. E o testemunho dos ministros do País de Gales, naquela época, é que tinham de dedicar pouco tempo à preparação. Tudo lhes parecia ser "dado"; tinha abundância de material. E da plenitude de seu coração e de sua alegria cristã, bem como de seu amor ao Senhor, falavam sem nenhuma dificuldade ou restrição.

Mas sempre surge um problema quando épocas dessa natureza chegam ao fim e o avivamento fenece. Então, muitos daqueles homens não percebem que passaram por uma fase excepcional e que, havendo retornado aos tempos comuns da vida da igreja, terão de esforçar-se mais para se prepararem. Já conheci um bom número de ministros que caíram nessa armadilha, por diferentes razões. Alguns deles têm chegado a pensar que preparar sermões é um pecado. Haviam gozado de grande liberdade e desenvoltura; por isso, quando tudo aquilo cessou, alguns deles caíram em sérias dificuldades espirituais e estiveram à beira do desequilíbrio mental, por sentirem que haviam entristecido ou abafado o Espírito. Outros sentiam-se culpados de algum pecado do qual não estavam ciente. Por que não sentiam mais aquela mesma facilidade e fluência que antes haviam desfrutado? Conheci vários homens nesta situação e tive de ajudá-los um pouco a saírem da depressão espiritual, que, em certos casos, chegou mesmo a cruzar a fronteira do espiritual para o mental e emocional.

Por não compreender isso, o homem sobre quem estou pensando em particular caiu em grave dificuldade. Naquele caso, o problema não era tanto o temor de haver "entristecido o Espírito", e sim que ele pensava contar com bases bíblicas para não preparar os seus sermões. Ele não teve de preparar-se durante a época do avivamento e, quando este terminou, sentia que tinha garantias espirituais para prosseguir nessa prática. Sua base bíblica era o trecho do Salmo 81, que diz: "Abre bem a boca, e ta encherei". Interpretava essas palavras como se elas ensinassem que um homem pode subir ao púlpito sem preparo anterior, porque o material de seu sermão lhe seria outorgado. O pobre sujeito praticava isso de modo literal; e o resultado foi que esvaziou os bancos de sua igreja, tornando-se quase inútil como pregador durante os cinquenta anos seguintes. A grande tragédia é que ele era um homem de grande espiritualidade, dotado de muitas habilidades.

Por conseguinte, se você não quer escrever na íntegra os seus sermões, não tropece em qualquer dessas armadilhas. Antes, prepare-se tanto quanto possível, para que na mente saiba o que deseja dizer, do princípio ao fim. Não posso enfatizar demais a importância dessa norma. Se minha própria experiência serve de ajuda ou possui algum valor, adianto-lhe que me inclino a fazer anotações cada vez mais completas, à medida que os anos passam, e não a fazê-las cada vez mais breves. É claro que há variações em todos estes assuntos.

Se por um lado existem esses dois métodos principais — o sermão escrito na íntegra e a preparação de notas para a pregação extemporânea —por outro lado também é verdade que há pessoas que empregam variações desses métodos; e não vejo nada errado nisso. Tenho conhecido homens que preferem escrever quase integralmente a introdução de seus sermões, bem como a sua conclusão. Entre essas duas partes, preferem depender de seus esboços ou anotações abreviadas. Muito pode ser dito em favor desse método, especialmente quando alguém está mudando de sermões escritos na íntegra para sermões extemporâneos. Esse método ajuda no processo de transição. Alguns preferem escrever a introdução de seus sermões, por haverem descoberto que, mesmo depois de haverem preparado o esboço de um sermão, ao subirem ao púlpito, começaram subitamente a tropeçar na introdução. Não podiam ganhar ímpeto na pregação, e isso os deixou tão abalados que o sermão inteiro foi prejudicado. A maneira de corrigir essa falha, neste período de transição, é escrever na íntegra a introdução dos sermões e, talvez, por igual modo, a conclusão.

Passamos agora a pensar sobre as várias questões que surgem durante a apresentação do sermão. Alguns homens lêem no púlpito os sermões, da primeira à última palavra. Não pretendo ser excessivamente dogmático, mas essa prática deve ser errada, deve ser prejudicial. Sei que poderia citar algumas instâncias notáveis, com base na história passada, de homens que assim agiram e foram notavelmente abençoados; entretanto, ninguém firma leis respaldado em exceções.

A pregação envolve, conforme vimos em preleção anterior, um contato direto entre o povo e o pregador, manifestando um inter-relacionamento de personalidade, mente e coração. Nisso há aquele elemento de "dar e receber". Portanto, convém que o pregador olhe o povo de frente; mas você não pode contemplar o povo e ler um manuscrito ao mesmo tempo. Ler um manuscrito atrapalhará tanto a você quanto ao povo. Você perderá a atenção e o interesse dos ouvintes; eles, por sua vez, perderão o interesse em você e naquilo que estiver dizendo. Sem dúvida, pregar consiste, por definição, em discursar ao povo de maneira pessoal e direta. Não é uma preleção teórica ou acadêmica; antes, subtende um contato vivo. Qualquer coisa que contribua para reduzir esses aspectos será ruim por si mesmo. Sei que alguns pregadores têm sido bem-sucedidos em ler seus sermões; porque há exceções para toda regra que podem ser estabelecidas quanto a este assunto; mas isso não afeta em nada a regra geral. Existem outros que, embora não leiam seus sermões, costumam olhar para as janelas do templo, enquanto pregam à congregação. Este hábito não é melhor do que aquele. Mas já conheci homens que davam a impressão de achar que esse procedimento é altamente espiritual — eram grandes místicos a contemplar alguma dimensão invisível!

Quero apressar-me a dizer-lhes que considero prejudicial aquilo que muitos outros pregadores fazem, ou seja, memorizam os sermões que escreveram. Talvez isso não seja completamente mau, porém chega bem perto disso. É um pouco melhor do que não escrever nada, porque, enquanto alguém recita ou repete o que memorizou, pode olhar para as pessoas. Você escreve um sermão; em seguida, o lê por certo número de vezes; e, se possuir boa memória, pode facilmente decorar a maior parte do sermão. Já conheci muitos pregadores capazes de fazer isso. Porém, embora eu concorde que esse é um método superior, não gosto dele. E a minha principal razão para isso é que tal método escraviza o pregador, interferindo com o elemento da liberdade. Pois, enquanto alguém recita ou repete textos memorizados, não está, de fato, mantendo contato com as pessoas. Antes, se concentra naquilo que memorizou e que agora se esforça por lembrar; e, na mesma proporção, esse método se interpõe entre o pregador e as pessoas a quem ele dirige a palavra. O elemento de inter-relação é abrandado, e o elemento mecânico, ressaltado. Esta é uma questão muito difícil, e muitos pregadores têm sido forçados a experimentar e mudar seu procedimento, vez por outra.

Sempre gosto de pensar que uma distinção que pode ser traçada no campo da oratória secular — discurso político por exemplo — tem validade também no campo da pregação. Existe certa diferença entre a retórica e a oratória, não é? Qual é esta diferença? É exatamente a diferença que estou enfatizando. O retórico sente-se preso à sua preparação, porque recita algo que preparou com extremo cuidado. O mais notável exemplo de um bom retórico, em anos recentes, foi o falecido Sir Winston Churchill. Com frequência, ele tem sido chamado de orador, mas, na realidade, ele era mesmo um retórico. O pai dele, Lord Randolph, foi um orador; mas Sir Winston nunca o foi. Quando era jovem, ele costumava escrever cada palavra de seus discursos, para em seguida memorizá-los e declamá-los. Mais tarde, ele criou o hábito de lê-los; porém, quando era mais jovem, costumava recitar o que aprendera de cor. O fato de que esse modo de proceder obstrui o contato vital e o inter-relacionamento que deve haver entre orador e ouvintes pode ser ilustrado no caso dele. Os seus oponentes, sabendo que ele estava recitando e realizando um feito da memória, procuravam interrompê-lo. Isso o desnorteava por um momento e o obrigava a retroceder várias frases, em seu discurso, recitando-as novamente, antes de prosseguir. Noutras palavras, visto que ele era um retórico, estava amarrado. O orador, por sua vez, sempre se sente livre e deve muito à sua audiência. Neste caso, há sempre um inter-relacionamento vivo — sempre ocorre uma transação real.

Tudo isso, por semelhante modo, é verdadeiro no campo da pregação. O pregador deve ser um orador, e não um retórico. Sempre haverá a perda de algo na memorização e recitação de um sermão.

Outro artifício que os homens adotam com frequência e que, conforme penso, pode ser dito a seu favor, é preparar muitas notas do sermão escrito. Em vez de decorá-lo, você pode fazer observações a respeito dele. Depois de escrevê-lo e, como resultado, ter na própria mente o âmago do sermão, faça apenas anotações a respeito do sermão e pregue fundamentado nessas anotações. Isso garantirá maior liberdade do que os dois métodos anteriores. Isto é particularmente bom para um homem que se acha naquele estágio de transição do sermão escrito para a pregação extemporânea. O grande elemento é a liberdade. Não posso enfatizar demais isso. É a própria essência do ato de pregar — esta liberdade em nossa mente e em nosso espírito; este ser livre para as influências do Espírito sobre nós.

Se cremos no Espírito Santo, devemos crer que Ele está agindo poderosamente, enquanto nos ocupamos desta obra solene e maravilhosa. Por conseguinte, devemos estar abertos às influências do Espírito.

Como é natural, isso nos leva a certo número de possíveis consequências Isso pode significar que nosso estilo não é assim tão perfeito; e, de fato, do ponto de vista estritamente literário, pode ser um péssimo estilo. No entanto, estaremos em boa companhia. Os pedantes sempre criticaram o apóstolo Paulo por causa dos seus *anacolutos*. Eles ressaltavam como Paulo por várias vezes iniciou uma frase e, em seguida, deixava-se arrebatar de tal modo por seu tema, que não a terminava. Isto é liberdade, liberdade no Espírito. Talvez Paulo não teria feito bem diante de uma banca examinadora, mas o Espírito Santo o usou. Não estou sugerindo que você não deve terminar as suas frases; mas estou sugerindo que deve ser livre. Assim, quando o Espírito se apropriar de você e o estiver conduzindo, deixe-se levar. Não se deixe prender, permita-Lhe usá-lo.

Não fique desanimado com tudo isso. Jamais houve um pregador que não aprendeu por meio de experiência. Não desanime. Se, no princípio, você achar que não pode pregar sem escrever na íntegra o seu sermão, escreva-o na íntegra. Mas experimente a maneira como tenho sugerido. Escreva um dos sermões, e não o outro; experimente essas diversas mudanças e variações. Acima de tudo, não fique impaciente consigo mesmo. Não se deixe abater em demasia, se tiver algum culto muito deficiente, nem diga que nunca mais subirá a um púlpito sem estar munido de um sermão escrito na íntegra. Isto é a voz do diabo. Não lhe dê atenção; prossiga, até chegar ao ponto em que tenha a certeza de que se sente livre. Não quero dar excessivo valor a isso, mas existe um perigo bem real de colocarmos a nossa fé em nosso sermão, e não no Espírito. Ora, a nossa fé não deve fundamentar-se em um sermão, e sim no próprio Espírito Santo. Portanto, tenhamos certeza de contar com liberdade em primeiro e último lugar e a todos os momentos; e entremos em contato com as pessoas.

Chegamos agora a certas questões comuns a ambas estas maneiras de pregar, ou seja, sermões escritos ou pregações extemporâneas. Abordo-as neste ponto porque, com frequência, as pessoas têm-me interrogado a respeito delas, fazendo comentários e críticas sobre elas. Refiro-me ao problema do uso de histórias e ilustrações. Temos de gastar tempo com este assunto. Suponho que já sabemos fazer clara distinção entre o uso de uma ilustração e a espiritualização de uma parte das Escrituras. Não advogo aqui uma falsa e errônea espiritualização das Escrituras; também não devo entrar nos mínimos detalhes, por não estar apresentando uma preleção sobre homilética. Mas quero deixar claro que existe uma diferença entre a espiritualização de um incidente do Antigo Testamento e o uso deste mesmo incidente como ilustração. A diferença consiste no seguinte: temos de deixar evidente para os ouvintes aquilo que estamos fazendo. Temos de esclarecer que estamos dizendo o seguinte: assim como o acontecimento mencionado se realizou, de fato, no âmbito da história, assim também o mesmo princípio pode ser (e talvez seja) encontrado no âmbito espiritual.

Deixe-me exemplificar. Em certa ocasião, quando eu dava palestras sobre avivamentos, mencionei a história de Isaque cavando novamente "os poços que se cavaram nos dias de Abraão, seu pai", e que os filisteus haviam entulhado depois da morte de Abraão. Algumas pessoas pensaram que, ao fazer isso, eu estava espiritualizando aquele acontecimento do Antigo Testamento. Pensaram isso por não terem percebido a diferença entre usar uma narrativa como ilustração e espiritualizá-la. Se eu tivesse espiritualizado o acontecimento, teria dito que Isaque estava fazendo algo de natureza espiritual naquela ocasião. Mas eu fiz questão de enfatizar que estava apenas usando aquela história como ilustração, além de frisar que a atitude de Isaque em prover água — a água é essencial à vida e ao bem-estar do organismo físico — nos fornece um quadro simbólico de um princípio de grande valor no campo espiritual, em conexão com os avivamentos. Eu não estava dizendo que Isaque havia feito algo de natureza espiritual; apenas mostrava que, assim como ele não perdeu tempo enviando pesquisadores para descobrir um novo suprimento de água, mas apenas cavou novamente o antigo poço, por saber que ali havia água, assim também parecia-me a essência da sabedoria, no terreno espiritual, em tempos de dificuldade e aridez espiritual, é não desperdiçar o nosso tempo à procura de um novo "evangelho", e sim voltar ao livro de Atos dos Apóstolos e a cada período de avivamento na história da igreja. Ora, isso não é espiritualizar um acontecimento antigo. Eu poderia ter procurado minhas ilustrações ou minhas histórias na ficção ou na história secular. Mas, naquela ocasião, preferi usar como ilustração um acontecimento do Antigo Testamento. Isso não é espiritualizar, porque eu não estava dizendo que a atitude de Isaque produziu um avivamento. No entanto, é importante que esclareçamos bem aquilo que estamos fazendo. Nossa congregação geralmente compreenderá isso com bastante facilidade; só os "sábios" e pedantes talvez compreenderão as coisas de maneira errada!

Retornando à questão de histórias e ilustrações em geral, o que me parece realmente mau é aquele tipo de coisa sugerida por certo livro intitulado *The Craft of Sermon Illustration* (A Técnica de Ilustração de Sermões). Para mim, esse tipo de coisa é uma abominação. Neste campo, não há lugar para "a técnica". Isso é, uma vez mais, deturpação. Conheci um pregador que sempre trazia no bolso uma caderneta, e, quando ele ouvia uma boa história, sempre pegava a caderneta fazia anotações sobre a história ouvida. Então, ao regressar ao lar, escrevia na íntegra a história; e colocava a história escrita em certo fichário, em um arquivo. Aqui seria uma boa ilustração para determinado tema. Por conseguinte, ele vivia sempre a coligir histórias, dividindo-as e classificando-as em diversas categorias, e separando-as no seu fichário. Então, chegada a hora de preparar um sermão a respeito de um tema qualquer, ele abria o fichário e escolhia as histórias que desejava. Ele também exortava a outros a que fizessem o mesmo.

Para mim, esse tipo de coisa não é somente profissionalismo, em seu pior ângulo, mas, conforme venho dizendo, é a arte do engodo, porque dá excessiva atenção e se preocupa muito em encantar o povo. E o pior acontece quando os pregadores repetem as histórias e ilustrações utilizadas por outros pregadores, sem o reconhecimento da fonte; e ainda pior é comprarem livros de sermões principalmente para achar essas histórias.

Por que me oponho a isso? Porque sinto que essa prática faz as histórias e ilustrações se tornarem uma finalidade em si mesmas. O uso excessivo de histórias e ilustrações também satisfaz a carnalidade das pessoas que as ouvem. Tenho observado isso com frequência. Lembro-me de que, em certa ocasião, preguei num lugar e um ministro que ali estava chegou-se a mim, no fim do culto, e disse: "Muito obrigado por seu sermão. Mas o senhor não nos deu nenhuma ilustração". Aquilo me fez pensar, e perguntei a mim mesmo: "Esse homem estava escutando para ouvir o quê?" Na ocasião anterior em que ele me ouvira (eu me lembrava daquela ocasião), eu havia usado mais ilustrações do que normalmente faço. Ali, porém, ao que me parecia, estava um homem que viera para ouvir não tanto a verdade, mas as ilustrações. Isto não é uma séria perversão?

As histórias e ilustrações têm o propósito exclusivo de esclarecer a verdade, e não o de atrair a atenção para si mesmas. Todo este assunto de ilustrações e de histórias contadas tem sido uma maldição durante os últimos cem anos. Acredito que esse é um dos fatores que explicam o declínio na pregação, porque tem ajudado as pessoas a acreditarem que a pregação é uma arte, uma finalidade em si mesma. Indubitavelmente, há muitos que preparam um sermão apenas para usarem alguma ilustração excelente que lhes ocorreu ou que leram em algum lugar. A ilustração, para eles, se tornou o fator essencial; em seguida, procuram algum texto bíblico que cubra aquele tipo de episódio. Noutras palavras, o cerne do assunto é a própria ilustração. Mas essa é uma ordem distorcida. A ilustração tem o desígnio de ilustrar a verdade, e não de revelar a si mesma, nem de chamar a atenção para si mesma. Antes, deve ser um meio para guiar e ajudar as pessoas a perceberem, de modo ainda mais evidente, o princípio que o pregador está enunciando e proclamando. Portanto, a regra sempre deve ser que a verdade ocupe lugar de preeminência e que lhe demos a posição primordial. As ilustrações devem ser usadas com critério, esparsamente, para atingir o seu desígnio.

Nossa tarefa não consiste em entreter o povo. As pessoas gostam de histórias, apreciam ilustrações. Nunca compreendi por que isso acontece, mas as pessoas parecem gostar dos ministros que sempre falam sobre suas próprias famílias. No entanto, sempre acho isso enfadonho e não posso entender o pregador que se compraz em agir assim. Sem dúvida, nessa atitude há grande dose de presunção. Por que as pessoas se interessariam mais pelos filhos do pregador do que pelos filhos de outras pessoas? Elas têm seus próprios filhos e poderiam multiplicar com facilidade essas histórias. O argumento em favor dessa prática é que ela introduz um certo "toque pessoal". Lembro-me de um cidadão londrino que me disse jamais deixar de ouvir certo pregador, todas as vezes que este ia a Londres. Este pregador costumava vir do interior à capital uma ou duas vezes por ano. Encontrei-me com aquele homem certo dia, e ele me disse: "Ouvi o Dr. Fulano no domingo passado. O que há de formidável nele é que sempre nos revela sua vida íntima!" Eu não tive certeza se ele estava sugerindo que eu fizesse a mesma coisa!

Certas pessoas gostam de coisas desse tipo. E os pregadores fazem exatamente isso. E podemos notar claramente como isso satisfaz aquilo que é mais vil e desprezível em muitos membros de uma igreja. É pura carnalidade, uma espécie de concupiscência e desejo de saber detalhes da vida das pessoas. Um pregador deve subir ao púlpito para anunciar e proclamar a própria verdade. Isto é o que deve receber preeminência, e todas as outras coisas devem contribuir para essa finalidade. As ilustrações são servas, e você precisa usá-las esparsa e criteriosamente.

Como resultado de ouvir pregadores durante muitos anos, de haver eu mesmo pregado, discutido e considerado esses assuntos com frequência, estou preparado para atrever-me a dizer que o uso excessivo de ilustrações, num sermão, é uma medida ineficaz. Fazer isso sempre significa diminuir a tensão. Existe aquele tipo de pregador que, após ter proferido as suas primeiras palavras, afirma: "Lembro-me de..." — e lá vem outra história. Em seguida, após mais algumas observações, ouve-se: "Lembro-me de...". Ora, isso significa que o tema, o âmago e ponto de enfoque da verdade estão sendo constantemente submetidos a interrupções. É como um trecho musical em "staccato"; e, no fim, temos a impressão de que ouvimos uma espécie de orador pós-jantar, uma espécie de entretenedor, e não um homem que proclama uma verdade grandiosa e gloriosa. Se tais pregadores se tornam populares, e isso ocorre com frequência, eles são populares somente no mau sentido, porque não passam de entretenedores populares.

A única outra coisa que digo acerca de histórias e ilustrações é que, ao usá-las, tenha certeza dos fatos. Recordo-me da ocasião em que, sendo ainda jovem médico, ouvi um sermão no qual havia uma ilustração que o pregador desdobrou por longo tempo. O ponto por ele ressaltado era a loucura do pecador em não prestar atenção às primeiras advertências de sua consciência, etc. Isso foi ilustrado de maneira exageradamente elaborada, por meio da história de uma mulher que ele havia sepultado na semana anterior. Ela sofria de câncer em um dos seios; mas, quando consultou um médico, os nódulos secundários já se tinham propagado até à coluna vertebral e outras partes de seu corpo. Agora era tarde demais para a cura. O que havia de errado com aquela mulher? "Bem", acrescentou o pregador, "a tragédia daquela mulher foi que ela não deu atenção à primeira pontada de dor". Para mim, que era médico, ouvir tal coisa era ridículo. Pois a dificuldade nesse tipo de câncer é que ele não provoca qualquer dor, até haver atingido um estágio avançado; pois geralmente cresce de maneira insidiosa e calma. A dificuldade daquela pobre mulher não era que ela havia ignorado a dor, e sim provavelmente que tinha ignorado alguma protuberância, que talvez ela poderia ter apalpado. A grandiosa ilustração foi arruinada, pelo menos no que diz respeito a mim, porque o pregador não se havia inteirado dos fatos que resolveu usar.

Com frequência, podemos cair em erros desse tipo, se usarmos ilustrações retiradas do mundo científico e não tivermos plena certeza daquilo que falamos a respeito dos fatos. Tenha cuidado ao penetrar em terrenos do conhecimento humano sobre os quais você não está bem informado. Talvez você tenha lido algo a respeito em um breve artigo ou um jornal; por essa razão, pensa que sabe tudo sobre aquele assunto em particular e se aventura a usá-lo como ilustração. Não é incomum que o próprio sujeito que escreveu o artigo também não saiba muita coisa sobre o assunto; ele era mais um jornalista do que um cientista. E você fará pior do que ele. Assim, uma pessoa dotada de conhecimento científico que, porventura, o esteja ouvindo começará a duvidar da verdade que você está anunciando. Tal pessoa sentirá que você não é criterioso no que diz; achará que, se você costuma manusear as Escrituras do mesmo modo como manuseia aquilo que ele conhece bem, ele não se inclinará muito a ouvir com atenção o que você tem a dizer. Por conseguinte, tenha muito cuidado com os fatos, se você se aventurar a usá-los neste campo das histórias e ilustrações.

Nesta altura, precisamos fazer algumas considerações sobre o lugar da imaginação nos sermões e na pregação. Naturalmente, este assunto está vinculado ao anterior, embora seja diferente. A minha impressão é que hoje não há tanto perigo no que diz respeito a usar a imaginação na pregação, como havia antigamente. Todos temos nos tornado tão científicos, que há pouco espaço para a imaginação. Para mim, isto é deveras lamentável, porque a imaginação é importantíssima e bastante proveitosa na pregação. Mas estou disposto a concordar que ela pode ser perigosa. Contudo, não esqueçamos que a imaginação é um dom de Deus. Não haveria muitos poetas, se não houvesse o dom da imaginação. E, se você acredita que deve conquistar para o Senhor Jesus Cristo todos os tipos de cultura, não despreze a imaginação.

Por que a imaginação deveria ser utilizada somente por aqueles que não são crentes? Não, a imaginação tem um lugar real na pregação da verdade, porque a imaginação torna a verdade alegre e vigorosa. É claro que podemos exagerar nesse particular, e neste caso ela se torna perigosa. Mas é evidente que, neste campo, qualquer coisa pode tornar-se perigosa, conforme já averiguamos. No entanto, o uso da imaginação envolve perigos particularmente grandes. Na minha opinião, esse sempre foi um dos maiores problemas em conexão com a pregação, talvez em parte devido à minha nacionalidade! Qual é o papel da nacionalidade na prática da pregação; e, de fato, o lugar da nacionalidade e do temperamento na vida cristã como um todo; e, finalmente, o lugar da nacionalidade e do temperamento na teologia? Quão facilmente poderíamos divagar neste ponto.

Não importando qual seja o verdadeiro motivo por que a nacionalidade tem sido um grande problema para mim, estou perfeitamente certo da essência do problema. O perigo é que a imaginação tende a enganar-nos e atravessar facilmente a fronteira daquilo que é útil, chegando novamente àquele exagero de chamar atenção para si mesma; assim, teremos perdido o contato com a verdade que causou tal imaginação. No fim, será apenas imaginação. E as pessoas são mais influenciadas pelas afirmações que você tiver feito com base em sua imaginação do que pela verdade.

Não é difícil encontrar exemplos notáveis na história. George Whitefield era dotado de grande e excepcional imaginação. Incidentalmente, parece perfeitamente claro por meio da leitura da história da pregação e das biografias dos pregadores, que os grandes pregadores sempre foram homens dotados de profunda imaginação. Isso fazia parte do seu dom de oratória e do seu poder de influenciar pessoas, dons esses que foram dados por Deus. Whitefield empregava livremente a sua imaginação, e penso que às vezes ela escapulia de seu controle.

Consideremos aquela famosa ocasião em que Whitefield pregava certo dia na casa da Condessa de Huntingdon, em Londres, a um auditório distinto, entre os quais se achava o famoso Lord Chesterfield. Chesterfield era um incrédulo que se interessava por pessoas notáveis e, particularmente, por uma boa oratória. Fora persuadido a ouvir Whitefield. Naquela oportunidade, o pregador estava usando sua famosa ilustração de um cego que caminhava ao longo da beira de um precipício, com sua bengala e o seu cão. A princípio, o cego caminhava a boa distância da beira do precipício, mas se aproximava cada vez mais. Embaixo havia uma queda terrível, que significaria morte certa. Whitefield ilustrava a maneira pela qual o pecador prossegue e se aproxima cada vez mais do terrível abismo do Julgamento Final e da perdição eterna. A despeito de todas as advertências, o pecador prossegue exatamente como aquele pobre cego, que perdera a bengala e cujo cão fugira, mas que continuava andando e se aproximava cada vez mais da beira do precipício. Whitefield vinha elaborando e pintando esse quadro em cores vívidas por algum tempo, de maneira dramática e imaginativa. O efeito foi tão poderoso que, em dado momento, Lord Chesterfield saltou da cadeira, gritando: "Misericórdia! o pobre cego se foi!" O que podemos dizer sobre esse episódio? Whitefield teria ultrapassado os limites? O que influenciou Chesterfield? É neste ponto que o problema se origina.

Permita-me contar outra história autêntica. Houve um pregador no País de Gales, no fim do século XVIII e começo do século XIX, chamado Robert Roberts. Ele também possuía esse dom da imaginação — mais intensamente do que Whitefield. Certo dia, ele pregava em um templo repleto de ouvintes. E, novamente, abordava esse mesmo tema do pecador que não atenta aos avisos — preferindo os prazeres e ignorando as exortações concernentes ao juízo vindouro. Para reforçar esse ponto, Roberts empregou uma ilustração vívida. Algumas pessoas que passavam uma temporada no litoral tinham resolvido ir à praia. Havia rochas que adentravam o mar — uma espécie de promontório que se projetava à boa distância. A maré estava baixa; por isso, algumas pessoas tinham caminhado até à extremidade do promontório. Chegando ali, deitaram-se de bruços, aquecendo-se ao sol. Estavam se deleitando grandemente, dormindo, lendo e fazendo coisas semelhantes. No entanto, não perceberam que a maré alta teve início e que o mar retornava lentamente. Não deram atenção ao que acontecia. A maré continuava a lamber as rochas em ambos os lados do promontório e circundavam pouco a pouco aquelas pessoas, ilhando-as.

O pregador desenvolveu vividamente o tema, até que chegou ao ponto em que as pessoas "caíram em si" e perceberam a terrível sorte que as aguardava. Restava-lhes apenas tempo suficiente para voltarem à praia e atenderem às vozes de advertência dos que lhes gritavam de lá. Roberts desenvolveu de tal modo a sua ilustração, com sua poderosa imaginação, que, ao usar sua voz igualmente poderosa para representar os gritos de advertência e as súplicas das pessoas na beira da praia, para que os outros escapassem sem demora do promontório e salvassem sua vida, conforme está registrado, toda a congregação de ouvintes se levantou e, literalmente, correu para fora do templo!

Isso não pode ser explicado em termos do temperamento dos galeses e da ignorância do povo naquela época. Esse tipo de influência costumava ocorrer frequentemente em reuniões ao ar-livre, nos Estados Unidos e na Inglaterra, exatamente na mesma época e até depois. A mesma coisa pode ser verificada no ministério de Charles G. Finney. Ali, uma vez mais, estava um homem dotado de personalidade poderosíssima e de grande imaginação. Acredito que isso explica o que aconteceu a muitos de seus supostos convertidos.

A minha atitude para com tudo isto é que, neste ponto, certamente ultrapassamos o limite que divide o uso legítimo do uso errado da imaginação. O que afetava as pessoas que descrevi nesses episódios não era a verdade; a influência foi o delineamento vívido de uma cena, foi a poderosa e, talvez, fértil imaginação do pregador. O mesmo resultado pode ser obtido por meio de filmes ou peças teatrais. Talvez você conheça a história de uma dama que foi a um teatro de Londres, ver uma peça, em uma noite de inverno. Tudo aconteceu nos dias antigos em que ainda não havia veículos motorizados. O cocheiro a conduziu ao teatro na carruagem dela mesma, e, enquanto ela apreciava a peça teatral por duas horas e meia, o cocheiro ficou sentado em sua banqueta, ao mesmo tempo em que o cavalo continuava atrelado à carruagem. No interior do teatro, aquela dama estivera chorando, profundamente comovida, ante o sofrimento de algumas pessoas pobres que eram personagens da peça. Porém, quando saiu do teatro e encontrou seu pobre cocheiro coberto de neve e quase morrendo de frio, ela não se deixou comover, de maneira alguma; antes, considerou tudo como parte natural da rotina da vida que ela levava. É isso. O que nos comove? Tudo que estou procurando dizer é que a nossa tarefa consiste em certificar-nos de que os nossos ouvintes se deixam abalar pela verdade e não pela força da nossa imaginação.

Assim como ocorre em outros assuntos, o uso da imaginação pode tornar-se bastante ridículo e digno de zombarias. Quando ouvimos um pregador que talvez não possui grande inteligência, mas é dotado de boa imaginação, essa questão pode tornar-se bastante divertida. Lembro-me de ter ouvido um pregador idoso — e isto aconteceu, literalmente — que pregava sobre a Parábola do Filho Pródigo. Os detalhes que Escrituras fornecem sobre a Parábola, não eram suficientes para aquele pregador; ele sentia que tinha de fazer acréscimos. Sua imaginação começou a funcionar e, eventualmente, atingiu o ridículo, quando chegou a descrever as condições do filho pródigo insensato, naquele país longínquo, durante o período de fome, pouco antes de cair em si. O pregador frisou que o dinheiro do jovem acabara, que todo o alimento fora consumido e que agora ele tinha de depender das alfarrobas dadas aos porcos. Mas até o suprimento de alfarrobas começava a acabar e, eventualmente, acabou. E não somente o infeliz filho pródigo estava faminto e desesperado, mas os próprios porcos estavam desesperados de fome. "Ali estavam eles", disse o pregador, "e aquela fome terrível deixara os suínos tão frenéticos, que já começavam a ruminar na beira das calças do pobre rapaz!"

Nessa altura, a verdade fora inteiramente esquecida, e nos encontrávamos no terreno da fantasia, para não dizer da comédia. Ali estava um homem que se deixara arrebatar pela sua imaginação e se afastara para longe do que é razoável. Jamais devemos permitir que isso aconteça. Sempre devemos nos certificar de que tudo que possuímos, na forma de dons e habilidades, está subordinado à verdade. Espero retornar a este aspecto, porque acredito que este é um dos conflitos mais acirrados que todo pregador verdadeiro tem de enfrentar. Onde podemos estabelecer a linha divisória? Minha sugestão é que o pregador sempre é capaz de reconhecer quando está se deleitando em sua história ou imaginação, em vez de concentrar a atenção naquilo que pretende ilustrar. No momento em que um pregador chega a esse ponto, chegou o momento de parar; porque não estamos interessados somente em influenciar as pessoas ou levá-las a agir; o nosso desejo tem de ser que a verdade as influencie as leve a agir.

No que tange ao próximo assunto — ou seja, o lugar que cabe à eloquência ou à oratória na pregação— tenho quase a mesma coisa a dizer. Por enquanto, preciso dizer apenas que este assunto pode ser valiosíssimo; e realmente o foi no caso dos homens que citei e de muitos outros que eu poderia citar. No entanto, existe o grande perigo de ultrapassarmos os limites da eloquência e nos interessarmos na eloquência por si mesma, tornando-nos mais interessados na maneira de expressar o que estamos dizendo do que na própria verdade; estando mais interessados no efeito que produzimos do que na alma das pessoas a quem nos dirigimos. Em última análise, é claro que isso pode se tornar uma questão de orgulho pessoal.

Há uma regra concernente a esta questão? A única regra que estabeleço é que nenhum homem deve tentar ser eloquente. Não hesito em dizer isso quando falo a respeito de pregadores. Talvez os estadistas e outros profissionais tenham o direito de tentar ser eloquentes. Estabeleceria como regra que um pregador jamais deve tentar ser eloquente; mas, se ele percebe que está se tornando eloquente, isso se revestirá de grande valor e pode ser usado por Deus. Poderia me referir novamente aos arroubos de eloquência do grande apóstolo Paulo, em suas epístolas. Ele nunca se predispôs a produzir qualquer obra-prima literária; nem mesmo se preocupava com a forma literária. Paulo não foi um literato. Mas, quando a verdade se apossava de Paulo, ele se tornava poderosamente eloquente. Ele nos revela o que os crentes de Corinto diziam a seu respeito: ele possuía uma "palavra desprezível". Isto significava que ele não imitava as maneiras dos grandes retóricos gregos; mas não significava que ele não podia ser eloquente. No entanto, isso nos mostra que a eloquência de Paulo sempre era espontânea e inevitável — jamais produzida, jamais fingida, jamais feita sob encomenda. Tornava-se inevitável por causa da grandiosidade da verdade e dos conceitos que se abriam diante de seu intelecto. Quando a eloquência é produzida dessa maneira, assevero que ela se torna uma das mais proveitosas servas da pregação autêntica. A história da pregação demonstra isso abundantemente.

Consideremos nesta altura outro ponto naquela lista de várias coisas que um homem precisa levar em conta em um sermão escrito ou extemporâneo, ou seja, o papel do humor na pregação. Essa é uma outra questão muito difícil. O que torna todas essas coisas tão difíceis é que todas elas são dons naturais; e a questão que surge é o uso ou o lugar dos dons naturais na grandiosa obra da pregação.

A história da pregação e dos pregadores demonstra que tem havido grandes variações nesse particular. No caso do notabilíssimo pregador Charles Spurgeon, houve grande medida de humor — alguns de nós diríamos que houve humor exagerado. Você já deve ter ouvido falar sobre a senhora que o procurou para queixar-se desse elemento de humor em seus sermões. Ela o admirava profundamente e obtinha muito proveito de suas pregações. No entanto, sentia que havia humor demais em seus sermões e queixou-se disso para ele. Spurgeon era bastante humilde e respondeu-lhe: "Bem, senhora, é possível que a senhora esteja com a razão; mas, se soubesse o número de piadas que eu não conto e o número de coisas que me refreio de dizer, me daria mais crédito do que me está dando". Ora, acredito que isso expressava uma verdade. Por natureza, ele era um homem de muito bom humor, e isso borbulhava naturalmente de seus lábios.

Consideremos, porém, Whitefield, que Spurgeon tinha como modelo — Whitefield jamais demonstrou esse humor. Antes, mostrava-se sempre tremendamente sério. No século XVIII, no qual Whitefield viveu, havia outros pregadores, como John Berridge, de Everton, na Inglaterra, que também eram dotados de bom humor natural. Esses homens sempre me deixam atônito, porque sinto que geralmente iam longe demais, permitindo que seu humor tomasse as rédeas nas mãos. Não ousaria dizer que não há lugar para o humor na pregação; mas a minha sugestão é que isso não deve ocupar posição elevada, por causa da natureza da obra e do caráter da verdade com a qual estamos lidando.

O pregador cuida de almas e deve se preocupar com elas e com o destino delas. Ele permanece como intermediário entre os homens e Deus, agindo como embaixador enviado por Cristo. Visto que esta consideração é primordial, penso que poderia dizer sobre o papel do humor que este só é permissível se for um dom natural. O indivíduo que força a si mesmo para ser divertido é uma abominação e jamais deve ter permissão de ocupar um púlpito. Esta mesma opinião se aplica ao homem que faz isso deliberadamente, para obter as boas graças de seus ouvintes. Nunca compreendi porque se espera esse tipo de atitude dos chamados "evangelistas profissionais".

Todas essas coisas precisam ser consideradas e não devem ser deixadas de lado. Podem ser servos e revestir-se de grande valor; mas sempre nos convém ser cautelosos em usá-las. Devemos ser igualmente cuidadosos para não corrigir com excesso o abuso dessas práticas, a ponto de nos tornarmos pregadores enfadonhos, monótonos e insípidos. Se esquecermos a nós mesmos e nos lembrarmos da atividade do diabo, nunca cairemos no erro.

Minha palavra final, que não é imprópria nesta altura, diz respeito à duração do sermão. Assevero novamente que não devemos ser mecânicos ou rígidos demais neste aspecto. O que determina a duração de um sermão? Acima de tudo e em primeiro lugar, é o próprio pregador. O tempo é algo bastante relativo, não é? Dez minutos, quando ouvimos certos homens, parecem ser uma era; mas uma hora, quando ouvimos a outros, parecem alguns minutos. Isso não é apenas a minha opinião pessoal; é o que congregações dizem. Portanto, visto que este assunto varia de conformidade com os pregadores, é ridículo tentar estabelecer regras fixas no tocante à duração do sermão, aplicando-as a todos os pregadores. Além disso, penso que a duração de um sermão também deveria variar de acordo com o assunto explorado. Alguns pontos podem ser referidos em pouco tempo, e sempre devemos tratá-los de conformidade com isso, nunca sentindo que devemos continuar a abordá-los somente para preencher determinado espaço de tempo. Além disso, a duração de um sermão também varia de acordo com a congregação. A capacidade das congregações, segundo temos visto, varia tremendamente. Por conseguinte, tudo isso deveria entrar em nossas considerações sobre a duração de um sermão, sob a condição de que lembremos todas as qualificações que expus no tocante ao papel da congregação em todo este assunto. Se algumas congregações fossem o árbitro sobre esta questão, todo sermão teria, no máximo, a duração de aproximadamente dez minutos. O pregador não deve dar atenção a esse tipo de "adorador"; antes, cumpre-lhe fazer sua avaliação pessoal a respeito do seu povo. Se você chegar à conclusão de que seus ouvintes são pessoas que não podem tolerar mais do que certa porção de tempo, ofereça-lhes somente o que podem aguentar, e não mais. Você será um péssimo mestre e pregador se falhar nisto.

Existem quaisquer outras regras que possam ser ditadas a respeito da duração de um sermão? Não há necessidade de dizermos que dez minutos é um tempo ridiculamente inadequado. Como é que alguém pode abordar qualquer dos temas da verdadeira pregação em apenas alguns minutos? Isto é simplesmente impossível. Por outro lado, é igualmente errado dizer que o pregador sempre deve pregar durante uma hora. Estou imaginando estas coisas? Receio que não. O renovado interesse nos escritos dos puritanos, embora somente na Grã-Bretanha, conforme temo, tem contribuído para produzir certo número de jovens pregadores que parecem pensar que não pregaram, se não pregaram durante uma hora. Essa parece ser a questão mais importante, na mente deles. Portanto, estão causando grande dano a si mesmos e à verdade. A razão pela qual pregam por uma hora é porque os puritanos agiam assim. Quão ridículos podemos nos tornar!

Não existem regras fixas quanto a este assunto. No que concerne a toda a questão da duração de um sermão, para sermos realmente práticos, acho que, nos dias em que vivemos, estamos em uma espécie de círculo vicioso. O pobre pregador se acha nesse dilema. Ele não deseja ofender as pessoas que costumam frequentar as suas reuniões, pregando sermões extensos demais. Sabe que eles não apreciam sermões longos e tendem a pensar que os sermões dele são longos demais. Frequentemente, o resultado disso é que o pregador reduz de tal maneira o tamanho de seus sermões, que os membros da igreja, além de outras pessoas, começam a sentir que não vale a pena ouvi-lo. Há muito é chegada a ocasião de acabarmos com este círculo vicioso. Precisamos fazê-lo, embora com o risco de ofendermos certas pessoas que frequentam as reuniões mecanicamente, por motivo de tradicionalismo ou por justiça própria. Fomos comissionados pelo Senhor ressurreto, e não somente pelo povo; nosso interesse primário deve ser a verdade e a necessidade que as pessoas têm da verdade. Não podemos pensar primordialmente em termos do tempo, nem devemos permitir que nosso povo faça isso. De fato, uma parte da tarefa do pregador consiste em libertar as pessoas da servidão ao tempo, bem como da preocupação com a vida tão-somente neste mundo. A verdade e a mensagem devem determinar a extensão do tempo, porque, governados por esse fator e conhecendo "o temor do Senhor", "persuadimos os homens", estando aptos a prestar contas dos "feitos do corpo", ao nos apresentarmos diante do "tribunal de Cristo". Se, em acréscimo a isso, pudermos dizer honestamente que "o amor de Cristo nos constrange", jamais nos desviaremos neste ou em qualquer outro aspecto da pregação.

CAPÍTULO TREZE

O QUE EVITAR

―――――⚜―――――

Até agora temos considerado a preparação do sermão e certas coisas peculiares à preparação do sermão e de nós mesmos.

Existe mais um assunto que algumas pessoas podem considerar trivial, mas para mim ele tem a sua importância. O pregador deve anunciar de antemão o tema sobre o qual está prestes a pregar? Parece claro que a maioria das pessoas gosta disso, especialmente aquelas igrejas que fazem propaganda de seus cultos públicos; assim, tornou-se costumeiro anunciar o tema.

Uma vez mais, preciso afirmar que esta é uma prática que desaprovo e jamais segui. Afirmo isso por muitas razões.

A principal razão, a razão predominante, é que as pessoas devem vir à casa de Deus para adorá-Lo, bem como para ouvir a exposição da Palavra de sua verdade, sem importar qual a verdade, o aspecto da verdade ou a porção a ser considerada. Essa deve ser a razão para frequentarmos os cultos; é o motivo que ocupa o lugar primordial em nossa mente, e não qualquer outro assunto ou questão. Por conseguinte, anunciar o tema é errado porque exerce influência desagradável sobre o povo. Estimula um pseudo-intelectualismo. Assim qualifico essa atitude porque isso é o que ela realmente é. Trata-se de uma prática iniciada no século passado. Até onde se pode examinar, não era praticada antes desse tempo, quando o povo costumava reunir-se para adorar a Deus e ouvir a exposição das Escrituras ou, talvez, ouvir algum grande pregador.

No entanto, nos meados do século XIX, as pessoas começaram a considerar-se mais bem instruídas e mais intelectuais, sentindo que precisavam de "temas" sobre os quais pensar. Isso fazia parte daquelas profundas mudanças que aconteceram nos meados do século XIX e se tornaram conhecidas como Vitorianismo. Podia ser encontrado com frequência tanto nos Estados Unidos como na Grã-Bretanha e outros países. Já me referi a isso em conexão com o tipo de templo e a forma do culto. Recomendo, como importantíssimo, que se faça um estudo sobre as alterações sutis que ocorreram nos meados do século XIX. Antes disso, a antiga ideia era as pessoas se reuniam para adorar a Deus e ouvir a exposição das Escrituras.

Além disso, os ouvintes esperavam a vinda do Espírito Santo sobre o pregador e sobre todo o culto. No entanto, gradualmente, houve uma grande mudança dessa posição para um tipo de culto mais centralizado no homem. Já vimos como isso ocorreu no evangelismo. O interesse em "temas" era uma característica distintiva desta mudança. Não éramos mais pessoas simples e precisávamos de um "discurso" ou preleção, e não de pessoas que estivessem sob o poder da pregação da Palavra. Na qualidade de pessoas entendidas, queríamos "alimento para a mente", estímulo intelectual, e negligenciávamos a sensibilidade espiritual. Estávamos interessados em assuntos, tópicos; e o anúncio dos temas encorajava esse pseudo-intelectualismo.

Esta atitude também estimula uma abordagem excessivamente teórica da verdade. Já vimos quão prejudicial isto é para o próprio pregador; e, se é prejudicial para ele, muito mais para seus ouvintes.

Outra objeção a essa atitude é que ela tende a isolar os temas de seu respectivo contexto nas Escrituras. De fato, em última análise, ela reputa as Escrituras como uma coletânea de declarações a respeito de assuntos específicos. Deste modo, o indivíduo divide as Escrituras em partes minúsculas e esquece o todo; mas não há dúvida de que o todo é mais importante do que as partes que o compõem. Por conseguinte, a prática de anunciar temas de pregação é prejudicial, porquanto extrai os assuntos e tende a isolá-los de seu respectivo contexto; e, na verdade, tende a isolá-los até uns dos outros. Deste modo, perde-se o senso de integralidade da mensagem bíblica, e o indivíduo se torna interessado em temas e questões específicos.

Uma razão ainda mais importante para nos opormos a esta prática é de natureza mais pastoral. Por que as pessoas se interessam por "temas"? A resposta é: elas pensam que sabem de que necessitam e querem ouvir apenas as coisas sobre as quais elas dizem estar "tremendamente interessadas".

Você já deve ter deduzido que todo o meu argumento inclui o fato de que as pessoas comuns não estão, em última análise, em uma posição de saber do que necessitam; e a experiência que temos de nós mesmos no passado, bem como a própria experiência como pastores de almas, nos ensina que, com muita frequência, as pessoas têm noções errôneas sobre as suas próprias necessidades. Como é natural, o pregador também pode enganar-se quanto a este aspecto, mas este equívoco se aplica muito mais à congregação. Repito: uma parte de toda a nossa maneira de lidar com este assunto é não permitir que os ouvintes decidam o tema da pregação e não encorajá-los neste sentido. Pelo contrário, devemos expor-lhes a verdade em sua inteireza, levando-os a perceber que existem aspectos vitais que ainda desconhecem e pelos quais, aparentemente, não se interessam de modo algum. No entanto, deviam mostrar interesse por toda a verdade, bem com por todos os seus aspectos. E cumpre-nos mostrar-lhes que necessitam disto.

Permita-me expressar o assunto desta maneira. Sempre haverá o perigo de nos tornarmos deficientes, destituídos de equilíbrio na vida cristã. Algumas pessoas são tremendamente interessadas, conforme dizem, nos assuntos proféticos; e sempre querem saber se o pregador falará sobre esses assuntos. Em caso positivo, virão ao culto; não duvidemos disso. Já descobri isso muitas vezes. Lembro-me do falecido Dr. G. Campbell Morgan, meu antecessor, que, em certa ocasião, me disse em tom de brincadeira: "Se você quiser ter uma multidão excepcional de ouvintes, anuncie que pregará sobre assuntos proféticos; e você conseguirá essa multidão". Existem pessoas assim; elas cobiçam temas específicos — profecia, santidade e coisas semelhantes. Por conseguinte, se anunciamos o tema da pregação, tendemos por aumentar este perigo de uma vida cristã assimétrica, desequilibrada.

No entanto, permita-me colocar a questão como uma generalização. Muitas vezes tenho ficado surpreso ao observar como as igrejas e os pregadores se prenderam a métodos do século XIX, mesmo depois de haverem abandonado as grandes verdades enfatizadas principalmente na primeira parte daquele século. Esse hábito e prática de anunciar um tema, de ter um coral e uma mensagem para as crianças — todas essas coisas surgiram durante o século passado; não eram realizadas antes disso. Faziam parte do pseudo-intelectualismo da fase vitoriana. Agora estamos experimentando os seus resultados. Estou chamando atenção para isso, porque sinto que há uma necessidade urgente de nos livrarmos desses hábitos maus, dessa falsa respeitabilidade e intelectualismo, que tanto caracterizaram o final do século passado. Essas coisas têm dominado os nossos cultos; e sinto que servem apenas para prejudicar a pregação do evangelho e a centralidade da pregação do evangelho.

Em vez de simplesmente perpetuarmos determinadas práticas, temos de perguntar: por que eu devo fazer isto? Como surgiu este costume? Quando fizermos isso, descobriremos que muitas dessas coisas que atualmente são tidas como essenciais foram introduzidas somente nos meados do século passado; e, por motivos errados. Quão diferente seria o estado das nossas igrejas se todos nos mostrássemos tão preocupados em ser ortodoxos em nossas crenças como o somos em nossa conformidade com as "coisas a fazer" e com as "coisas feitas" nas igrejas.

É indispensável, nestes dias, que digamos algo sobre toda a questão da pregação pelo rádio e pela televisão. Fiz alusão a isso na introdução a esta série de preleções; mas preciso destacar novamente esse particular, por ser uma questão muito debatida pela maioria dos pregadores nestes dias. Com uma ou duas exceções, por motivo de circunstâncias especiais, isto é algo que tenho me recusado a fazer, porquanto tenho mantido o ponto de vista, como o faço até agora, de que esses meios de comunicar a verdade são adversários da verdadeira pregação. Discussões e conversas sobre temas diferentes, bem como entrevistas, são coisa que classifico em uma categoria diferente. De fato, chego mesmo a afirmar que, desde 1920, mais ou menos, esse tem sido um dos principais fatores que militam contra a confiança na pregação. O argumento dos que estão do outro lado é apresentado em termos dos resultados disso. Podemos ouvir histórias maravilhosas e emocionantes de pessoas que ligaram o rádio acidentalmente e ouviram uma mensagem que as cativou, levando-as à conversão. Isso também se aplica à televisão; sempre é apresentado o argumento com base nos resultados.

Esta questão precisa ser examinada criteriosamente, porque tem muitas facetas. Minha objeção mais vigorosa contra esse método moderno é que a mensagem é amplamente controlada. E, conforme a natureza das coisas, tem de ser assim. Os radialistas precisam elaborar cuidadosamente seus programas e têm apenas certa quantidade de tempo, bem escasso. Do ponto de vista deles, isto é perfeitamente certo. Mas argumento que, da perspectiva da pregação, isto é bastante errado, pois milita contra a liberdade do Espírito. Se já adverti contra o perigo de permitir que a congregação dite ordens a esse respeito, quanto mais precisamos advertir contra o permitir que as autoridades do rádio e da televisão também façam isso mesmo? Em nossa opinião, o fato de que eles precisam fazê-lo, por causa das exigências de organizar a programação, é irrelevante. Sem dúvida é errado, em qualquer ocasião e sob quaisquer circunstâncias, começar a pregar algemado, acorrentado a qualquer limite de tempo.

Recordo-me de que anos atrás tive uma discussão a respeito de toda esta questão com o Diretor de Religião da *British Broadcasting Corporation* (BBC), que se mostrou bastante gentil em convidar-me a pregar em mais de uma oportunidade. A maneira simples pela qual expus meu caso diante dele foi a seguinte. Eu lhe disse: "O que aconteceria aos seus programas, se o Espírito Santo subitamente descesse sobre o pregador e se apossasse dele? O que aconteceria aos seus programas?" Ele não foi capaz de responder-me. A resposta, naturalmente, seria que a voz do pregador seria desligada. Mas que terrível coisa a ser feita!

Quando pregamos, nunca devemos controlar as coisas até esse ponto. Por isso, creio ser errado ficar preso por considerações de tempo e outros fatores semelhantes. Além disso, o Diretor de Religião enfatizou que os radialistas sempre têm de levar em conta as pessoas que estão nos hospitais, nas instituições e em seu lar, porquanto é mister que haja em cada programa certo número de hinos e orações, por causa dessas pessoas. O resultado disso é que a pregação vai sendo destituída do seu devido lugar. Os radialistas não querem que haja muito tempo de pregação e, de qualquer maneira, ficariam perturbados se pregássemos sobre determinados aspectos da verdade, como a morte, o julgamento e assim por diante.

Ora, do ponto de vista dos radialistas, podemos entender tudo isso sem dificuldade, simpatizando com eles. No entanto, do ponto de vista da pregação autêntica, isto não é legítimo. Também nos convém examinar mais de perto toda essa questão dos resultados obtidos. Eu sugeriria que, se examinássemos criteriosamente esses resultados, descobriríamos que são pouquíssimos em número. A esses poucos resultados, geralmente se empresta intensa publicidade e jamais nos dizem o que acontece depois com essas pessoas. Contudo, mesmo admitindo que os resultados são genuínos, o que devemos ter em mente é a diferença entre certos resultados e toda a tendência de um método. Para mim, esta é uma distinção importantíssima. Por amor ao argumento, estou pronto a concordar que ocorrem algumas conversões individuais; mas, quando se trata de avaliar determinado método, a minha opinião é que devemos fazê-lo em termos de seu efeito total sobre a vida da igreja, tanto nos aspectos imediatos como nos aspectos remotos. Ora, contemplando todo o quadro de um ponto de vista geral, penso que não há qualquer dúvida de que o efeito tem sido adverso.

Posso apresentar uma ilustração do que pretendo dizer? Há poucos anos, eu pregava em uma igreja nos Estados Unidos. Pela manhã, tinham de ser realizados dois cultos por causa por causa do número de pessoas que frequentavam a igreja. Um culto era realizado às nove e meia, e outro, às onze horas. E pedia-se que o pregador repetisse o culto com precisão. No entanto, à noite o culto era transmitido pelo radio. Fiquei muito admirado em observar que, no primeiro domingo em que estive ali, tive duas congregações pela manhã: uma continha cerca de mil e quatrocentas pessoas, e a outra, aproximadamente mil e duzentas pessoas; e que à noite minha congregação tinha apenas cerca de quatrocentas pessoas.

Entretanto, disseram-me que era isso mesmo o que eu devia esperar. Tive uma experiência muito interessante naquela igreja. Eu não estava familiarizado com a maneira deles procederem nos cultos vespertinos, que eram transmitidos pelo rádio. O culto começou cerca de sete e quarenta e cinco da noite, sob a liderança do musicado responsável pela música. Após alguns momentos, acendeu-se uma luz verde, anunciando que estávamos "no ar". Então, houve mais alguns hinos por parte da congregação, de um quarteto, de um solista, etc. Instruíram-me que, ao pregar, não perdesse de vista a luz verde, pois, em seguida, acenderia uma luz vermelha, sinalizando que eu deveria terminar minha pregação. Tudo chegaria ao fim naquele momento, e eu deveria estar proferindo a bênção final quando a luz vermelha acendesse.

Enquanto os vários cânticos prosseguiam, eu observava que o meu precioso tempo se escoava e comecei a sentir-me bastante ansioso. O culto deveria terminar às oito e cinquenta e cinco, e, para meu desalento, descobri que somente às oito e trinta e cinco comecei a pregação, restando menos de vinte minutos para o meu sermão, porque teríamos um hino de encerramento e a bênção final antes das oito e cinquenta e cinco. Eu estava em grande dificuldade. A princípio, pensei que tinha o dever de cortar parte do que eu tencionava dizer, para que tudo coubesse naquele tempo exíguo; comecei a tentar fazer isso. Porém, conforme as coisas sucederam, repentinamente percebi que desfrutava de excepcional liberdade no Espírito; assim, enquanto eu prosseguia, rugia um tremendo debate no meu interior: eu deveria deixar-me guiar pelo programa anteriormente preparado ou deveria me guiar pelo que me parecia a influência do poder do Espírito Santo sobre mim? Resolvi que seria culpado de abafar o Espírito e que pecaria, se viesse a observar as normas e regulamentos daquela igreja. Portanto, quando a luz vermelha acendeu, às oito e cinquenta e cinco, não lhe dei a mínima atenção e continuei pregando, terminando às nove e vinte e cinco.

O fato realmente importante naquele episódio foi o que aconteceu depois. Aquele foi o meu primeiro domingo naquela igreja. Eu tinha de ausentar-me da cidade naquela noite, para ir a uma conferência no interior do país, e retornaria no domingo seguinte. Ora, naquela igreja havia três ministros assistentes, que eram muito gentis. Pedi-lhes desculpas pelo que fizera naquele primeiro domingo à noite e expressei-lhes minha esperança de que não tivessem dificuldades por minha causa! Disse-lhes que me culpassem de tudo. Quando voltei, no domino seguinte, os três estavam presentes para dar-me boas-vindas. Disse-lhes "Espero que vocês não tenham tido uma semana muito ruim". Eles retrucaram. "Tivemos uma semana terrível". "Bem", continuei, "espero que tenham explicado que tudo foi inteiramente culpa minha". E acrescentei: "Espero que vocês tenham apresentado desculpas por mim, explicando que eu não estava acostumado com esse tipo de culto e que procurarei corrigir a falta". Eles disseram: "Bem, essa não foi a nossa dificuldade". "Qual foi, então?" "Bem, nunca recebemos tantas queixas por causa de um culto — nunca". Perguntei-lhes: "Quais foram essas queixas?" Eles continuaram: "Recebemos intermináveis reclamações, por meio do telefone e de cartas, dizendo: 'Por que vocês não deram àquele homem mais tempo para pregar pelo rádio? Gostaríamos de saber como prosseguiu aquele sermão. Em que direção ele seguiu e como terminou? Por que razão vocês tiveram tantos cânticos? Podemos ter música sacra noutras oportunidades. Por que não dão mais tempo ao pregador?" O resultado foi que, na segunda vez, concederam-me mais tempo; cortaram a um mínimo todos os preliminares, e recebi quarenta e cinco minutos para pregar o meu sermão.

Ao que me parece, isso revelou um importante princípio. Mais tarde, eu disse àqueles homens que, se fosse o pastor daquela igreja, não poria no ar o culto da noite; antes, faria o seguinte anúncio: "Esta igreja não transmite os seus cultos pelo rádio". Por quê? Porque esse método, na minha opinião, persuadiria as pessoas a virem ao culto noturno. Enquanto aquelas pessoas pudessem ficar assentadas em casa, ouvindo tudo pelo rádio, por que se dariam ao trabalho de tirar seu automóvel da garagem e lutarem com o trânsito e muitas outras inconveniências? Os cultos transmitidos pelo rádio, segundo temo, têm desencorajado as pessoas de virem à Casa de Deus, ensinando-lhes péssimos hábitos. Mais sério ainda é o dano que isso tem causado à ideia que pessoas têm a respeito da vida corporativa da igreja. Com demasiada frequência, as pessoas imaginam que as igrejas são apenas locais onde elas se assentam e ouvem um sermão; e agora você pode obter no rádio, em fitas cassetes, etc. Por conseguinte, toda a ideia de congregarem-se, de assentarem-se em volta da Palavra e de ouvirem à sua exposição está sendo gravemente danificada. Os próprios fatos e os dados estatísticos demonstram que, nos últimos cinquenta anos, a vida da igreja tem se deteriorado de forma muito séria.

Uma vez mais, apresento a sugestão de que devemos acabar com todas essas coisas. Os motivos que levaram os homens a utilizar esses meios de comunicação são óbvios. Eles pensavam que tudo isso seria proveitoso para suas igrejas e que as pessoas, ouvindo-os pelo rádio, viriam ouvi-los na igreja. Mas asseguro que as coisas não têm sido assim e que vocês talvez verão, no futuro, Deus reavivando a sua obra na igreja, e aqueles que frequentam-na com assiduidade serão os que participarão mais intensamente das bênçãos. Foi sempre assim que Deus agiu no passado. O que nos espanta, novamente, é que as pessoas não querem fazer as coisas da maneira que Deus sempre tem abençoado. Pelo contrário, contentam-se com essa atitude de indiferença para com a igreja. Isto é um erro fundamental na compreensão da verdadeira doutrina da igreja cristã — "a unidade do Espírito no vínculo da paz", o ajuntamento do povo de Deus. "Porque, onde estiverem dois ou três reunidos em meu nome, ali estou no meio deles."

Sempre me opus à ideia de tentar forçar as pessoas a frequentarem os cultos na igreja. O que estou dizendo é que a nossa pregação deveria infundir-lhes forte desejo de frequentar a igreja. Não precisamos açoitá-las para que venham. Considerem aquelas pessoas em Atos 2. "Diariamente", vocês devem estar lembrados, "de casa em casa", eles "perseveravam unânimes" nestas coisas. A ideia de que as pessoas devem contentar-se em participar de um único culto, a cada domingo, revela o fracasso de não entender o verdadeiro caráter do cristão. Ele se assemelha a um "bebê recém-nascido", que deseja "o genuíno leite" da Palavra. Também deseja estar na companhia de seus irmãos, para amá-los. Mas a atitude sobra a qual falamos parece indicar uma ideia errônea sobre a igreja e o crente individual como um recém-nascido. Temos permitido que essas forças externas nos influenciem exageradamente. Sugiro que é chegada a hora de acabarmos com todas essas práticas e retornarmos ao quadro da igreja apresentado no Novo Testamento. Com o advento do toca-fitas, não há mais qualquer dificuldade em prover o necessário aos membros idosos e enfermos das igrejas locais.

Passamos agora a considerar aquelas coisas que nos convém evitar na pregação. Já tratamos de algumas delas, mas ainda há pontos intocados. Começando pelo pregador propriamente dito, o que ele deve evitar? Acima e antes de tudo, o profissionalismo. Este é o maior de todos os perigos no ministério. Trata-se de algo contra o que os pregadores têm de lutar enquanto viverem. Para mim, o profissionalismo é abominável, em qualquer lugar, em toda parte. Eu o detestava quando era médico; e ainda o detesto. Existe certo tipo de médico que é mais profissional. Ele possui todas as atitudes e graça, sabendo tudo o que "deve dizer e fazer", mas geralmente é um mau médico. Quanto melhor o médico, menos evidências ele dará do profissionalismo. Ora, esse mesmo fenômeno é infinitamente mais verdadeiro no ministério cristão.

Seja-me permitido esclarecer mais explicitamente o que quero dizer. Não pode acontecer a um pregador coisa pior do que ele chegar a um estágio em que sua maior razão para pregar nas manhãs de domingo é a obrigação de fazer tal coisa. Para ele a pregação significa apenas que ele está realizando a tarefa como uma forma de emprego. Perdeu o contato com aquilo que o moveu e o impeliu originalmente; agora tudo é uma questão de rotina. Se tal homem realmente perguntasse, com honestidade, a si mesmo, enquanto sobe ao púlpito: "Por que estou fazendo isto?", teria de responder para si mesmo: "Foi anunciado que eu faria isto; portanto, eu o farei por uma questão de dever". Isto é uma confissão de profissionalismo.

Essa atitude também transparece de muitas maneiras durante o culto. Esse tipo de pregador é geralmente bastante formal; tudo que ele faz é estudado cuidadosamente. Ora, isso sempre será sinal de profissionalismo. Usando uma ilustração do campo da medicina, lembro-me de um homem que costumava divertir aqueles dentre nós que estávamos mais interessados em aprender medicina do que em adquirir boas maneiras de lidar com os pacientes nos leitos. Ficávamos divertidos ante a maneira como aquele homem costumava aplicar o estetoscópio no tórax do paciente. Os grandiosos gestos floreados não tinham qualquer relação com a medicina. Na verdade, ele não era um bom intérprete do que tinha ouvido; mas os modos e gestos graciosos com que aplicava o estetoscópio eram dignos de ser contemplados. Sem dúvida, aquilo tinha um efeito em algumas pessoas, especialmente aquelas que sofriam de alguma condição psicológica ou psicossomática; mas, se alguém estiver verdadeiramente enfermo, isso será incapaz de ajudá-lo.

Infelizmente, às vezes isso pode ser visto em nossos púlpitos. Ocasionalmente, é patético notar a postura e o caráter estudado de quase tudo quanto se faz ali. Em Londres, havia um famoso pregador que tinha por hábito dar uma viravolta, girando em torno de si mesmo, durante o culto, para que as pessoas tivessem a vantagem de contemplar as suas costas, bem como o seu rosto! Obviamente, ele dava grande atenção ao cuidado e penteado dos seus cabelos. Isso acontecia literalmente, e muita gente se juntava a fim de ver o espetáculo. Se eu não tivesse visto tal coisa com os meus próprios olhos, nunca teria acreditado. Mas tudo isso é o mais puro profissionalismo, da pior categoria. Já ouvi dizer que outro pregador manda ondular seus cabelos uma vez por semana, além de manter a pele em um tom bronzeado, produzido artificialmente.

Em outras palavras, o profissional é o homem que está sempre olhando para si mesmo. Ao mesmo tempo, está profundamente interessado em técnicas. Tal homem viaja para ouvir outros, obter novas ideias, observar como os outros pregadores fazem diversas coisas. Em seguida, ele procura imitá-los, introduzindo em sua "técnica" aquilo que tiver visto. Deduzo que algo semelhante ocorre entre os atores de teatro. Já se foi o tempo em que um homem que era ator nato simplesmente punha-se a fazer papéis teatrais, aprendendo à medida que atuava. Porém, acredito que introduziram algo que é chamado de "o método"; agora, todos os atores tendem por fazer a mesma coisa. "O método!" Não se trata mais do verdadeiro pendor teatral, no antigo sentido; antes, tudo é a aplicação de um método.

Existem muitas coisas que um pregador tem de evitar. Uma delas é a exibição de conhecimento. Procurar dar a impressão de ser um homem de muita leitura e cultura profunda é um dos pecados que mais assediam os pregadores. Já enfatizei o lugar e o valor da leitura; entretanto, se a principal razão por que você lê muito é fazer uma exibição de seu próprio conhecimento, essa prática é obviamente má, em todos os sentidos.

Entretanto, talvez o pior de todos os perigos é o perigo de confiar em sua própria preparação. Esta é uma questão extremamente sutil, e tenho a certeza de que todo o verdadeiro pregador concordará comigo quanto a este assunto. O risco consiste em que, depois de terminada a preparação, sem importar qual seja ela e quando ela termine — no sábado ou mesmo antes — o pregador venha a dizer: "Bem, agora estou preparado para o dia de amanhã". Você terá terminado sua preparação e sentirá que é dono de um bom sermão. Assim, você tende a colocar toda a confiança nisso. No que concerne à pregação, não há maior risco do que esse. Você ficará desanimado; ficará desapontado; e, acima de tudo, se tornará menos eficaz. É uma tentação terrível. É por essa razão que tenho enfatizado, com tanta insistência, a preparação do próprio indivíduo. E abordarei de novo este assunto antes de terminar esta série. Nesta altura, quero apenas fazer menção dele. Vigie. Vigie com cuidado ou acabará caindo nesta armadilha.

Muitos pregadores, quando sobem ao púlpito, confiam em sua boa voz; muitos se orgulham de sua voz e a exibem. De muitas e diferentes maneira, o pregador está sempre combatendo o diabo. Ele está perto de você, sempre disposto a passar-lhe uma rasteira; ele não se importa com a maneira como o fará.

Procurarei resumir tudo respondendo à seguinte indagação: que conselho o senhor daria a respeito disso? Bem, confessando que meu único direito de dar tal conselho é que sou um grande pecador que tem combatido nessa batalha por tantos anos, eu colocaria a questão nestes termos. Vigie seus dotes naturais, suas tendências e suas peculiaridades. Vigie-os. E quero dizer que eles tenderão a escapar do seu controle. Tudo isso poderia ser resumido em uma única frase — vigie as suas próprias forças. Não vigie tanto as suas fraquezas. Você terá de vigiar seus pontos fortes, as coisas em que você se mostra capaz, como seus dons naturais e suas habilidades. Estas são as coisas que mais provavelmente o embaraçarão, porquanto serão as coisas que o tentarão ao exibicionismo e à satisfação do seu próprio "eu". Portanto, vigie estas coisas; vigie também suas peculiaridades. Todos temos estas coisas e precisamos vigiá-las.

O pregador sempre deve resguardar-se da terrível tentação de ser um "personagem". As pessoas gostam de "personagens". E, se certo homem traz em si mesmo certos elementos que tendem por transformá-lo em um personagem — algo extraordinário, algo que as pessoas consideram atrativo — esse homem precisa exercer cautela. Ele corre o perigo de fomentar essas características e de explorá-las. No fim, ele sempre estará chamando a atenção para si mesmo. Alguns indivíduos gostam de ser estranhos, ou esquisitos, ou diferentes, para que as pessoas falem a respeito deles. Este é o perigo. Portanto, cuide-se; e, uma vez mais, vigie sobretudo os seus pontos fortes.

Quero expressar isto na forma de uma figura. Lembro que, em certa ocasião, ouvi falar de um homem que pregara um sermão sobre Absalão. O argumento do sermão era que sempre devemos ter cautela com nossos pontos fortes. Não sei se o ponto frisado era exegeticamente correto, porém me impressionou. Você deve estar lembrado de que Absalão tinha muito orgulho de seu cabelo. Dava-lhe grande atenção e orgulhando-se dele. Mas você também deve lembrar que, finalmente, o cabelo foi o motivo da desgraça de Absalão. Ficou preso pelos cabelos ao galho de uma árvore, quando fugia por um bosque; e isso deu a Joabe a oportunidade de atravessá-lo com uma flecha e matá-lo. Aquele pregador ressaltou o argumento de que a força de Absalão — a sua cabeleira — foi a causa de sua desgraça final. Sempre me lembrarei desse sermão; ele demonstra que, às vezes, embora um pregador não se atenha às regras, consegue transmitir bem a sua lição à mente dos ouvintes! Tudo quanto me interessa afirmar é: vigie os seus pontos fortes, seu cabelo ou qualquer outra coisa. Não faça uma exibição disso.

O resumo do que estou afirmando é que a mais letal de todas as tentações que podem assaltar a um pregador é o orgulho. O orgulho, porque o pregador é quase colocado sobre um pedestal. Ele está no púlpito, acima das pessoas, que olham para ele. O pregador ocupa esta posição de liderança na igreja, na comunidade. Por isso, a sua maior tentação é a de orgulho. Provavelmente, o orgulho é o mais mortífero e sutil de todos os pecados, assumindo inúmeras formas. Contudo, enquanto o indivíduo se der conta disso, tudo irá bem. Embora eu já tenha dito algo sobre como lidar com isso, permita-me acrescentar uma palavra, porque este é um assunto muito importante. A melhor maneira de refrear qualquer tendência ao orgulho — orgulho na pregação ou em qualquer outra coisa que possamos ser ou fazer — consiste em ler, no domingo à noite, a biografia de algum grande santo de Deus. Não importa qual deles, nem a que denominação e a que época ele pertencia, contanto que tenha sido um homem de Deus. Se você se sentir tentado a pensar que está fazendo as coisas de forma extraordinariamente boa e que ninguém pregou tão bem antes, bem mergulhe no Diário de Whitefield. Garanto-lhe que será curado em menos de cinco minutos. Então, medite sobre a biografia de David Brainerd ou de alguém semelhante a ele. E, se isso não o trouxer de volta ao nível desta terra, meu veredicto é que você é um mero profissional, sem esperança de cura. Mas este é o antídoto; reconheça o seu devido lugar.

Esses são alguns dos perigos especiais com os quais se defronta o pregador. Mas agora falemos do que se refere ao sermão. Abordo esse aspecto aqui porque, quando falava sobre a preparação do sermão, ansiava fazê-lo em linhas gerais. Existem outros pontos especiais ou refinamentos que devem ser acrescentados ao que venho dizendo. No que tange ao sermão propriamente dito, cuide para não torná-lo exageradamente intelectual. Coloco isso em primeiro lugar, especialmente no caso daqueles que são mais dotados sobretudo na intelectualidade. Eu não daria a isso o primeiro lugar no caso de todos os homens; mas, quanto a alguns deles, esse fator tem de vir em primeiro lugar.

Lembro-me do breve conselho que recebi, no meu primeiro ano de ministério, de um idoso pregador com quem eu pregava naquela ocasião. Naquela época, era costume, no País de Gales, que em ocasiões especiais dois ministros pregassem consecutivamente no mesmo culto: o mais jovem, primeiro; o idoso, depois. Naquelas reuniões especiais, tive de pregar sozinho no culto vespertino, pois o pregador idoso havia pregado sozinho no culto da manhã, e ambos pregaríamos no culto da noite. O idoso homem foi bastante gentil em ouvir-me à tarde; e aquela era a primeira vez em que me ouvia tentando pregar.

Quando estávamos sendo conduzidos de automóvel para tomar chá na casa do pastor da igreja, o idoso pregador, que era exatamente sessenta anos mais velho do que eu, me ofereceu, com muita gentileza e desejo sincero de ajudar-me e encorajar-me, esta séria advertência: "O grande defeito do sermão desta tarde foi que você exigiu demais da compreensão daquelas pessoas, deu-lhes assunto demais". Em seguida, ele disse: "Eu lhe daria uma regra. Lembre-se dela enquanto viver: somente uma em cada doze pessoas de sua congregação é realmente inteligente". Somente uma em cada doze. Essa era a avaliação dele — não a minha! "Lembre-se disso enquanto viver: somente uma em cada doze." "Lembre-se", prosseguiu ele, "que essas pessoas não conseguirão apreender o que você lhes disser. Para elas isso será impossível. Você estará somente deixando-as aturdidas. Por isso, você não as estará ajudando". E acrescentou: "Observe bem o que eu farei esta noite. Na realidade, estarei dizendo a mesma coisa, mas o farei de três maneiras diferentes". E foi exatamente isso o que ele fez, e com notável êxito.

Ele era homem dotado de intelecto elevado, conhecido como grande teólogo e autor de vários comentários excelentes, tanto em galês como em inglês. Mas isso foi o que ele me recomendou. Agora estou apenas repetindo o seu excelente conselho — "Cuidado com a intelectualidade exagerada". É quase inevitável que um jovem pregador tropece nesta armadilha, não é verdade? Ele teve de passar muitos anos estudando, lendo e debatendo assuntos importantes com outros estudiosos, e agora inclina-se por supor que todas as pessoas são como ele. Quanto mais cedo ele se conscientizar de que as coisas não são assim, melhor para ele, pois as pessoas que o ouvem são muito diferentes. Não gastaram tempo lendo, estudando e argumentando; são negociantes, ou profissionais liberais, ou trabalhadores braçais. Portanto, cuidado com intelectualidade em demasia.

É claro que também estou pronto a enfatizar, com igual vigor, que tenhamos cuidado com intelectualidade em escassez. Falando em termos gerais, isso nem precisa ser enfatizado em nossos dias. No entanto, há pregadores aos quais temos de dizer: cuidado com sentimentalismo e emoções exagerados. O primeiro tipo de pregador não tinha este elemento e se mostrava bastante intelectual. Mas existem aqueles pregadores que são excessivamente emocionais. Já ouvi homens que, após terem anunciado um texto, passaram a narrar uma sequência de histórias, geralmente muito sentimentais e, muitas vezes, pessoais. Isto é condenável.

Além disso, há pregadores que precisam ser avisados de que não preguem somente exortações. Com muita frequência, alguns indivíduos imaginam que pregar é apenas apresentar uma exortação extensa. Começam exortando os ouvintes desde o começo do sermão; todo o sermão consiste somente em aplicação. Não apresentam a verdade em primeiro lugar, nem fazem, em seguida, a aplicação inevitável da verdade. Passam todo o seu tempo atingindo sua gente, chicoteando-as, exortando-as, desafiando-as e forçando-as a que façam isto ou aquilo.

No outro extremo, há homens que jamais exortam, sob hipótese alguma. Expuseram diante de todos sua pesquisa ou exposição brilhante e intelectual; e tudo é deixado nesse ponto. Em sua mensagem, não há nada que comova as pessoas ou as motive à ação: nenhuma emoção, nenhum sentimento, nenhuma exortação. Tudo isso é errado. Por conseguinte, cuidado para não exagerar em qualquer dessas ênfases.

Um dos problemas mais complexos é o lugar que cabe à polêmica no sermão e na pregação. O elemento de polêmica é importante e tem o seu lugar definido; é bom para os ouvintes. Mas nesta altura estou apenas advertindo contra o perigo de incluir polêmica exagerada no sermão. Outra vez, este será o perigo típico do pregador mais intelectual. Ele tem lutado com teorias rivais, heresias e interpretações distorcidas; e, naturalmente, sua mente transborda essas coisas. Contudo, ele deve cuidar para que os seus sermões não fiquem sobrecarregados desse elemento. Por quê? Porque o povo — pelo menos a maioria de seus ouvintes — talvez não se interesse por tais coisas, e grande parte deles nem ao menos as entende. Lembremo-nos disso — existem pessoas assim. Certamente existe um lugar para a polêmica. Tudo que estou dizendo é que não devemos dar-lhe muito espaço na pregação. Na congregação, haverá certo número de pessoas que sempre se interessará por questões polêmicas, e geralmente lhes é prejudicial o excesso desse elemento nos sermões. São pessoas que viajam quilômetros para ouvir um ataque violento contra um homem ou uma teoria. Como vocês sabem, os pregadores que sempre se inclinam a assuntos polêmicos geralmente obtêm boas audiências — e, geralmente, excelentes coletas. Mas isto é um grande ardil.

Preocupo-me com este assunto porque já vi bons homens e grandes pregadores se arruinarem por este motivo; também tenho visto bons ministérios serem arruinados. Em certa ocasião, tive uma conversa com um desses pregadores, cujo nome não mencionarei. Aliás, ele era um dos maiores destes pregadores polemistas. Tive o privilégio de passar um dia com ele, há muitos anos; e, durante a nossa conversa, sucedeu ventilarmos esse tema. Isto aconteceu como resultado de haver ele me perguntado: "Você costuma ler Joseph Parker?" Ora, Parker foi o famoso ministro do City Temple em Londres, até cerca de 1901. Ele publicou grandes volumes de sermões intitulados *The People's Bible* (A Bíblia do Povo). Ele me perguntou: "Você costuma ler Joseph Parker?" Respondi: "Não, leio pouquíssimo dos escritos de Joseph Parker". Ele ficou admirado com a minha resposta e prosseguiu: "Oh! Eu leio Joseph Parker todos os domingos pela manhã. Sempre leio obras de Joseph Parker antes de ir à igreja nas manhãs de domingo; ele me coloca na linha, compreende?" E continuou: "O velho Parker foi um homem maravilhoso. Não sei dizer o quanto me agrada ver Parker transformar em picadinho aqueles modernistas e liberais da época dele". Isso me deu uma oportunidade, e disse: "Bem, preciso confessar que isso não me atrai. O que Joseph Parker conseguiu realizar exatamente depois de haver transformado em 'picadinho' aquelas pessoas?"

Isso armou o palco para nós, e tivemos um longo debate, que prosseguiu pelo dia inteiro. Lembro-me somente de três pontos ventilados naquela discussão. E só os menciono aqui porque creio que terão algum proveito. Eu sugeri àquele pregador verdadeiramente notável, bem conhecido em todo o mundo evangélico, que ele estava arruinando seu grande ministério, quando a cada domingo à noite fazia seus ataques demorados e violentos ou contra um errôneo ensino protestante liberal, ou contra o catolicismo romano, ou mesmo, ocasionalmente, contra pessoas em particular. Esses ataques eram desferidos de maneira brilhante; mas eu tentava fazê-lo perceber que isso estava arruinando o seu ministério e, ao mesmo tempo, rogava-lhe que retornasse a uma pregação mais evangélica. "Mas", ele objetou, "você não está sendo bíblico. Deixe-me lembrar-lhe o que nos diz o apóstolo Paulo, em Gálatas 2. Quando Pedro se desviou, ele lhe resistiu na cara". E acrescentou: "Isso é tudo que estou fazendo. Estou apenas fazendo aquilo que Paulo fez. Sem dúvida, isto é certo, não é?" Respondi-lhe: "Sim, sei que Paulo nos diz que fez isso. Mas estou interessado nos resultados. Observo que o resultado da maneira de Paulo lidar com Pedro, quando o advertiu de frente, em Antioquia, foi que ele convenceu a Pedro de que este laborava em erro e o ganhou para a sua posição. Observo também que Pedro, mais tarde na vida, ao escrever sua segunda epístola, expressou grande admiração pelo apóstolo Paulo e suas epístolas. Você pode dizer isso a respeito das pessoas a quem você ataca?" Diante dessa pergunta, tudo que ele pôde fazer foi levantar-se e encaminhar-se até à outra extremidade do jardim, onde estivéramos assentados por algum tempo. Se você puder conquistar pessoas para a verdade e fazer com que percebam a sua posição, por meio de sua polêmica, tudo estará perfeito. Porém, tenha o cuidado de fazer exatamente isso, para que você não acabe deixando-as ainda mais hostis e, ao mesmo tempo, irrite um bom número de outras pessoas.

Também me lembro que mais adiante, naquela mesma discussão, ele recorreu a outro argumento. Disse: "Veja. Eu lhe apresentarei esta questão, como médico que você é. Imagine um cirurgião e um paciente em cujo sistema desenvolveu-se um tumor. Se for permitido que esse tumor continue crescendo, terminará matando aquele paciente. Para este, só existe uma esperança: aquele tumor precisa ser removido mediante uma intervenção cirúrgica". E disse mais: "O médico não quer operar, mas, para salvar a vida daquele homem, não lhe resta outro recurso — tem de extrair o câncer do sistema e do corpo daquele homem". E, finalmente, acrescentou: "Essa é precisamente a minha posição. Não quero fazer o que estou fazendo, mas tenho de fazê-lo, pois este câncer tem-se desenvolvido no corpo da igreja; é necessário removê-lo, é preciso extirpá-lo".

Qual foi a resposta a esse argumento? Bem, nessa conjuntura era mister pensar com rapidez, mas a resposta, ao que me parecia, era bastante óbvia. Disse-lhe: "Existe aquilo que se chama de desenvolver uma 'mentalidade de cirurgião' ou tornar-se o que é descrito como 'açougueiro'. Um dos perigos que assediam os cirurgiões é o de caírem no hábito de pensar somente em termos de intervenções cirúrgicas, esquecendo o tratamento clínico. Isso é algo com o que o cirurgião tem de tomar muito cuidado. Se você ficar seriamente enfermo", aconselhei-o, "nunca aceite o veredicto apenas de um cirurgião; sempre confirme o conselho dele com o veredicto de seu clinico geral ou de outro cirurgião". Sim, o cirurgião tende a desenvolver a mentalidade cirúrgica e, inconscientemente, no momento em que olha para um paciente, tende a pensar em termos de cirurgia. Esse é um fato indiscutível. Por conseguinte, voltando-me ao meu interlocutor, eu lhe disse: "Você pode me dizer, com toda a honestidade, que está isento desta mentalidade de cirurgião? Pode afirmar que não gosta de 'operar' desta maneira?" Novamente ele teve grande dificuldade, por alguns mentos.

Lembro-me, também, do terceiro grande argumento. Ele disse: "Bem, ouça isto. Sem dúvida, isto será capaz de convencê-lo. Cada vez que me envolvo naquilo que você chama de uma de minhas crítica violentas e demoradas, cada vez que faço aquilo que você diz ser tão prejudicial, sabe qual é o resultado? A circulação de meu semanário se eleva como um foguete! O que você tem a dizer sobre isso?" E respondi: "Bem, o que tenho a dizer é o seguinte. Já observei que, sempre que há uma briga de cachorros na rua, uma multidão se reúne em volta. Sempre haverá pessoas que gostam de apreciar conflitos; por essa razão, não me surpreendo que a circulação de seu jornal aumente tanto. Se você atacar diversas coisas e apelar ao público que lhe dê dinheiro para ajudá-lo em sua causa, sempre conseguirá pessoas que o apóiem. Mas isso tudo é negativo; é destrutivo; não edifica qualquer congregação".

Por conseguinte, acautele-se para não abusar do fator polêmico. Aquele homem em particular, com quem tive aquela discussão, terminou a sua vida em comparativa solidão, e a sua igreja, depois de ter sido uma numerosa congregação, terminou reduzida em números e em influência. As pessoas se reunirão para escutar esses ataques; eles apelam à carne, e as pessoas gostam disso. Mas você nunca poderá edificar uma igreja sobre o alicerce da polêmica. Não poderá edificar uma igreja sobre a apologética, quanto menos sobre a polêmica! O pregador foi chamado, primariamente, para anunciar a verdade positiva.

No entanto, para ser justo, devo dizer-lhes que devem se guardar do uso de pouquíssima polêmica. Existem alguns homens que gostam de ter a reputação de serem indivíduos inofensivos. Reivindica-se que eles "nunca são negativos"; e gostam de dizer isso a respeito de si mesmos. "Nunca negativos; sempre positivos." Ora, isso é uma fraude — uma fraude descarada e hipocrisia. As Escrituras contêm um elemento polêmico em suas páginas; e esse elemento precisa ser exposto em nossa pregação. Temos de advertir o nosso povo, temos de guiá-los. Contudo, nunca devemos desenvolver a ideia de que somos os defensores da verdade e desperdiçar o nosso tempo sempre atacando pessoas e pontos de vista. Isso se torna muito negativo. Não há vida nessa atitude, que, por certo, arruinará a vida de qualquer igreja.

Ainda neste assunto, também gostaria de dizer o seguinte. Acautele-se e mantenha vigilância permanente quanto ao uso da ironia. Ela tem o seu devido lugar; mas, cuidado com ela. A maioria das pessoas não a entende completamente, porque não percebe que estamos sendo irônicos. Elas tomam as nossas palavras no sentido literal e se ofendem com elas. Portanto, tenha cuidado com isso. A ironia pode ser usada e, às vezes, precisa ser usada; mas reconheça que ela é uma arma perigosa. Penso que sempre devemos evitar o ridicularizar os outros.

Portanto, o equilíbrio dessa prática no sermão se revela nas palavras de Paulo, em Filipenses 1: "Estou incumbido da defesa [e confirmação] do evangelho". Não envolve apenas defesa. Portanto, não nos tornemos guardiões ou defensores da fé. Sempre haverá "defesa e confirmação". Que haja esse equilíbrio, e que haja mais confirmação do que defesa. Assim, procure edificar as pessoas, dê-lhes mensagens perfeitamente equilibradas, pregue "todo o conselho de Deus".

Em último lugar, cuide do método de apresentação. Muitos problemas surgem com a própria apresentação do sermão. Conheci um homem que nunca caminhava para o púlpito nos domingos pela manhã; ele sempre corria para lá. Ele, o homem que vi agindo dessa maneira, estava apenas imitando outro que fazia a mesma coisa. Posso imaginar que a ideia por trás disso era a de mostrar o quão ansiosos eles se sentiam por anunciar a verdade. Mas, conforme vejo as coisas, aquilo apenas chamava a atenção para eles mesmos. Existe algo ainda pior do que correr na direção do púlpito. É chegar ao púlpito com um sorriso fingido nos lábios. Você sem dúvida conhece aquele tipo de homem que sobe ao púlpito e exibe um sorriso fingido, para, em seguida, saudar a congregação com palavras como: "Bom dia, minha gente. Que ótimo vê-los aqui; e como é bom que vocês vieram". Mas pior ainda será se ele começar a contar uma piada ou duas, somente para deixar os ouvintes à vontade, descontraídos.

Já ouvi alguém argumentar que esse tipo de coisa pode ser justificada no caso de uma campanha evangelística, em um salão público. Mas garanto que é uma atitude errônea, sempre, em qualquer lugar, se estiver vinculada à obra cristã. Por que é uma atitude errônea? Porque toda essa abordagem labora em erro. Não se trata de um culto nosso; as pessoas não vêm ali para contemplar-nos ou agradar-nos. Não é como convidar as pessoas para nos visitarem em casa; a reunião não nos pertence, de modo algum. Tanto aquelas pessoas quanto nós mesmos nos achamos ali para adorar a Deus, para nos encontrarmos com Ele; e o que devemos tentar fazer é mostrar-lhes que aquela reunião é diferente de tudo quanto fazem em outro lugar.

Um ministro, em uma igreja, em nada se assemelha a um homem que convida visitantes à sua casa; não é ele quem manda ali. Pois ele mesmo é apenas um servo; todos nos congregamos na igreja para entrar juntos na presença do Deus vivo. Não posso enfatizar demais que devemos nos esforçar muito para demonstrar a diferença entre estas duas coisas. Condeno abertamente a prática de sugerir ao povo que não há nada singular e incomum em nossas reuniões e dizer: "Bom dia, minha gente" e de deixá-los à vontade com algumas piadinhas. Se você quiser agir dessa forma em seu próprio lar, tem toda a liberdade de fazê-lo; mas uma igreja não é o seu lar, e você mesmo está em sujeição a Deus. Temos de enfatizar esta diferença.

Permita-me reforçar este ponto de uma maneira que a torna quase ridícula. Conheci um diácono, pobre sujeito, que anelava sempre por ser gentil e agradável; e, de fato, ele o era. Mas tendia por levar essa atitude ao extremo. Comecei a observar que, na Ceia do Senhor, quando eu distribuía o pão aos diáconos, esse homem, ao tomar o seu pedaço, sempre cochichava: "Obrigado". E fazia a mesma coisa ao receber o vinho. Tive de destacar para ele o fato de que era um erro dizer "obrigado" em tais ocasiões. Se ele estivesse em minha casa como convidado, e eu lhe estendesse um prato com pão e manteiga, então, eu poderia esperar que ele dissesse: "Obrigado", mas não devia fazer isso, quando recebia o pão durante a Ceia do Senhor. Por que essa diferença? Durante a Ceia do Senhor, não sou eu quem lhe oferece nem o pão nem vinho; por isso, ele não precisa agradecer-me. A polidez e o tipo de comportamento correto em ocasiões sociais tornam-se erradas na Ceia. O bom homem jamais tomara consciência do que estava acontecendo. O que ele necessitava era do senso da presença de Deus. Isto não significa, por outro lado, que devemos nos revestir de falsa dignidade, tornando-nos pomposos. Estou falando sobre "reverência e piedoso temor".

Acima de tudo, não usemos um tom de voz "clerical". Que coisa horrível é essa! E, no entanto, quão comum! Os homens mais jovens geralmente desenvolvem esse mau hábito; ouvem outros pregadores e começam eles mesmos a usar esse afetado tom de voz clerical. Mas isso ofende as pessoas. Todavia, pior ainda é o pregador se envolver de uma falsa aparência de piedade — beatice. Que horrível! De acordo com certa crônica, Spurgeon lançou no ridículo essa atitude, certa ocasião, com razão ou sem razão, no tocante a certas pessoas que ele julgou serem culpadas dessa hipocrisia, nos dias em que ele viveu. Adaptando as palavras de Atos l: 11, ele indagou: "Varões... por que estais olhando para as alturas?" Seu propósito era ridicularizar aquelas pessoas que olham para o alto com uma expressão beata, procurando persuadir a si mesmas que são muito piedosas. Nesta conexão, ele também disse algo de grande sabedoria. Afirmou que, sempre que se vê um homem que tem a reputação de parecer muito santo e que sente prazer nessa reputação, podemos estar certos de que ele sofre do fígado. Concordo com ele cem por cento! O Novo Testamento recomenda-nos que, ao jejuarmos, devemos "ungir a cabeça com óleo"; de fato, recomenda-nos que façamos tudo que estiver ao nosso alcance para não darmos a impressão de que estamos jejuando. Não devemos chamar atenção para nós mesmos, ou para aquilo que somos, ou para o que estivermos fazendo.

Mais uma observação — evite o tom de conversa e o estilo descontraído na pregação. Quão indignas são todas estas coisas em conexão com a pregação! E por semelhante modo: nunca seja um comediante. Não cultive nem pratique gestos engraçados. Tudo que é cômico deve ser evitado.

Então, qual é a regra? Seja natural, esqueça-se de si mesmo. Fique tão absorvido com o que estiver fazendo, com a consciência da presença de Deus, com a glória e grandeza da verdade que você estiver pregando e com a ocasião que uniu a todos os presentes, a ponto de sentir-se arrebatado por essas coisas e esquecer-se de si mesmo completamente. Essa é a atitude correta; é a única condição de segurança; é a única maneira pela qual honraremos a Deus. O "eu" é o pior inimigo do pregador, pior do que qualquer outra pessoa na sociedade. E a única maneira de lidar com o "eu" é ficarmos tão enlevados e extasiados com a glória do que estamos fazendo, que nos esquecemos totalmente de nós mesmos.

CAPÍTULO CATORZE

APELANDO POR DECISÕES

A fim de sermos bastante práticos e contemporâneos, nesta altura temos de considerar se devemos nos esforçar no sentido de condicionar a reunião e as pessoas para a recepção de nossa mensagem. É neste ponto que se encaixa a questão da música. Afinal, o pregador é o responsável pelo culto, e cumpre-lhe, portanto, controlar este aspecto. Em nossos dias, esta pode ser uma questão muito delicada; e já conheci ministros que tiveram grandes dificuldades por causa da questão de coros, do cântico de hinos e de quartetos. Há igrejas que têm coristas ou solistas pagos, os quais talvez não sejam membros da igreja nem mesmo confessem ser crentes. Além disso, há o problema dos organistas. E, passando a um tipo mais popular de música, há o interminável cântico de corinhos. E, finalmente, em alguns países, existem os "líderes de louvor", cuja função especial consiste em conduzir os cânticos e fazer com que as pessoas entrem na atitude e condição corretas, para receberem a mensagem.

Como podemos avaliar todas estas coisas? Qual deve ser a nossa atitude para com elas? Meu comentário inicial é que, uma vez mais, temos diante de nós algo que se enquadra na mesma categoria de algumas das coisas que já consideramos. É algo que foi herdado da era vitoriana. Nada é mais urgentemente necessário do que uma análise das inovações que surgiram no âmbito da adoração religiosa durante o século XIX — que para mim, quanto a esse particular, foi devastador. Quanto mais prontamente nos esquecermos do século XIX e retrocedermos ao século XVIII e, melhor ainda, aos séculos XVII e XVI, tanto melhor será para nós. O século XIX, com sua mentalidade e perspectiva, é o responsável pela grande maioria das dificuldades e problemas que enfrentamos hoje nas igrejas. Foi naquele tempo que ocorreram as mudanças fatais em tantos aspectos da vida, conforme temos observado. E, ocupando posição de grande destaque, entre as mudanças que ocorreram, citamos a música em seus diferentes estilos.

Com frequência, especialmente nas igrejas não-episcopais, as congregações nem mesmo tinham órgão, antes daquela época. Muitos dos líderes evangélicos eram contrários ao uso do órgão e procuravam justificar sua atitude com o respaldo das Escrituras. Assim, muitos deles se opunham ao canto de qualquer coisa, exceto os salmos. Não estou interessado em avaliar as várias interpretações contrárias às Escrituras que se referem a este assunto ou em argumentar a respeito da antiguidade do canto de hinos. Desejo frisar que, se, por um lado, o canto de hinos se tornou popular no final do século XVII e mais particularmente no século XVIII, por outro lado, a nova ênfase dada à música e surgida nos meados do século XIX fazia parte da respeitabilidade e pseudo-intelectualismo que já descrevi.

No entanto, de um modo ainda mais particular, existe um perigo real de um tipo de "tirania do organista". Isto acontece porque o organista se encontra numa posição em que ele ou ela pode exercer considerável controle. Munido de um instrumento poderoso, o organista pode controlar o ritmo em que um hino é cantado; e o efeito pode variar completamente, se ele o toca em ritmo apressado ou em ritmo lento. Em seu ministério, muitos pregadores têm enfrentado problemas com organistas difíceis e, especialmente, com aquele tipo de organista que está mais interessado na música do que na verdade. Por conseguinte, o pastor deve usar muito critério ao designar um organista, assegurando-se de antemão que ele é um crente verdadeiro. E, se você tiver um coral em sua igreja, deve insistir nesta exigência para cada membro. A nossa primeira aspiração não é que os coristas tenham boa voz, e sim que tenham caráter cristão, amem a verdade e se deleitem em cantá-la. Deste modo, podemos evitar a tirania do organista e sua irmã gêmea, a tirania do coral.

No País de Gales, minha terra natal, havia uma expressão que ouvíamos com frequência. A expressão se referia não ao coral, e sim ao canto congregacional; era conhecida como "o demônio do canto". Esta expressão queria dizer que o assunto do cantar produzia mais contendas e divisões nas igrejas do que qualquer outro assunto e que os cânticos ofereciam ao diabo oportunidades de obstruir e dividir a obra mais frequentemente do que qualquer outra das atividades da igreja. À parte disso, a música, em suas variadas formas, faz surgir todo o problema do elemento de entretenimento, insinuando e levando as pessoas a virem aos cultos para ouvir música, e não para adorar.

Meu argumento é que podemos estipular como regra bastante geral que, quanto maior for a atenção dada a este aspecto da adoração — a saber, o tipo de edifício, o cerimonial, o canto e a música — quanto maior a ênfase nessas coisas, tanto menor será a espiritualidade que provavelmente teremos. E disso podemos esperar menos fervor, entendimento e interesse espiritual. Todavia, desejo fazer mais uma pergunta, pois sinto que é tempo de começarmos a fazê-la.

Conforme já disse noutra conexão, temos de interromper determinados maus hábitos que têm penetrado a vida de nossas igrejas e se transformado em uma tirania. Já me referi à forma rígida de culto e às pessoas que se dispõem a brincar com a verdade e tentam mudá-la, mas que resistem a qualquer tentativa de alteração na ordem do culto e nessa rígida forma. Portanto, sugiro que é chegado o tempo de fazermos a seguinte pergunta: por que é necessária toda esta ênfase sobre a música? Por que a música é tão importante? Enfrentemos esta questão; e, por certo, à medida que fizermos isso, chegaremos à conclusão de que aquilo que devemos buscar e almejar é uma congregação de pessoas que entoam juntas louvores a Deus; e que a verdadeira função de um órgão é acompanhá-las. Compete-lhe ser um acompanhamento, e não um ditador. Nunca devemos permitir-lhe ocupar essa posição. O órgão sempre deve ser subserviente. Diria que o pregador, de um modo geral, deve escolher tanto as melodias como os hinos, porque, às vezes, observamos uma contradição entre as duas coisas. Algumas melodias contradizem a mensagem do hino, embora a métrica seja correia. Por conseguinte, o pregador tem o direito de controlar estas questões. Ele não pode abdicar esse direito.

Talvez você não concorde comigo, quando sugiro que devemos abolir, de uma vez por todas, os corais; mas, por certo, todos devem concordar que o ideal seria que todas as pessoas elevassem suas vozes em louvor, adoração e veneração, regozijando-se enquanto o fazem. Creio que você também concordará que as tentativas deliberadas para "condicionar" as pessoas são completamente prejudiciais. Espero tratar isso na próxima seção; por isso, agora contento-me em dizer que essa tentativa de "condicionar" as pessoas, de abrandá-las, por assim dizer, milita realmente contra a verdadeira pregação do evangelho. Não se trata de mera imaginação ou teoria. Lembro-me de ter estado em uma famosa conferência religiosa onde a rotina invariável, em cada reunião e no caso de cada orador, era a seguinte: Pedia-se a cada orador que estivesse presente na plataforma a certa hora. Então, seguiam-se, literalmente, quarenta minutos de canto, dirigidos por um líder de louvor, intercalado com observações humorísticas por parte desse cavalheiro. Não havia qualquer leitura da Bíblia, havia uma oração extremamente breve; então, o orador tinha a oportunidade de falar.

Isso é um exemplo do que quero dizer por elemento de entretenimento. Recordo-me de que houve um solo de órgão, um solo de xilofone e, em seguida, um grupo vocal — lembro até o nome deles — Os Cantores do Jubileu Eureca, que simulavam mais ou menos aquilo sobre o que cantavam. Tudo isso se prolongava por quarenta minutos. Confesso que senti imensa dificuldade para pregar depois disso. Também me senti compelido a modificar a minha mensagem, a fim de enfrentar aquela situação com que me defrontava. Eu sentia que o "programa", a forma fixa, dominava a situação e que cada indivíduo tornava-se parte integrante do entretenimento. Por essa razão, temos de ser tão cuidadosos. Portanto, eu diria como regra geral: conserve a música em seu devido lugar. Ela é uma criada, uma serva; não lhe devemos permitir que domine ou controle as coisas, em nenhum sentido.

Menciono uma outra questão que parece trivial — embora algumas pessoas lhe tenham dado grande atenção. Refere-se à maneira como devemos usar as luzes do edifício em que estamos pregando, para tornar a pregação mais eficaz. Alguns templos têm lâmpadas de diferentes cores, instaladas em lugares estratégicos, e, conforme o sermão vai prosseguindo, as luzes vão sendo gradualmente apagadas, até que, no fim, em certo caso particular, sobre o qual estou pensando, não há nenhuma lâmpada acesa, exceto uma cruz vermelha iluminada, suspensa acima da cabeça do pregador. Tudo isso é apenas condicionamento psicológico; e está sendo justificado como elementos que facilitam a aceitação da verdade por parte das pessoas. Todavia, podemos deixar a questão nesse ponto e dizer somente que o problema que surge aqui é o ponto de vista de um crente a respeito da obra e do poder do Espírito Santo. Quão impossível é harmonizar tudo isso com a igreja do Novo Testamento e sua adoração espiritual.

Porém, isso conduz naturalmente a outra questão importantíssima: no final do sermão, preparado da maneira como temos considerado, o pregador deve fazer apelo para que as pessoas façam decisões ali mesmo. Várias expressões têm sido utilizadas, como "vir à frente", "vir ao altar", "ritual do arrependido", "assento dos interessados", etc., para descrever esse procedimento.

Este é um assunto que nestes últimos anos tem ganhado considerável proeminência; por isso, devemos abordá-lo. É um problema que todo pregador precisa enfrentar. Eu mesmo já tive de enfrentá-lo muitas vezes. Em diversas ocasiões, algumas pessoas têm me procurado ao final do culto, para me chamar atenção, dando-me às vezes uma verdadeira repreensão, porque eu não fizera um apelo imediato para que os ouvintes fizessem sua decisão. Algumas dessas pessoas chegam ao extremo de afirmar que cometi um pecado, que minha pregação criou uma oportunidade excelente e não me aproveitei dessa oportunidade. Então, costumam dizer: "Tenho certeza de que, se o senhor tivesse feito um apelo, teria conseguido um grande número de decisões" — esse tipo de argumento.

Além disso, certo número de ministros me tem dito, nos últimos dez anos mais ou menos, que no final do culto certas pessoas vêm dizer-lhes que eles não pregaram o evangelho, porque não fizeram um apelo. Isso lhes aconteceu tanto nos cultos matinais como nos cultos vespertinos. E já havia acontecido não somente nos cultos de evangelização, mas também em outros cultos, cujo intuito não era primariamente evangelístico. No entanto, foram acusados de não pregarem o evangelho, porque não houve qualquer "apelo".

Em certa ocasião, conheci três homens, três pastores que tinham sido chamados a pastorear determinadas igrejas. Estavam a ponto de serem aceitos, quando alguém, de repente, lhes perguntou se costumavam fazer "apelo" no fim de cada sermão? E, posto que aqueles três homens responderam negativamente, não foram aceitos, e a decisão foi revertida. Isto tem se tornado um problema gravíssimo, como o resultado de certas coisas que têm acontecendo desde o fim da Segunda Guerra Mundial.

Novamente, é importante que tenhamos os pensamentos claros a respeito da história deste assunto. A abordagem histórica é sempre proveitosa. Há muitos que não parecem ter consciência do fato que tudo isso, à semelhança de muitas outras coisas, penetraram a vida da igreja somente no século passado. Esse costume foi introduzido bem cedo no século XIX, mais cedo do que outras coisas que tenho mencionado. Realmente, surgiu com Charles G. Finney, na década de 1820. Foi ele quem introduziu o chamado "assento dos ansiosos", a "nova medida" por meio dos quais as pessoas eram chamadas à decisão imediata. Era uma parte essencial do método, da abordagem e da maneira de pensar de Finney; e produziu muita controvérsia naqueles dias. É uma das mais importantes controvérsias, além de ser muito interessante e fascinante. Recomendo-a como um assunto de leitura.

Os dois maiores protagonistas desse debate foram W. H. Nettleton e Finney. Nettleton foi um pregador muitíssimo usado em reuniões de pregação. Viajava muito e era constantemente convidado a pregar nos templos de outros ministros. Jamais fez um "apelo" por decisões imediatas, mas foi grandemente usado, e inúmeras pessoas se converteram no ministério dele, unindo-se às igrejas. Seguia a doutrina calvinista e praticava as suas crenças quanto a este assunto. Mas, então, Finney entrou em cena, com o seu apelo direto à vontade, para que as pessoas se decidissem imediatamente. Isto provocou grande controvérsia entre os dois pontos de vista, e muitos ministros se viram em enormes dificuldades entre os dois conceitos. Há uma fascinante narrativa sobre o episódio na autobiografia do Dr. Lyman Beecher, o pai do Dr. Henry Ward Beecher. Ele fora um grande amigo de Nettleton e, a princípio, tomou o partido deste. Eventualmente, quedou-se para a causa de Finney. O Dr. Charles Hodge e outros dentre os homens de Princeton estiveram ativamente engajados na discussão, bem como J. W. Nevin, fundador da Teologia Mercersberg.

Esta é a história da origem dessa prática, e importa que a conheçamos. Não foi por acidente que ela foi introduzida por Finney, porquanto, em última análise, é uma questão teológica. Ao mesmo tempo, não é apenas uma questão teológica; e nunca devemos esquecer que um arminiano como John Wesley, entre outros, jamais usou esse método.

Talvez a melhor maneira pela qual eu possa estimular os outros a pensar e dar-lhes alguma ajuda quanto a isso é declarar, francamente, que não tenho seguido essa prática em meu ministério. Permita-me dar-lhe alguns dos motivos que me têm influenciado neste aspecto. Não os declararei em qualquer ordem sistemática e precisa, mas apresento aqui uma ordem geral.

O primeiro motivo é que, sem dúvida, é um erro exercer pressão direta sobre a vontade. Desejo esclarecer o que digo. O homem é constituído por mente, afeições e vontade; e meu argumento é que ninguém deve fazer pressão direta sobre a vontade. Sempre devemos chegar à vontade por meio da mente, do intelecto e, em seguida, das afeições. A ação da vontade deve ser determinada por essas influências. A minha base bíblica para afirmar isso é Romanos 6.17, onde o apóstolo Paulo declara: "Mas graças a Deus porque, outrora, escravos do pecado, contudo, viestes a obedecer de coração à forma de doutrina a que fostes entregues".

Observemos a ordem dessas sentenças. Eles haviam "obedecido", é verdade; mas, de que maneira? "De coração." Porém, o que os levou a fazer isso, o que moveu os seus corações? A "forma de doutrina" que lhes foi entregue. Ora, o que lhes foi anunciado ou pregado foi a verdade, a verdade dirigida primariamente à mente. À medida que a mente apreende ou compreende a verdade, as afeições são despertadas e comovidas; desta maneira, a vontade é persuadida, e o resultado é a obediência. Noutras palavras, a obediência não resulta de uma pressão direta sobre a vontade; é consequência de uma mente iluminada e de um coração quebrantado. Para mim, este é um ponto crucial.

Deixe-me falar mais sobre a importância desta ideia. Em preleção anterior, aventurei-me a sugerir que o grande Whitefield caía, ocasionalmente, no erro de desferir um ataque direto sobre as emoções ou a imaginação; mas lamentamos qualquer tentativa de alguém fazer isso deliberadamente. Temos aqui outro aspecto deste mesmo princípio. Assim como é errado fazer um ataque direto contra as emoções, também é errado desferir um ataque contra a vontade. Na pregação, cabe-nos expor a verdade; e, como é óbvio, isto é proeminente e primordial para a mente. No momento em que nos desviamos desta ordem, desta regra, e fazemos investidas diretas contra qualquer dos outros elementos, estamos atraindo problemas; e o mais provável é que os arranjaremos.

Em segundo lugar, argumento que pressão exagerada sobre a vontade — e inevitavelmente há um elemento de pressão em toda a pregação, mas refiro-me aqui à pressão em excesso — ou pressão demasiadamente direta é algo perigoso, porque, no final, pode produzir uma condição em que o elemento determinante da resposta favorável de um indivíduo que "veio à frente" não foi a própria verdade, mas, talvez, a personalidade do evangelista, ou algum temor vago e geral, ou algum outro tipo de influência psicológica. Isto nos faz lembrar, uma vez mais, o papel da música nos cultos de pregação. Podemos ficar enlevados com a música — não há dúvida sobre isso. A música pode ter o efeito de criar um estado emocional tal que a mente não funciona mais como deveria e não exerce mais discriminação. Já vi pessoas cantarem até atingirem um estado de enlevo no qual não mais tinham consciência do que estavam fazendo. O ponto importante é que devemos nos conscientizar de que os efeitos produzidos dessa maneira não são produzidos pela verdade, e sim por um ou outro destes diversos fatores.

Há alguns anos, deparei-me com uma extraordinária ilustração deste assunto. Apenas repetirei o que foi divulgado pela imprensa; por isso, não divulgarei nada secreto, nem trairei qualquer confiança. Certa vez, pediram a um evangelista da Inglaterra que dirigisse um programa de canto de hinos, no domingo à noite, transmitido pelo rádio. Esse programa era levado ao ar, regularmente, por meia hora, todos os domingos. Diferentes igrejas eram solicitadas a fazer esse programa, semana após semana. Ora, naquela ocasião particular, esse bem conhecido evangelista estava realizando esse programa no Albert Hall, em Londres. Tudo fora planejado conforme era costumeiro, com meses de antecedência.

Cerca de uma semana, mais ou menos, antes do programa ser realizado, chegou a Londres outro evangelista; e, ao ouvir falar sobre isso, o evangelista britânico o convidou a pregar antes da meia hora de hinos ser levada ao ar. E o evangelista visitante fez isso mesmo. Ele foi avisado de que teria de parar sua pregação a certa hora, porque naquele momento estariam "no ar" para a transmissão do canto dos hinos. Portanto, o evangelista pregou e terminou sua pregação exatamente na hora marcada. De imediato, os hinos foram colocados "no ar" por meia hora. Quando tudo terminou, e não estavam mais "no ar", o evangelista visitante fez seu "apelo" usual, convidando as pessoas a que viessem à frente.

No dia seguinte, esse evangelista foi entrevistado por repórteres, e, entre outras perguntas, perguntaram-lhe se estava satisfeito com o resultado do seu apelo. Imediatamente, ele retrucou que não estava, que estava desapontado e que o número de pessoas que atenderam o convite fora menor do que estava acostumado a obter em Londres, bem como em outras localidades. Então, um dos jornalistas lhe fez a pergunta óbvia: "Ao que ele atribuía o fato de que a reação foi comparativamente pequena nesta ocasião?" Sem hesitação, o evangelista respondeu que isso era bastante simples, pois infelizmente houve uma interrupção de meia hora, para o canto de hinos, entre o fim do seu sermão e apresentação do apelo. Isso, declarou ele, era a explicação. Se ao menos lhe houvesse sido permitido que fizesse o apelo logo após o fim de seu sermão, o resultado teria sido muitíssimo maior.

Esse não é, realmente, um episódio iluminador e instrutivo? Não comprova que, às vezes, o que produz os resultados, como ficou claro, não é a verdade, nem a atuação do Espírito? Pois aquele pregador, pessoalmente, admitia que os "resultados" não podiam resistir ao teste de meia hora de canto de hinos; admitia que meia hora de hinos pode anular os efeitos de um sermão, sem importar quais tenham sido esses efeitos, e que, por isso, os resultados haviam sido desapontadores. Esse episódio é uma ótima ilustração do fato de que a pressão direta sobre a vontade pode produzir "resultados", embora isso não tenha qualquer relação com a verdade.

O meu terceiro argumento é que a pregação da Palavra e os apelos por decisões são coisas que não devem ser separadas em nossa maneira de pensar. Isto exige mais esclarecimento. Um dos grandes princípios enfatizados no ensino reformado, que teve início no século XVI, foi o princípio de que as ordenanças jamais devem ser separadas da pregação da Palavra. Os católicos romanos eram os culpados dessa separação, e isso resultou em que as ordenanças foram divorciadas da Palavra, tornando-se entidades autônomas. De acordo com o ensino católico, o efeito e os resultados nas pessoas seriam produzidos não por meio da pregação da verdade, e sim por meio da ação das ordenanças que agem *ex opere operato*. O ensino protestante condenou essa doutrina, ressaltando que as ordenanças não devem, de maneira alguma, ser separadas da pregação e que essa era a única maneira de evitar noções semimágicas e experiências espúrias.

Meu argumento é que o mesmo princípio se aplica a este assunto de convites para que as pessoas façam decisões; e que a tendência crescente tem sido a de colocar mais e mais ênfase sobre o "apelo" e as decisões, considerando isso algo que subsiste por si mesmo.

Lembro-me de ter estado em uma reunião evangelística na qual eu, além de outros, sentimos que o evangelho não fora pregado, verdadeiramente. O evangelho fora mencionado, mas certamente não fora transmitido, nem pregado; mas, para minha admiração, grande número de pessoas se dirigiu à frente em resposta ao apelo feito no final. E imediatamente surgiu a pergunta: o que pode explicar isso? No dia seguinte, eu discutia essa questão com um amigo. Ele disse: "Não há nada difícil nesse fenômeno; esses resultados não estão ligados à pregação". Então, insisti: "Então, o que aconteceu?" Ele replicou: "Isto é Deus respondendo as orações de milhares de pessoas que, ao redor do mundo, clamam por esses resultados; não é a pregação". Minha contenção é que não deveria haver essa disjunção entre o "apelo" e a pregação, da mesma maneira que não deve haver separação entre as ordenanças e a pregação.

Meu quarto ponto é que esse método envolve, com certeza, a implicação de que os pecadores têm um poder inerente de decisão e de conversão pessoal. No entanto, isto não pode ser conciliado com o ensinamento bíblico, tal como o vemos em 1 Coríntios 2.14: "Ora, o homem natural não aceita as coisas do Espírito de Deus, porque lhe são loucura; e não pode entendê-las, porque elas se discernem espiritualmente"; ou em Efésios 2.1, que assevera: "Ele vos deu vida, estando vós mortos nos vossos delitos e pecados". E existem muitos trechos semelhantes.

O meu quinto ponto é que neste assunto de apelos há a implicação de que o evangelista, de alguma maneira, se encontra na posição de manipular o Espírito Santo e as suas realizações. O evangelista precisa apenas aparecer e fazer o seu apelo, e resultados surgirão inevitavelmente. Se houvesse fracasso ocasional ou uma ou outra reunião com pouca ou nenhuma reação positiva, esse problema não existiria; mas tão frequentemente, em nossos dias, os organizadores são capazes de predizer o número dos "resultados".

Muitos talvez concordem com o meu sexto ponto, ou seja, que esse método tende por produzir uma convicção superficial de pecado, se produz qualquer convicção. Com frequência, as pessoas reagem positivamente por terem a impressão de que, fazendo isso, receberão certos benefícios. Lembro-me de ouvir falar a respeito de um homem importante que era considerado como um dos convertidos de determinada campanha. Entrevistaram-no e perguntaram por que viera à frente na campanha evangelística do ano anterior. Sua resposta foi que o evangelista dissera: "Se você não quer 'perder o barco', é melhor que venha à frente". E, como ele não queria "perder o barco", viera à frente. E tudo quanto o entrevistador pôde arrancar dele é que agora estava "no barco". Não tinha certeza do que significavam essas palavras, nem do que se tratava realmente, nem parecia que lhe acontecera qualquer transformação durante o ano que já se passara. Mas ali estava ele. A decisão pode ser tão superficial assim.

Ou consideremos outra ilustração, extraída de minhas próprias experiências. Na igreja que pastoreei, no Sul do País de Gales, costumava ficar na porta principal do templo, ao final do culto de domingo à noite, para cumprimentar as pessoas com um aperto de mão. O incidente a que me reporto envolve um homem que costumava vir às nossas reuniões todos os domingos à noite. Era um operário e alcoólatra quase inveterado. Embebedava-se regularmente todos os sábados à noite, mas também vinha ocupar regularmente um assento na galeria de nosso templo, todos os domingos à noite. Naquela noite específica a que me refiro, aconteceu-me observar que, enquanto eu pregava, aquele homem estava sendo tocado pela Palavra. Eu podia ver que ele chorava copiosamente e desejei muito saber o que estava acontecendo com ele. Terminada a reunião, coloquei-me à porta. Passados uns momentos, vi que aquele homem se aproximava e imediatamente me vi diante de um tremendo conflito mental. Eu deveria ou não, em face do que tinha visto, falar com ele e convidá-lo a tomar uma decisão naquela mesma noite? Estaria interferindo na obra do Espírito, se agisse assim? Apressadamente, resolvi que não lhe pediria que ficasse mais um pouco; tão-somente me despedi dele, conforme o hábito, e ele saiu. Seu rosto revelava que estivera chorando muito; quase nem podia olhar-me no rosto. Na noite seguinte, quando me encaminhava para uma reunião de oração que aconteceria na igreja, ao atravessar uma passarela, por cima de uma linha de trem, notei que aquele homem vinha na minha direção para falar comigo. Ele atravessou a rua para dizer-me:

"Sabe de uma coisa, doutor? Se o senhor me tivesse convidado para demorar-me mais um pouco, na noite passada, eu lhe teria atendido". "Pois, bem", retruquei, "agora estou lhe fazendo um convite. Venha comigo". "Não, não", ele se apressou a dizer, "mas, se o senhor me tivesse convidado na noite passada, eu teria atendido". Então, eu lhe disse: "Meu amigo, se o que lhe aconteceu ontem à noite não perdurou por vinte e quatro horas, não estou interessado nisso. Se você não está pronto a vir comigo agora, conforme estava na noite passada, você ainda não tem a coisa certa e verdadeira. Não importa o que lhe afetou na noite passada, era algo apenas temporário e passageiro; e você ainda não conseguiu, de fato, perceber sua necessidade de Cristo".

Esse é o tipo de coisa que pode acontecer, mesmo quando não há apelo nenhum. Porém, quando o costume é fazer apelos, esse fenômeno é exagerado, e obtemos muitas conversões espúrias. Conforme lhes tenho lembrado, o próprio John Wesley, o grande arminiano, não apelava às pessoas para que "viessem à frente". O que se pode encontrar com grande frequência em seus diários, é algo parecido com o que aqui é transcrito: "Preguei em tal lugar. Muitos pareceram estar profundamente tocados, mas só Deus sabe quão profundamente". Sem dúvida, essas palavras são muito significativas e importantes. Wesley possuía entendimento espiritual e sabia que muitos fatores são capazes de afetar-nos. Mas aquilo com o que ele realmente se interessava não era resultados imediatos e visíveis; era a obra regeneradora do Espírito Santo. O conhecimento do coração humano, da psicologia humana, deveria ensinar-nos a evitar qualquer coisa que aumente a possibilidade de alcançarmos resultados espúrios.

Um outro argumento — o sétimo — é que fazer apelos encoraja as pessoas a pensarem que o seu ato de vir à frente as salva, de algum modo. O apelo é como um ato que precisa ser feito imediatamente, uma ação capaz de salvar realmente as pessoas. Foi isso que aconteceu com aquele homem que sentia que agora estava "no barco", por ter vindo à frente, embora não entendesse coisa alguma do que estava fazendo.

Porém, conforme já tenho sugerido, esta não é uma prática baseada, em última análise, na falta de confiança no Espírito Santo, seu poder e sua obra? Isto não deixa subentendido que o Espírito Santo precisa ser ajudado, auxiliado e suplementado, para que a sua obra seja apressada; e que não podemos deixá-la nas mãos dEle? Não vejo como podemos evitar essa conclusão.

Ou, apresentando o problema sob outra luz — nono ponto — todo este problema não surge do entendimento da doutrina da regeneração? Para mim, esta é a questão mais séria de todas. O que quero dizer é isto (que abrange este ponto e o anterior): visto que esta é uma obra do Espírito Santo, e somente dEle, ninguém mais pode realizá-la em seu lugar. A verdadeira obra de convicção de pecado, de regeneração, de outorga do dom da fé e de nova vida cabe, unicamente, ao Espírito Santo. E, visto que esta é uma obra dEle, sempre será uma obra completa, sempre será uma obra que se evidenciará. Sempre foi assim. Podemos ver isso, de maneira impressionante, no dia de Pentecoste, em Jerusalém, conforme o relato de Atos 2. Enquanto Pedro ainda proferia o seu sermão, os ouvintes começaram a clamar, sob convicção de pecado: "Que faremos, irmãos?" Ora, Pedro estava pregando sob o poder do Espírito Santo. Estava expondo e aplicando as Escrituras. E não utilizou qualquer técnica; e não houve qualquer intervalo entre o sermão e o apelo. De fato, Pedro nem ao menos teve a possibilidade de terminar o seu sermão. A poderosa obra de convicção estava em andamento, e se revelou da maneira como sempre o faz.

Lembro-me de ter lido a narrativa de um avivamento que ocorreu no Congo, em um livro intitulado *This is That* (Isto é Aquilo). Li, em especial, um dos capítulos escrito por um homem a quem conheci pessoalmente. Ele vinha atuando como missionário evangélico no interior da África por vinte anos, e a cada reunião fazia apelos ao povo, para que viesse à frente em resposta à sua mensagem. Pouquíssimos haviam atendido; ele estava de coração abatido. Pressionava os ouvintes, lhes fazia rogos e tudo que é habitual entre os evangelistas; no entanto, não obtinha resposta favorável. Então, em certa ocasião, ele teve de afastar-se para uma parte distante do distrito que estava ao seu encargo. Enquanto estava ausente, irrompeu um avivamento na área central de seu distrito. A sua esposa lhe enviou uma mensagem, relatando o que estava acontecendo. A princípio, ele não gostou do que acontecia. Não o alegrava ouvir falar aquilo, porque tudo acontecia enquanto ele não estava presente — todos nos inclinamos a ser culpados desse tipo de orgulho. No entanto, precipitou-se de volta, no intuito de controlar o que sentia ser uma explosão de emocionalismo ou uma espécie de "fogo de palha". Tendo regressado, reuniu o povo no templo e começou a pregar. Para seu completo espanto, antes de chegar à metade do sermão, as pessoas começaram a vir à frente, sob profunda convicção de pecado. Aquilo que ele tentara levá-los a fazer por vinte anos e não conseguira, agora faziam-no espontaneamente. Por quê? Porque o Espírito Santo estava realizando a obra. Sua atuação sempre se torna manifesta. Assim deve acontecer, e sempre acontecerá. Certamente isso não exige demonstração nem argumento a seu favor. A obra de Deus sempre se evidencia, na natureza, na criação ou na alma dos homens.

Já passei por muitas experiências concernentes a este aspecto da questão. Mais adiante, falarei algo sobre o romance da obra do pregador e do ministro do evangelho; e este é um dos aspectos desta obra. Lembro que, durante os dias negros da Segunda Guerra Mundial, tudo era extremamente desencorajador — os bombardeios haviam dispersado a nossa congregação, e assim por diante. Eu passava por um período de grande desânimo. De repente, recebi uma carta das Índias Orientais Holandesas, que agora têm o nome de Indonésia. Fora enviada por um soldado holandês que me dizia que sua consciência o inquietara de tal maneira que, finalmente, resolvera escrever-me para contar o que lhe acontecera dezoito meses antes. Esclarecia-me que viera à Inglaterra, com o Exército Livre Holandês. E, enquanto estava aquartelado em Londres, viera aos nossos cultos por diversas vezes. Naqueles dias, ficara convencido de que nunca fora um crente verdadeiro, embora tivesse pensado que o era. Depois, passou por um sombrio período de convicção de pecado e de desamparo espiritual; mas, eventualmente, pudera ver com clareza a verdade e, desde então, muito se regozijava. Nunca me contara o que havia acontecido consigo, por diversas razões; mas agora me informava tudo em sua carta.

Minha reação a essas coisas é a seguinte. Que importa se eu souber ou não do resultado da pregação? Naturalmente, isso tem seu valor, do ponto de vista de encorajamento para o obreiro cristão. Mas não tem valor algum, do ponto de vista da própria obra. A obra foi realizada, e se evidenciou, e continuava a se manifestar na vida daquele soldado, antes mesmo de haver-me escrito. Isto é o que realmente importa.

Graças a Deus, tenho constatado a repetição dessa experiência nestes últimos tempos. Tendo-me aposentado da responsabilidade pastoral, e viajado por muitos lugares, e desfrutado de mais tempo, encontrei pessoas, em vários lugares da Grã-Bretanha, que me disseram que se converteram enquanto ouviam a minha pregação. Eu não sabia nada a respeito disso antes, mas tinha acontecido há muitos anos, no passado. Por exemplo, eu pregava no templo de certo pregador, há exatamente dezoito meses. Enquanto me apresentava à sua congregação, ele narrou em breves pinceladas a sua história espiritual, e, para minha total surpresa, fiquei sabendo que eu havia desempenhado um papel vital na vida espiritual dele. Aquele homem havia sido um profissional bem qualificado, que deixara a sua carreira e se tornara o pastor daquela igreja. Ele contou aos circunstantes como, em uma quente noite de verão, no mês de junho, ao andar sem rumo por uma rua de Londres, ouviu o som de cânticos proveniente da Capela de Westminster. Entrou e permaneceu ali até o fim da reunião. "Saí dali", declarou ele, "um novo homem, nascido de novo, regenerado". Antes daquela oportunidade, ele era completamente ignorante de tais coisas; e, na verdade, inclinara-se por desprezá-las e eliminá-las de suas cogitações. Ora, aquela era a primeira vez que eu ouvia falar sobre tais acontecimentos, embora tivesse ocorrido em 1964. Porém, que importa isso? O importante é que, se o Espírito é aquele que realiza tal obra, ela é uma obra real, consistente; e sempre tende por manifestar-se.

Agora afirmo o meu décimo ponto — ou seja, que nenhum pecador chega realmente a "decidir-se por Cristo". O vocábulo "decidir-se" sempre me pareceu bastante errado. Com frequência, ouço pessoas usando expressões que me parecem perturbadoras, que me deixam infeliz. Geralmente, usam-nas em sua ignorância, com a melhor das intenções. Posso pensar em um idoso cavalheiro que costumava dizer o seguinte: "Meus amigos, eu me decidi por Cristo faz quarenta anos e nunca me arrependi disso". Quão terrível é dizer: "Nunca me arrependi!" Mas esse é o tipo de declaração que fazem as pessoas que têm sido criadas sob o ministério desse ensino e desse método. Um pecador nunca "se decide" por Cristo; o pecador "foge" para Cristo, em total desamparo e desespero, dizendo:

> Infrator, à fonte corro
> Lava-me, Senhor ou morro.

Ninguém chega verdadeiramente a Cristo, a menos que se lance nEle como seu único refúgio e esperança, seu único meio de escape das acusações da própria consciência e da condenação ante à santa lei de Deus. Nenhuma outra coisa é satisfatória. Se um homem disser que, tendo pensado sobre a questão e considerado todos os aspectos envolvidos, terminou por decidir-se ao lado de Cristo, e, se o fez sem qualquer emoção ou sentimento, não posso considerá-lo um homem que foi regenerado. O pecador convencido não "se decide" por Cristo, assim como um coitado que está se afogando não "decide" pegar a corda que lhe é atirada; ele se agarra à corda, porque ela é o seu único escape. Esta expressão é totalmente imprópria.

No entanto, temos novamente de confrontar o argumento dos "resultados". Mas, "veja o que acontece", dizem muitos. Ao que me parece, este é um argumento que pode ser respondido de diversos modos. Um deles é que nós, protestantes, não devemos lançar mão do argumento jesuítico, o argumento de que o fim justifica os meios. Isto é o que significa o argumento dos resultados. Contudo, temos de ir mais além e examinar os resultados e as reivindicações que são feitas. Qual a porcentagem de permanência dessas "decisões"? Já ouvi evangelistas dizerem que nunca esperam que permaneçam mais do que 10% dessas decisões. Eles afirmam isso abertamente. O que exerceu influência sobre o restante? E, se alguém disser que o importante são os 10%, porque são o resultado da obra do Espírito, responderei que isso teria acontecido na ausência de qualquer "convite para vir à frente".

Indo mais adiante, é imprescindível que saibamos fazer distinção entre resultados imediatos e resultados remotos. Para fins de argumentação, admitamos que haja certo número de resultados imediatos. Apesar disso, teremos de levar em conta os efeitos e os resultados remotos dessa maneira de proceder — o efeito sobre a vida da igreja local, bem como sobre a vida das demais igrejas. A despeito de tudo que tem sido dito sobre os resultados fenomenais e espantosos, durante os últimos vinte anos, dificilmente alguém poderia contestar o fato de que o nível geral de autêntica espiritualidade, na vida de nossas igrejas, tem atravessado grave declínio. Ora, esse é o efeito remoto, que é diametralmente contrário àquilo que sempre aconteceu em tempos de avivamento e despertamento espiritual.

Além disso, nas reuniões de pastores e em conversa particular com muitos ministros, tenho averiguado que, de modo geral, os ministros acham que seus problemas aumentaram, e não que diminuíram, em anos recentes. Já mencionei o caso de ministros que nem ao menos têm sido convidados por certas igrejas, por não fazerem apelo. Já fiz comentários sobre outros que são criticados pelos próprios membros de suas igrejas, porque não costumam fazer "apelo" no fim de cada culto. Essa prática parece haver introduzido uma nova espécie de mentalidade, uma carnalidade que se expressa na forma de um interesse doentio por números. Isso também tem criado um desejo pelo que é emocionante, uma impaciência diante da mensagem, porque todos estão esperando pelo "convite", após a pregação, para que vejam os resultados. Ora, tudo isto é bastante sério.

Nesta altura, outro elemento se introduz. Como eu já havia dito, os organizadores desta espécie de atividade são capazes de predizer, com extraordinária precisão, o número de decisões e os resultados que provavelmente conseguirão. Têm até mandado imprimir seus cálculos, antes da campanha ter início, e geralmente não ficam longe de suas estimativas. Ora, isto é perfeitamente inconcebível em conexão com a obra do Espírito Santo. Ninguém sabe o que o Espírito Santo fará. "O vento sopra onde quer." Nada pode ser predito, nada pode ser antecipado. Os maiores pregadores e santos tiveram, com frequência, cultos difíceis e estéreis quanto a resultados numéricos e deploraram esse fator. Mesmo em épocas de avivamento, há dias e reuniões em que nada acontece, em absoluto; mas no dia seguinte, talvez, eis que ocorre um avassalador derramamento de poder. Por conseguinte, o próprio fato de que se pode antecipar e predizer mais ou menos o que acontecerá é uma indicação de que tal método não se harmoniza com o que sempre caracterizou a obra do Espírito. Por outro lado, creio que deixei claro o fato de que, em tudo que acabo de dizer, não estou pondo em dúvida os motivos ou a sinceridade daqueles que utilizam esses métodos; tampouco estou negando que tenham havido conversões genuínas. Preocupei-me apenas em mostrar as razoes por que eu mesmo não emprego esse método.

Então, o que devo fazer?, você perguntará. Eu respondo nestes termos. O apelo deve fazer parte da própria verdade, da própria mensagem. Enquanto você estiver proferindo um sermão, deve estar fazendo constantes aplicações da mensagem, sobretudo, como é natural, na última fase, quando chegar à aplicação final e ao clímax do sermão. Mas o apelo deve fazer parte da mensagem; deve ser inevitável. O sermão deve ter a capacidade de fazer os homens perceberem que esta é a única coisa que pode ser feita. O apelo deve estar implícito ao longo de todo o corpo do sermão, bem como em tudo quanto o pregador faz. Eu diria, sem hesitação, que um apelo distinto, separado e especial no fim do sermão, após certo intervalo, ou após um hino, só deve ser feito se o pregador tiver plena consciência de uma injunção avassaladora do Espírito de Deus, orientando-o a fazer isso.

Se alguma vez eu sentir que devo fazer isso, eu o farei; mas somente se sentir que devo fazê-lo. Mas a maneira como o farei não será convidando as pessoas a que venham à frente. Simplesmente direi aos presentes que me coloco à disposição para conversar com eles, no fim do culto ou em qualquer outra oportunidade. De fato, acredito que o ministro sempre deveria anunciar, de alguma maneira, que está pronto a conversar com qualquer pessoa a respeito de sua alma e seu destino eterno. Isto pode ser dito por meio de um cartão colocado em cada assento — eu tenho agido assim — embora você possa fazê-lo usando outro esquema. Torne-se disponível, deixe bem claro que está à disposição dos interessados. Assim você descobrirá que as pessoas que sentiram a convicção de pecado o procurarão, porque se sentem infelizes. Frequentemente, elas receiam voltar para casa do mesmo jeito. Já vi casos de pessoas que, depois de estarem na metade do caminho para casa, voltaram para conversar comigo, na igreja, por não poderem tolerar o senso de convicção de pecado e de infelicidade; a agonia delas era grande demais.

Ou, se tiverem encontrado a salvação e agora se regozijam nela, terão o desejo de contar-lhe isso. Cada pessoa o fará no seu próprio tempo; permita que elas o façam. Não procure forçar estas coisas. Esta é a obra do Espírito Santo de Deus. A obra dEle é completa e duradoura. Portanto, não devemos nos entregar a esta intensa ansiedade por resultados. Não estou dizendo que esta ansiedade é desonesta. Mas digo que é um engano. Temos de aprender a confiar no Espírito e a depender de sua obra infalível.

CAPÍTULO QUINZE

OS ARDIS E O ROMANCE

~~~~~~~~~~~~

Restam ainda certas questões avulsas às quais devo me referir. Uma delas diz respeito ao problema de repetir o mesmo sermão. Nisto não há qualquer problema grave, mas descobri que algumas pessoas se surpreendem com o fato de que um pregador repita um sermão. Parecem imaginar que fazer isso é uma atitude quase pecaminosa. Por isso, temos de examinar esta questão.

Quando falo em repetir um sermão, é óbvio que não estou pensando em repetir o mesmo sermão, na mesma igreja, para as mesmas pessoas. Refiro-me a usar um sermão que já havíamos pregado em nossa própria igreja, pregando-o em outros lugares, quando somos convidados a pregar durante um período de férias ou em uma ocasião especial. No que diz respeito a pregar o mesmo sermão em uma mesma igreja, sinto grande dificuldade em compreender como é possível que alguém faça isso. Pessoalmente, eu ficaria bem constrangido para fazê-lo. Todavia, há homens que têm feito isso. Um organista revelou-me que ouvira certo ministro pregar seu famoso sermão sobre "Balaão e sua jumenta" por nada menos de sete vezes, na igreja em que ele era organista; e podia recitar palavra por palavra certas porções daquele sermão. Não preciso dizer mais nada sobre isso. Também falaram-me sobre um famoso pregador norte-americano que costumava repetir certo sermão específico a cada ano, quando era pastor de uma igreja na Filadélfia. Todos os membros da igreja sabiam que ele faria isso e costumavam esperar ansiosamente por tal sermão. Também soube que ele o fez porque lhe pediram. Pessoas têm lhe pedido que pregue um sermão específico em diferentes ocasiões; e ele tem atendido esses pedidos reiteradas vezes. Nada tenho a dizer em favor dessa prática; na realidade, muito tenho a dizer contra ela.

Porém, que dizer sobre pregar o mesmo sermão em outra igreja ou em outras igrejas? Existe algum princípio envolvido nisso? Até onde tenho conhecimento da história desta particularidade, com base em leitura e conversas, existe apenas um homem que era uma exceção a isto, a saber, Charles Haddon Spurgeon. Portanto, cumpre-nos dar alguma atenção a essa questão.

Spurgeon não aprovava a repetição de sermões; sempre procurava preparar um novo sermão para cada ocasião. No entanto, é muito interessante ler o que ocorreu na ocasião em que ele visitou a Escócia pela primeira vez e pregou em Edimburgo. Ele seguiu seu método usual e pregou um novo sermão, apesar de saber que pregaria a uma numerosa e curiosa audiência. Mas a mensagem foi um completo fracasso; assim, Spurgeon enviou à sua casa, em Londres, uma mensagem urgente, solicitando que lhe trouxessem as notas de um sermão que pregara no Tabernáculo, no domingo anterior! Por conseguinte, Spurgeon teve de reconsiderar a sua própria norma, em um momento de crise e dificuldade.

No entanto, exceto neste único caso de Spurgeon, até onde tenho consciência, a tendência de outros notáveis pregadores tem sido a de repetir seus sermões. Whitefield fazia isso constantemente, o que também acontecia com John Wesley. Você terá apenas de ler os diários deles para descobrir isso. Deixaram registrado que pregaram este ou aquele sermão, sobre este ou aquele texto e que o pregaram novamente em outros lugares, várias vezes. Foi interessante observar recentemente, em um dos volumes reimpressos dos diários de Benjamin Franklin, que este declarava ser capaz de dizer quando Whitefield estava pregando um novo sermão. Ele podia dizer imediatamente, somente por ouvir e observar o pregador, se era um novo sermão ou um sermão com o qual Whitefield estava bem familiarizado, devido a frequentes repetições. Ele não demonstrava a mesma fluência e liberdade no caso de um novo sermão. Whitefield era muito cuidadoso, especialmente porque era um pregador extemporâneo.

Houve, igualmente, um grande pregador do País de Gales, falecido em 1921, que costumava afirmar, definida e deliberadamente, que sentia jamais haver pregado realmente um sermão, de maneira devida, a menos que já o pregasse vinte vezes! Apesar de compreender bem o que ele queria dizer, não me sinto feliz com isso. No caso específico daquele pregador, sinto que ele tinha certa tendência de tornar-se mais um retórico ou um declamador dramático.

Nesta conexão, também me lembro da excelente resposta que, em certa ocasião, outro grande e idoso pregador deu a alguém que se queixara de acabar de ouvi-lo pregar um mesmo sermão pela terceira vez. Mas ele não o havia repetido no mesmo lugar, e sim em lugares diferentes. O ouvinte era uma daquelas pessoas que seguem um pregador de lugar para lugar; e tais pessoas podem tornar-se um embaraço! Quando aquele homem apresentou sua queixa, o idoso e sábio pregador fitou-o e perguntou: "Você já o pôs em prática?" O seu interlocutor vacilou na resposta. "Muito bem", acrescentou o pregador, "continuarei a pregar aquele sermão, até que você o ponha em prática".

Esta é uma resposta satisfatória, até certo ponto; mas, justifica realmente esta prática? Acredito que sim; eu também a defenderia nestes mesmos termos. Afinal de contas, um sermão não é apenas uma declaração da verdade ou uma declaração de certo número de verdades. Também, não é, de conformidade com a minha definição, somente a exposição de uma passagem qualquer: é muito mais do que isso. Se fosse apenas uma exposição, e nada mais, estaria pronto a admitir que é perfeitamente válida a objeção contra a repetição de sermões. Contudo, se aceitarmos a definição de um sermão como uma mensagem e um dever, como uma entidade, como uma mensagem completa em si mesma, que tem forma e maneiras específicas, penso que muito pode ser dito em favor da repetição do mesmo sermão em diversos lugares. Minha principal razão para dizer isso, e por certo esta é a experiência de todo pregador, é que algumas mensagens são dadas ao pregador de maneira especial. Já fiz alusão a isso. Alguns sermões são conferidos ao pregador com uma clareza incomum; até parece que a própria ordem dos pontos a serem apresentados lhe foi outorgada; tudo parece ter sido um dom direto da parte de Deus. Além disso, o pregador descobre que tal mensagem é honrada e usada pelo Espírito, talvez para a conversão de alguém ou como um meio de bênção especial para outros. Quanto a isso, não há dúvidas. Todo pregador pode testemunhar a esse respeito. Portanto, pergunto: por que um sermão desse tipo não pode ser repetido? Sem dúvida, o pregador sempre deve ter o interesse de dar o melhor que está ao seu alcance, o melhor que ele possui. Portanto, certamente é lícito o pregador escolher seu melhor sermão e pregá-lo ao povo.

Existe ainda outro argumento. Assumindo o ponto de vista que venho advogando a respeito de sermões e da pregação, você perceberá que os sermões evoluem e se desenvolvem como resultado de serem pregados. Ninguém consegue ver tudo quando está preparando um sermão em seu escritório; mas o pregador percebe outros aspectos quando o prega; assim, este sermão cresce e se desenvolve. Esta é uma questão muito interessante e fascinante. Falo de novo baseado em minha própria experiência, bem como naquilo que tenho ouvido de outros.

Lembro-me de um pregador que me contou como um senso de alarme o assaltou subitamente. Aquele homem era um grande admirador de outro pregador. Ele mesmo era bom pregador, mas não era notável e popular como aquele a quem ele admirava. Entretanto, por ser homem bom e humilde, era admirador sincero do outro pregador. Em certa ocasião, ele esteve em um grande sínodo. Era costume que o último dia de cada sínodo fosse dedicado à pregação. Os grandes pregadores sempre eram convidados a falar nessas ocasiões. O grande herói do meu amigo levantou-se para pregar. E disse o meu amigo: "Para meu desalento, ouvi que ele anunciou determinado texto. Na realidade, comecei a sentir-me agoniado e aflito, porque", continuou ele, "eu o ouvira pregar sobre aquele texto em minha própria igreja, cerca de três meses antes, em algumas reuniões especiais. Na ocasião, senti que o sermão não estava bem à altura dos padrões usuais dele. Assim, quando o ouvi anunciar seu texto, naquela grandiosa ocasião, fiquei desalentado e cheio de ansiedade por causa de sua reputação". E prosseguiu: "No entanto, eu não precisava ficar perturbado. Aquele sermão havia crescido e se desenvolvido; agora, estava quase irreconhecível. Eu ainda pude reconhecer o antigo esboço, mas agora se transformara em um sermão verdadeiramente grandioso, que ele pregou com poder imenso. O extraordinário naquele idoso homem", acrescentou ele, "é que os seus sermões crescem; desenvolvem-se da forma mais notável". E ele contrastou isso com os seus próprios sermões, asseverando: "Os meus sermões não evoluem". O que acontecia era que ele se preparava tão criteriosa e meticulosamente, escrevendo cada palavra, que, em certo sentido, os seus sermões não podiam desenvolver-se. O mesmo não ocorria com o outro pregador; por isso, seus sermões podiam crescer e desenvolver-se. O resultado disso era que, embora tal pregador vivesse pregando o mesmo sermão, em muitos outros sentidos não era o mesmo sermão; tornara-se um sermão melhor, mais completo, um sermão maior.

E não somente isso. Novamente, surge toda a questão do relacionamento entre o sermão e a pregação. Conforme já confessei, é muito difícil definir isto. Todavia, está bem de acordo com a experiência afirmar que, à medida que nos familiarizarmos com um sermão, maior será a eficácia que demonstraremos em pregá-lo. Há menos senso de tensão, e não nos preocupamos tanto em lembrar o que devemos dizer em seguida. Teremos alcançado tal medida de liberdade, devido à familiaridade com o material, que será impossível pregá-lo da mesma maneira como o pregamos pela primeira vez. Portanto, com base em todas essas razões, eu diria que é perfeitamente legítimo pregar o mesmo sermão, quando sentimos que há algo excepcional nele, quando sentimos que ele comunica uma mensagem genuína, quando ele é abençoado e usado por Deus. De fato, fazer isso é prestar um benefício àqueles que o ouvirão.

Alguém poderia indagar: "Mas, quantas vezes devemos repetir este mesmo sermão?" Eis uma pergunta difícil de responder. Meu distinto e famoso antecessor, Dr. G. Campbell Morgan, não se envergonhava disso. Lembro-me de ouvi-lo certo dia. E foi assim que ele começou: "Sabemos que a confissão é boa para a alma. Portanto, eu posso dizer a todos vocês, agora, antes de começar, que nesta manhã pregarei este sermão pela centésima décima nona vez".

Quantas vezes devemos repetir o mesmo sermão? Tudo quanto posso dizer é o seguinte: esta não é uma questão de números ou de estatística. O Dr. Campbell Morgan tinha o cuidado de escrever, no envelope em que guardava as suas notas, o número de vezes que já pregara um sermão e o lugar em que o pregara. Isso era ótimo. Quanto ao número de vezes, isto não é uma questão mecânica; e, quanto a isso, só existe uma regra, em minha opinião. Pare de pregar um sermão quando ele deixar de tomar conta de você, quando deixar de comovê-lo, quando deixar de ser um meio de bênçãos para você mesmo. A esta altura, não o pregue mais; porque, daí em diante, a pregação desse sermão será mecânica e, de fato, pode se tornar mero "desempenho". Nada pode ser pior do que isso.

Em certa ocasião, ouvi um homem, em uma grande conferência bíblica, nos Estados Unidos, repetir um sermão a pedido de muitas pessoas. Ele tinha um grande sermão a respeito do Senhor Jesus Cristo, que se desenvolvia em termos das letras do alfabeto, de "A" até "Z". Naturalmente, tratava-se de um sermão bastante longo. Ao ouvi-lo, preciso confessar que o efeito que ele teve sobre mim não foi o de levar-me a contemplar a glória do Senhor, nem o de sentir-me agradecido. Senti que o seu desempenho andou perto de ser blasfemo. O pregador apressou-se na apresentação de seu sermão. Tinha de fazer isso, para que tivesse tempo de completá-lo. Além disso, teria de partir daquele lugar após a reunião; por isso, tinha de falar tão depressa. Grandes e gloriosas verdades eram proferidas mecanicamente. Muitos dos presentes tinham ouvido muitas vezes aquele sermão; portanto, consideravam-no maravilhoso. Era certamente um sermão inteligente, bem elaborado, uma espécie de acróstico; para mim tudo não passou de um mero desempenho, que levou as pessoas não a admirar, nem a adorar ao Senhor, e sim a admirar a memória e a habilidade do pregador. Jamais devemos ter mero desempenho; não podemos reprovar isso de modo suficiente.

Gostaria de acrescentar mais algumas advertências. Se você chegar a repetir um sermão desta maneira, terá de evitar determinadas coisas.

Existe a história de um pregador bem conhecido — tanto nos Estados Unidos quanto na Grã-Bretanha — que preparava cuidadosamente os seus sermões, escrevendo-os integralmente, e os lia enquanto pregava, embora sem chamar atenção para isso. Ele se interessava particularmente por palavras e suaves nuances de significação. Era famoso quanto a isso. A história prossegue e diz que, em certa ocasião, certo representante de vendas visitava a cidade onde esse homem ministrava. E, no domingo pela manhã, esse homem foi ouvir o famoso pregador. Ao sair, sentiu que acabara de ouvir o maior sermão que já escutara em toda a sua vida. E o que o impressionou, em especial, foi algo que aconteceu na metade do sermão. O grande pregador fez uma pausa dramática e disse: "Ora, qual é a palavra que eu quero aqui?" Então, mencionou uma palavra: "Não, ela chega perto, mas não é bem exata". Então, experimentou outro vocábulo. "Não, esta não é a palavra exata". Em seguida, mui dramaticamente: "Ah! Eis a palavra que transmite o sentido exato". O representante de vendas considerou isso maravilhoso. Nunca ouvira coisa semelhante.

No fim da semana seguinte, esse mesmo homem encontrava-se noutra cidade e região do país. Examinou o jornal de sábado à noite, para ver quem pregaria na manhã seguinte e, para sua grande satisfação e deleite, descobriu que aquele pregador deveria pregar nos cultos de aniversário de certa igreja. Evidentemente, não lhe restava dúvida sobre o lugar aonde ele deveria ir na manhã seguinte. Foi àquela igreja e, chegado o momento de começar o sermão, o pregador anunciou o texto; era o mesmo texto do sermão do domingo anterior. O vendedor ficou um tanto decepcionado, mas pensou que valia a pena ouvir de novo aquele sermão. Todavia, na metade do sermão, houve a pausa dramática e a mesma pergunta: "Qual é a palavra que eu quero aqui?", etc. O representante de vendas ficou desgostoso, levantou-se e foi embora, dizendo que nunca mais ouviria aquele pregador.

Portanto, se você tiver de repetir algum sermão, evite cair nesse ardil. Coisas assim têm causado muito dano à pregação; é uma desonestidade. O orador sabia qual era a palavra que queria, quando fez a pergunta. No entanto, preferiu dar a impressão de que ela lhe ocorrera repentinamente.

Tenho grande simpatia por um pregador idoso que conheci pessoalmente, um homem bom e idoso que prestara serviço fiel em sua igreja local, durante muitos anos. Não era um grande pregador, mas, quando estava com idade avançada, foi-lhe outorgada a grande honra de lhe pedirem que pregasse no que era chamado de associação trimestral. Esta era a maior ambição de muitos pregadores e, por certo, era a maior honra que poderia ser dada a qualquer deles. Esta grande honra, finalmente, coubera ao homem idoso; e, conforme o costume, nessas ocasiões ele era um dos dois pregadores. Assim, os dois pregadores subiram juntos ao púlpito. Enquanto eram entoados os hinos, o outro pregador observou que o homem idoso estava perscrutando a congregação, fitando cuidadosamente cada pessoa dos diversos bancos. Portanto, sussurrou-lhe, enquanto era entoado um dos hinos: "O que você está fazendo? Está querendo ver se há alguém que já ouviu antes o seu sermão?" "Não", respondeu o idoso homem, "estou observando para ver se há alguém que não o ouviu antes!" Se um sermão seu já tiver sido ouvido por muitas pessoas, não o pregue novamente.

Lembro-me bem da última vez em que ouvi certo pregador bem conhecido. Quando ele anunciou o seu texto, o pastor que estava assentado ao meu lado fez para mim um gesto com a cabeça e disse: "Vamos fazer uma excursão esta noite". Disse eu: "Sim, sei que vamos". "O quê?", disse ele, "você também já ouviu esse sermão?" Retruquei: "Já o ouvi pregá-lo três vezes em sua ex-igreja; também já o li por diversas vezes no jornal que ele publica". O fato é que a maioria das pessoas presentes na ocasião — era uma conferência formada principalmente de ministros e diáconos de todas as regiões do país — já tinha ouvido e lido aquele sermão provavelmente mais de uma vez.

Por que os homens costumam fazer isso? Sejamos justos em tudo isso. Não se precipite em condenar imediatamente esses homens, para que um dia você não se ache em situação idêntica, e suas próprias palavras se voltem contra você. Há muitas razões para isso. Uma das razões é a preguiça. Isto jamais é uma desculpa e não deve ser usado como argumento. Mas, às vezes, a preparação se torna verdadeiro pânico. O homem que acabei de mencionar me relevou que, naquele dia, ele estava em uma espécie de pânico. Ele disse a alguns de nós, no final do culto, que havia preparado um sermão especial para aquela grande ocasião. No entanto, não se sentira muito bem de saúde no fim da semana. Assim, chegado o instante de subir ao púlpito, perdera a sua confiança no novo sermão e, em um momento de pânico, preferira depender de sua antiga obra-prima. Infelizmente, ele se tornara culpado de fazer isso com muita frequência. Naturalmente, não se pode excluir certo elemento de soberba em tudo isso. Um homem pode estar mais preocupado com a sua própria reputação como pregador do que com a transmissão da verdade. É uma questão sutil; e jamais devemos permitir que o orgulho assuma o comando. Por conseguinte, se você tiver de repetir certos sermões, mantenha um registro do que está fazendo; pois, em caso contrário, quase certamente enfrentará graves dificuldades.

Termino esta seção com outro episódio, que envolve o homem ao qual acabo de referir-me, um homem que não mantinha qualquer registro dessa natureza. Eu conversava certo dia com o ministro de uma grande igreja de uma cidade do interior. Falávamos justamente sobre o referido pregador, e meu interlocutor disse: "Sim, convidei-o para vir pregar no aniversário da minha igreja, há alguns anos. Ele pregou sobre aquele texto que diz: 'Participa dos meus sofrimentos como bom soldado de Cristo Jesus'. Bem, todos pensamos que foi a maior pregação que já ouvíramos. Portanto, quando no ano seguinte, levantou-se a questão de quem devíamos convidar como o pregador de nosso aniversário, não houve qualquer discussão. Antes, todos concordamos prontamente que devíamos convidar o mesmo homem. Escrevemos para ele, que aceitou o convite e veio no segundo ano. No grande dia, ele se levantou para pregar e anunciou o seu texto — 'Participa dos meus sofrimentos como bom soldado de Cristo Jesus'. Bem, apesar disso, a pregação foi muito boa, e pudemos apreciá-la muito, embora tivéssemos ficado um tanto desapontados. Quando chegou a hora de decidir sobre qual pregador convidaríamos para o terceiro aniversário, houve bastante debate. Alguns desejavam convidar o mesmo homem, mas outros se opunham, em face do que ele fizera. No entanto, após intensa discussão, ficou decidido que lhe daríamos outra chance — todos incorremos em equívocos, vez por outra, e por isso não devíamos condená-lo, por causa de um deslize. Assim, ele veio no terceiro ano e anunciou o seu texto: 'Participa dos meus sofrimentos como bom soldado de Cristo Jesus'. Naquela altura", concluiu meu amigo, "começamos realmente a sentir que estávamos sofrendo. Por isso, nunca mais o convidamos!" A lição é: mantenha um registro.

Agora, focalizaremos outro assunto que considero extremamente interessante, ou seja, o caráter dos sermões. O que quero dizer com isso é que cada sermão tende por ter seu próprio caráter. Esta é uma das mais misteriosas questões. Você prepara o sermão e o compõe; mas o sermão parece ter seu próprio caráter. Fiquei admirado em saber, durante longo e agradável diálogo que tive recentemente com um romancista, que ele descobriu exatamente a mesma coisa no caráter de seus romances. "Tenho grandes dificuldades com os romances", disse ele. Ele não conseguia manter alguns deles em seu devido lugar; antes, sentia que os romances se inclinavam por manuseá-lo. A despeito de serem criações suas, tinham um caráter tal, com individualidade e personalidade muito próprias, que praticamente o controlavam, ao invés de ele mesmo controlá-los. A mesma coisa ocorre com os sermões. Como explicar esse fenômeno, não sei dizê-lo, mas é um fato indiscutível. Alguns sermões pregam-se a si mesmos, e o pregador tem pouco a fazer. Os sermões parecem pregar a si mesmos e jamais nos decepcionam.

Infelizmente, isto só acontece com alguns deles; existem outros — e não sou capaz de explicar a diferença entre eles — que exigem um manuseio bastante cuidadoso; pois, se não os manusearmos com cuidado, eles quase nos matarão. Alguns sermões quase me exauriram na introdução; e precisei de muito tempo para conhecê-los e compreendê-los, de modo que os manuseasse corretamente, em vez de ser manuseado e dominado por eles. Várias vezes, já fiz sermões que me arrebataram de tal modo na introdução que, quando chegou o momento de abordar algo realmente importante, sobretudo o clímax, descobri que já estava muito cansado e exausto, não podendo apresentar o assunto com justiça.

Há um caráter bem definido em cada sermão; e você tem de familiarizar-se bem com o seu sermão. Este é um ponto de grande valor. Lembro-me de um velho pregador que estava no fim de seus dias, quando eu ainda era muito jovem. Ele sempre comparava os sermões com cavalos. Na juventude, ele montara muitos cavalos, como homem do campo que era; e, invariavelmente, ao falar sobre sermões e sobre a pregação, ele utilizava-se da analogia da arte de montar cavalo. Lembro-me de tê-lo ouvido, certa vez, após um culto bastante ruim: "O velho sermão derrubou-me da sela. Desde o princípio, eu sentia que isso acabaria acontecendo. E ali estava eu, deitado em terra". O sermão o derrubara da sela, como se fora um cavalo. Em tudo isso, há uma grande verdade. Por conseguinte, meu conselho é: procure conhecer bem os seus sermões. Assim, você saberá o tipo certo de sermão para uma ocasião específica; saberá também qual o sermão exato para o estado ou a condição física particular em que você estiver. Todos esses fatores participam da questão e têm profunda importância. Para alguns, falar desta maneira pode soar falta de espiritualidade; mas eu lhe asseguro que elas possuem grande importância prática. Continuamos vivendo "na carne" e temos este tesouro em "vasos de barro". Qualquer consideração que contribua para tornar a pregação mais eficaz não pode ser desprezada.

Hesitei muito em fazer comentários a respeito de meu próximo ponto — pregar sermões de outrem. Mas sinto que preciso mencionar a isso, porque estou seguro de que isso é uma prática bastante comum. Cabe-me apenas um comentário sobre este problema — isto é algo totalmente desonesto, a menos que você reconheça publicamente o que está fazendo. Nunca pude entender como um homem pode viver tranquilo em si mesmo, quando prega sermões alheios sem reconhecer publicamente o que está fazendo. Esse homem recebe os louvores e os agradecimentos das pessoas, no entanto, ele sabe perfeitamente bem que não é o autor do sermão. Ele é um ladrão, um grande pecador. Mas, conforme eu dizia, o que me admira é que tal homem possa viver em paz consigo mesmo.

Quanto a este assunto, há alguns aspectos estranhos que nos chamam a atenção. Por exemplo, há um famoso episódio que envolveu o Sr. Spurgeon e um dos estudantes de seu colégio. O estudante foi trazido à presença do Sr. Spurgeon, para que fosse repreendido. Aquele jovem vinha pregando em diversas igrejas, aos domingos, e já haviam chegado ao colégio notícias sobre a sua pregação. Alguns diziam que sua pregação era excelente. Também começavam a surgir algumas críticas no sentido de que o jovem estava pregando repetidas vezes um sermão do Sr. Spurgeon. É evidente que o próprio diretor do colégio tinha de cuidar do problema; por isso, mandou chamar o jovem. O diretor lhe disse: "Ouvi dizer que você anda pregando um dos sermões do Sr. Spurgeon. É verdade?" O moço replicou: "Não, senhor, não é verdade". O diretor continuou a pressioná-lo por algum tempo, mas ele persistia em afirmar que aquilo não era verdade. A situação prosseguiu por algum tempo, até que, finalmente, o diretor sentiu que a única coisa que lhe restava a fazer era levar o jovem à presença do próprio Sr. Spurgeon. Assim, foram vê-lo, e o caso foi exposto ao Sr. Spurgeon. "Ora, ora", disse-lhe Spurgeon, "você não precisa ficar assustado. Se for honesto, não será punido. Todos somos pecadores, mas queremos chegar aos fatos. Você tem pregado um sermão sobre tal texto?" "Sim, senhor". "E você tem dividido o material desta maneira?" "Sim, senhor". "E você afirma que não está pregando um sermão meu?" "Assim é, senhor".

O interrogatório se estendeu por algum tempo, até que o Sr. Spurgeon já estava começando a sentir-se um tanto impaciente; portanto, disse ao jovem: "Bem, então, você está dizendo que é o autor desse sermão?" "Oh! não, senhor", replicou o jovem. "Bem, de quem é o sermão?" "É um sermão de William Jay, de Bath, senhor", disse o estudante. Ora, Jay havia sido um famoso pregador em Bath, no início do século XIX, e alguns de seus sermões haviam sido impressos em dois volumes. "Espere um minuto", disse Spurgeon. E, voltando-se para a sua biblioteca, puxou de uma estante um de seus volumes. Lá estava o sermão, o sermão exato — o mesmo texto, as mesmas divisões, tudo era a mesma coisa!

O que acontecera? O fato é que o Sr. Spurgeon também pregara um sermão de William Jay e chegara mesmo a imprimi-lo juntamente com outros de seus sermões. A única explicação do Sr. Spurgeon para isso era que já se tinham passado muitos anos desde que lera os dois volumes de sermões de Jay; por isso, ele se esquecera completamente daquele sermão em particular. Podia dizer, com toda a honestidade, que não tinha consciência do fato de que, ao pregar aquele sermão, estava pregando um dos sermões de William Jay. Estava registrado inconscientemente em sua memória. O estudante foi absolvido da acusação de estar pregando um dos sermões do Sr. Spurgeon, embora continuasse culpado de plágio!

Existe outra história muito boa, que repito aqui para consolo de qualquer pregador em necessidade ou de qualquer homem em desespero — especialmente, para os pregadores leigos. Trata-se de outro episódio que envolve o Sr. Spurgeon, o qual, conforme sabemos, era dado a fases de depressão. Ele sofria de gota; e essa condição é frequentemente acompanhada por certo elemento de depressão. Durante um daqueles períodos, o Sr. Spurgeon sentiu-se tão deprimido que achou que não podia pregar e, de fato, que não estava preparado para pregar. Portanto, recusou-se a pregar no Tabernáculo, no domingo seguinte, e retirou-se para o interior, para sua antiga casa em Essex.

No domingo pela manhã, ele se arrastou até um assento, no fundo de um pequeno templo, que frequentara quando menino. Um leigo estava pregando naquela manhã, e o pobre homem passou a pregar um dos sermões impressos do Sr. Spurgeon. No momento em que o bom homem terminou, o Sr. Spurgeon precipitou-se para ele, com lágrimas no rosto, e agradeceu-lhe muito. O pobre homem disse: "Sr. Spurgeon, não sei como olhá-lo de frente. Acabo de pregar um de seus sermões". "Não me importa de quem é o sermão", disse o Sr. Spurgeon, "pois tudo quanto sei é que a sua pregação desta manhã me convenceu de que sou um filho de Deus, de que estou salvo pela graça, de que todos os meus pecados estão perdoados e de que fui chamado para o ministério; estou pronto para voltar e começar a pregar novamente". Seu próprio sermão, por meio dos lábios, da boca e da língua daquele pregador leigo, fizera-lhe aquele milagre. Segundo penso, esta é a única justificativa para tal prática. No entanto, seja-me permitido adverti-lo a que exerça cautela.

Atravessei o Atlântico, em 1937, na companhia do amado evangelista Mel Trotter, de Grand Rapids. Após uma vida de pecado e opróbrio, ele foi convertido de maneira poderosa e se tornou superintendente de uma grande obra, *Rescue Mission Hall*. Contou-me com grande satisfação o seguinte caso. Estivera trabalhando arduamente durante certa semana, falando, organizando a obra e aconselhando muitas pessoas em dificuldade. Ora, ele não era um homem estudioso e não tivera muito tempo para preparar-se devidamente para o domingo. Já tinha preparado seu sermão para o domingo à noite, mas não podia pensar em coisa alguma para o culto matinal. Teve de recolher-se ao leito, no sábado à noite, naquele estado intranquilo, sem um sermão para o domingo pela manhã. Por conseguinte, levantou-se bem cedo, na manhã de domingo; mas, apesar disso, nada lhe ocorria, e ele não sabia o que fazer. Finalmente, em desespero, resolveu que teria de pregar um dos sermões de seu amigo, o Dr. G. Campbell Morgan. Portanto, subiu ao púlpito e dirigiu a reunião da maneira usual — hinos, leitura bíblica, orações, etc. Quando a congregação estava quase terminando o hino que antecedia o sermão, Mel Trotter viu abrir-se uma porta nos fundos do edifício, e, para seu total desalento, entrar Campbell Morgan, que assentou-se nas últimas fileiras de bancos! Nada mais restava a ser feito, e Mel Trotter pregou o sermão. Terminada a reunião, Campbell Morgan dirigiu-se a ele e agradeceu-lhe calorosamente pelo sermão. "Que é isso?", disse Mel Trotter, "você não reconhece um de seus próprios filhos, simplesmente porque desta vez está com uma roupagem minha?"

No ano de 1936, no segundo domingo de agosto, estávamos como família no gozo de um feriado, no Oeste do País de Gales. A única igreja que existia ali era anglicana. Por isso, fomos até lá com o fazendeiro e sua esposa, com quem estávamos hospedados. Quando, eventualmente, o ministro subiu ao púlpito, para pregar o sermão, e anunciou o seu texto, minha esposa fez-me um aceno, porque, na realidade, aquele havia sido o primeiro texto sobre o qual eu pregara na Capela de Westminster, na ocasião de minha primeira visita ali, no último domingo de 1935. Por causa disso, suponho, e pelo fato de que eu era estranho nos púlpitos londrinos, o meu sermão fora impresso em dois ou três jornais e periódicos religiosos. A minha esposa, tendo lido aqueles jornais, conhecia perfeitamente aquele sermão. O ministro anunciou o texto e começou a pregar. Lamento ter de dizer que ele tentou pregar o meu sermão. Eu estava ali, ouvindo-o. Ele não me conhecia e nunca me vira antes. Fiz o que estava ao meu alcance para evitar encontrar-me com ele, durante a semana seguinte. Mas, um dia, o nosso anfitrião o trouxe à nossa sala e fez as devidas apresentações entre nós. Embora eu não tivesse ficado impressionado pela maneira como ele manuseara o meu sermão, era mister que eu agora lhe desse a nota máxima, devido à maneira como lidou com a situação! Sem demonstrar qualquer embaraço, ele me olhou diretamente nos olhos e disse: "Alegro-me por conhecê-lo, pois tenho ouvido falar a seu respeito por muitas vezes. Se ao menos eu soubesse que você estava aqui, eu lhe teria pedido que trouxesse a mensagem no culto". "Verdadeiramente, ele já tem seu galardão"; eu não o traí. Mas isso poderá acontecer com você, se pregar os sermões de outrem.

Minha esposa sabe duma história que ilustra um outro perigo possível. Dois pregadores vieram, em dois domingos sucessivos, pregar na igreja onde ela era membro e pregaram o mesmíssimo sermão. A pergunta é: qual deles era o seu autor? A resposta provável é: nem um, nem outro. A maior probabilidade é que ambos tomaram-no emprestado ou plagiaram-no. Mas é assim que acabamos sendo apanhados. Um comentário adicional: alterar o texto não basta! Qualquer ouvinte dotado de discriminação será capaz de detectar o que você está fazendo neste aspecto.

Acrescentar algumas de suas próprias ilustrações ou histórias a um sermão plagiado também não encobre o erro. Conheci um homem que declarava que seu método consistia em ler um sermão de Spurgeon três ou quatro vezes, alguns dias antes do domingo, para, então, pregá-lo. "Como você vê", dizia ele, "não estou pregando um sermão de Spurgeon; o sermão apenas passou pela minha mente!" É assim que tentamos racionalizar nossos pecados, mas conseguimos apenas evidenciar o tipo de mente que possuímos.

Apenas mais uma palavra sobre este assunto. Se você tiver de pregar o sermão de outro homem; se estiver em real desespero em alguma ocasião e sentir que não há outro recurso e que não pode fazer outra coisa em favor de seus ouvintes, evite ter a mesma atitude de um pobre pregador que, certa vez, conheci no Sul do País de Gales. É provável que falarei uma verdade literal, ao dizer que ele nunca esteve fora do País de Gales, talvez nem mesmo na Inglaterra, quanto menos em qualquer lugar do exterior. Esse homem, certo domingo pela manhã, leu o seu texto e começou o seu sermão com as seguintes palavras: "Quando me pus de pé, um dia desses, no começo do vale do rio Wyoming". Noutras palavras, aprenda o que deve excluir, se estiver plagiando. Se o ministro que pregou aquele meu sermão tivesse um pouquinho de bom senso, jamais teria começado exatamente com a minha primeira frase. Mas foi o que ele fez. Ainda me lembro disso, porque o episódio fixou-se em minha mente. A frase dizia: "Um excelente assunto para ser discutido em uma reunião de associação de igrejas..." Aquele ministro nunca realizou uma reunião de associação de igrejas. Eu já havia realizado esse tipo de reunião; por isso, introduzi meu tema com essas palavras. Evite coisas desse tipo, se sentir, em qualquer momento, que deve pregar o sermão de outro indivíduo. Mas, se quiser agir corretamente, conte aos ouvintes sua dívida para o autor do sermão.

Passemos agora a algo de muito mais importante — o romance da pregação! Nada existe que se lhe compare. É a maior obra no mundo, a mais emocionante, a mais excitante, a mais recompensadora e a mais maravilhosa. Não conheço nada comparável ao que o pregador sente, quando se dirige ao púlpito com um novo sermão, a cada domingo, pela manhã e à noite, especialmente quando sente que leva uma mensagem da parte de Deus e anela por comunicá-la ao povo. Isto é algo que ninguém pode descrever. Repetir aquele sermão em outro lugar jamais produz tantos resultados. Essa é a razão por que advogo tão ardentemente um ministério longo e regular no mesmo lugar. Receio que isto é algo que nunca experimentarei novamente, porque me aposentei do ministério pastoral. Nada existe que lhe seja igual. Pode-se sentir muito prazer pregando em outros lugares, mas esta experiência especial, que resulta do relacionamento entre o pregador e o seu povo, que resulta da preparação do pregador e de vários outros fatores, é algo peculiar ao ministério regular em uma única igreja.

Outro aspecto deste elemento romântico consiste nas intermináveis possibilidades envolvidas em um culto. Ou, se você assim o preferir, o elemento de incerteza em um culto. Existe algo de glorioso, mesmo em referencia à incerteza; porquanto, se você é um pregador autêntico, nunca sabe, de fato, o que acontecerá, quando subir ao púlpito. Se você for um palestrante, conforme já expliquei, saberá o que pode acontecer; mas, se for pregador, não o saberá, sob hipótese nenhuma. Passará pelas experiências mais admiráveis. Talvez subirá ao púlpito, sentindo-se perfeitamente bem, confiando na preparação e antecipando um bom culto, somente para ter um culto inadequado. Mas há algo maravilhoso até nisso, porque demonstra que você não é a única pessoa que está no controle das coisas. Talvez chegue a pensar que estava no controle, mas descobre que isso não é verdade, sendo lembrado de que estava "sob o controle de Deus".

Mas, no sentido oposto (e graças a Deus por isso), você pode entrar no púlpito sentindo-se mal, sentindo-se nervoso, consciente de uma preparação insuficiente, por diversas razões; e, repentinamente, tudo passa a correr bem, incluindo o aspecto físico. O efeito da pregação sobre a própria saúde é algo simplesmente notável. Aqueles que leram os diários de Whitefield observaram que ele fazia referências frequentes a este assunto. Ele não se sentia bem — o seu coração lhe causava problemas, e, em seus últimos anos, o seu peso excessivo; e você lê, no Diário de Whitefield ou em uma carta dirigida a alguém, uma declaração mais ou menos nestes termos: "Não me sentirei bem novamente, se não tiver um bom suadouro no púlpito". Isto lhe endireitou as coisas tantas vezes — "um bom suadouro no púlpito". Já disse com frequência que os únicos suadouros que tive foram no púlpito. Isto é algo que acontece literalmente: o pregador é revigorado e restaurado em sua saúde e forças, por meio da pregação, e quase não conhece a si mesmo. Não conheço nada melhor do que isto. Não importa quão fracos ou desanimados estejamos, ao subir ao púlpito, podemos sair dali homens completamente diferentes.

Quero acrescentar a isso uma qualificação que, uma vez mais, é algo que me tem causado muito interesse através dos anos. Houve ocasiões em que, num sábado, eu podia dizer o que aconteceria no domingo. Note que eu disse "ocasiões", pois certamente não se trata de uma experiência regular. Quando o pregador se sente arrebatado e comovido, durante a preparação do sermão, geralmente descobre que o mesmo acontece quando está pregando. Enfatizo que isso ocorre quando nos sentimos arrebatados e comovidos, e não quando compusemos bem o sermão. Depois de sermos despertados desta maneira, a mensagem que estamos preparando vem com poder sobre nós e faz algo em nós; então, o mais provável é que ela fará o mesmo nos ouvintes. Sempre que eu me sentia arrebatado e comovido em meu escritório, geralmente eu sabia que algo extraordinário aconteceria no domingo; e assim era.

Dentro deste assunto de romance da pregação, menciono de novo aquilo a que já me referi anteriormente, quando eu dizia que, enquanto pregamos, o tema vai se desenvolvendo. Essa é, igualmente, uma das experiências mais arrebatadoras e maravilhosas, capaz de infundir no pregador o senso de admiração. É algo deveras extraordinário; e o pregador não tem nenhum controle sobre isso; ela apenas acontece. Tenho descoberto com frequência que, ao subir ao púlpito com um sermão devidamente preparado, enquanto pregava, o meu primeiro ponto se desdobrava, por si mesmo, em um sermão completo. Muitas vezes saí do púlpito consciente de que tinha nas mãos uma série de sermões que eu antes não percebera. E, posto que minha primeira divisão se transformara em um sermão completo, eu podia observar que isso também ocorreria com as demais divisões. Assim, eu teria uma série inteira. Ora, eu não tinha observado isso durante a preparação; mas, enquanto pregava, tudo aquilo se descortinou diante de meus olhos.

Isto não é verdadeiramente romântico? Enquanto estas coisas acontecerem com você, nunca lhe faltará material; você nunca ficará desesperado à procura de um sermão. De fato, atingirá o estágio em que ansiará pela chegada do domingo seguinte, anelando por aquele dia. Ora, falo isso com base na mais pura experiência, para a glória de Deus. O que o pregador nunca teria pensado, ou mesmo imaginado, começa a ocorrer repentinamente no púlpito, enquanto ele está apresentando o sermão. Ele é tomado por um senso de admiração, gratidão e alegria indizível. Não há nada que se compare a isso.

Também existe, por assim dizer, o lado oposto desse tipo de experiência. Tem havido ocasiões em que me senti restringido, incapaz de pregar todo o sermão que eu havia preparado. Fui levado a desenvolver e apresentar o sermão de maneira modificada; por isso, às vezes tive de reajustar a série que eu planejara. Ou, às vezes — estou pensando em uma ocasião específica — desci do púlpito após ter pregado apenas a metade do sermão que preparara. Não pude realmente entender o que ocorrera na ocasião a que me refiro. No entanto, aconteceu. Assim, de certo modo, eu já estava preparado para a manhã do próximo domingo. Chegou a manhã do domingo seguinte, e preguei a parte restante do sermão original, parte essa que, por sua vez, se tornara, em si mesma, um sermão completo. Também descobri que estava desfrutando de uma liberdade incomum. No fim do culto, alguém se aproximou de mim e me disse que um visitante desejava muito falar comigo. Parecia tratar-se de um ministro. Vi aquele ministro que morava a milhares de quilômetros de distância. Estava tão comovido, que dificilmente podia falar. O que acontecera? Por que estava tão comovido e tocado? Aquele homem tinha certeza de que Deus o trouxera ali, de tão longe, para que ouvisse aquele sermão em particular.

Já me referi a este incidente no prefácio de um livro intitulado *Faith on Trial (Fé Provada)*;[1] mas vale a pena repeti-lo aqui. Estou certo de que aquele ministro estava com a razão. Mas eis o que me encheu de espanto: se não tivesse agido no domingo anterior da maneira que já descrevi e se não tivesse sido impedido de pregar todo o meu sermão, teria pregado no domingo anterior o que aquele homem ouvia agora. No entanto, eu fora restringido, e Deus me permitiu pregar apenas a metade do sermão no domingo anterior; a outra metade ficara reservada para agora. Conforme já disse, eu havia me sentido um tanto perturbado com o que ocorrera, mas agora tudo ficava perfeitamente claro para mim. Não controlamos a situação; esse controle pertence a Deus.

É neste estágio que entra em cena o romance da pregação. Não temos qualquer ideia do que pode estar acontecendo. Eu nunca ouvira falar sobre aquele homem, e nada sabia a respeito dele; mas o que ele ouviu naquela manhã pode ter sido preparado especialmente para ele. O que eu havia estabelecido em meu plano original não seria adequado à situação dele. Pode haver algo que se compare com isso? Há algo tão emocionante quanto isso? Esse é o tipo de coisa que acontece com um pregador. E quanto maior for a nossa experiência a respeito, tanto maior será a nossa admiração, bem como a nossa gratidão a Deus, por nos ter chamado para esse ministério tão glorioso.

No nível prático, alguém poderia indagar: o que devemos fazer, quando repentinamente o pregador se dá conta de que isso está acontecendo, enquanto ele prega? Você descobrirá que tem de pensar com rapidez, para levar a bom termo o sermão que está sendo apresentado, o qual, por sua vez, tem de ser desenvolvido enquanto você o prega. Terá de transformá-lo em uma entidade autônoma. E reformulá-lo quanto a certos aspectos, fazendo determinadas adições e elaborações, para levá-lo à conclusão e ao clímax. Não pode deixá-lo em estado incompleto; antes, precisará desdobrá-lo até à conclusão e aplicação. Tudo isso, como é óbvio, deixa implícito o elemento de liberdade, enquanto proferimos o sermão; e a habilidade de fazer isso cresce com a experiência.

Outro elemento que faz parte deste romance da pregação é que nunca sabemos quem ouvirá o pregador. Você nunca sabe o que acontecerá com aqueles que o ouvem. Aquela ocasião talvez seja o momento de conversão na vida de uma pessoa. Graças a Deus, isto não é incomum. "Os tolos que vieram para escarnecer ficaram para orar." Pessoas que vêm ao culto em total desamparo saem jubilosas — convertidas, regeneradas, novos homens e mulheres. Toda a vida dessas pessoas é transformada. E você esteve envolvido nisso; realizou um papel nisso. Pode haver algo comparável a isso? Não existe nada semelhante — nada, em absoluto. É a coisa mais maravilhosa que pode acontecer a um ser humano. Você esta ali, entre uma alma e Deus. Questões eternas são abordadas; e destinos eternos são determinados.

Outra experiência bem frequente é que pessoas o procurarão, ao terminar o culto, e lhe dirão: "Sabe uma coisa? Isto é espantoso: se o senhor conhecesse a minha (ou a nossa) situação, não poderia ter pregado de maneira mais direta para o meu caso". Aquele sermão era exatamente o que aquelas pessoas necessitavam. Um problema, uma perplexidade, uma dificuldade, uma tragédia as oprimia, mas você lhes deu as palavras que elas precisavam. Tenho como amigo um excelente pastor que mora em outro país. Ele tem sido perseguido tão constantemente que se viu forçado a mudar. Ele e seus familiares tencionavam mudar para outro país. No entanto, estavam de passagem por Londres e aconteceu que vieram a um de nossos cultos, certa manhã de domingo. Naquele tempo, eu nunca ouvira falar sobre eles e não os conhecia de maneira alguma. No entanto, fui impulsionado a dizer algo que falou diretamente ao coração deles. Era apenas uma parte da exposição do texto escolhido e uma aplicação geral desse texto. Aquele homem virou-se para sua esposa, e ela, para ele. Terminada a pregação, disseram um para o outro: "Essa é a nossa resposta". A resposta é que não deveriam ir para outro país, por enquanto. Convinha-lhes voltar à sua própria terra, onde tinham sido tremendamente perseguidos, a fim de encará-la e lutar contra ela. Assim o fizeram e foram honrados no seu ato. Mas eu nada soube de tudo aquilo, exceto quando eles mesmos me contaram, anos mais tarde. Essas experiências nos levam a "pensamentos que, com muita frequência, jazem profundos demais para as lágrimas".

Deixe-me terminar esta seção contando aquele que considero o exemplo mais notável de todos os que já tive privilégio de vivenciar. Foi algo que, de fato, aconteceu durante uma oração, e não durante um sermão. Conheci um pobre homem que se convertera de uma terrível vida de pecado e se tornara um cristão excelente. Isso aconteceu quando eu estava no Sul do País de Gales. Mas, posteriormente, infelizmente para ele, por diversas razões aquele pobre sujeito se desviou e recaiu mui profundamente no pecado. Abandonou sua esposa e filhos, para viver com outra mulher, de caráter vil. Mudaram-se para Londres, onde viviam em pecado. Desperdiçou seu dinheiro, chegando a voltar para casa e mentir à sua esposa, somente para obter mais dinheiro. A casa em que ele vivera com sua família estava registrada no nome dele e da esposa, mas ele conseguiu alterar o registro, para que ficasse somente no seu próprio nome. Em seguida, ele vendeu a casa, para ficar com o dinheiro. Portanto, ele se entranhara profundamente na "terra distante", cometendo pecados terríveis. Mas todo o dinheiro acabou, e sua amante o abandonou. Ele se sentia tão completamente desgraçado e envergonhado que resolveu cometer suicídio, achando que nesse profundo estado de arrependimento seria perdoado por Deus. Mas ele não podia perdoar a si mesmo e achava que não tinha direito de procurar novamente os seus familiares. Assim, resolveu solenemente encaminhar-se à Ponte de Westminster, para atirar-se no rio Tâmisa. De fato, ele se encaminhou para lá. Mas, no momento em que aquela alma atribulada chegava à ponte, o Big Ben soou meia hora depois das seis — seis horas e trinta minutos. De repente, lampejou em sua mente um pensamento, levando-o a dizer para si mesmo: "É exatamente agora que ele (referindo-se a mim) está subindo ao púlpito, para o culto da noite". E, deste modo, ele resolveu que viria à igreja, para ouvir-me uma vez mais, antes de dar fim à sua vida. Percorreu a distância até à Capela de Westminster em cerca de seis minutos, entrou pela porta da frente, subiu os degraus e estava chegando à galeria, quando ouviu as seguintes palavras: "Deus, tenha misericórdia dos desviados". Proferi essa súplica em minha oração, e elas foram, literalmente, as primeiras palavras que ele ouviu ali. Imediatamente, tudo foi corrigido em sua vida. Ele não somente foi restaurado espiritualmente, mas também tornou-se ancião de uma igreja, nos subúrbios de Londres; e prestou ali um excelente serviço, durante vários anos.[2]

Ora, que significa isso? Significa que estamos nas mãos de Deus. Portanto, qualquer coisa pode acontecer. "Para Deus, nada é impossível." Peça grandes coisas a Deus", era o que William Carey costumava dizer, e "espere grandes coisas de Deus". Ele o guiará de surpresa em surpresa. Não existe romance comparável ao da obra do pregador. É uma estrada ao longo da qual existem muitas cidades de Betel, uma estrada que constantemente nos faz lembrar as palavras de Francis Thompson: "Volvam ao menos uma pedra e comecem a voar".

---

1 A editora PES (São Paulo, SP) publicou este livro em português com o título *Por que Prosperam os Ímpios?*
2 No tempo que se passou entre estas palestras e a sua publicação, este homem teve uma morte triunfante e gloriosa.

CAPÍTULO DEZESSEIS

"DEMONSTRAÇÃO DO ESPÍRITO E DE PODER"

Para esta preleção final, guardei e reservei aquele que, em última análise, é o assunto mais fundamental relacionado à pregação, ou seja, a unção do Espírito Santo. Talvez alguns estranhem que eu tenha reservado o fator mais importante para o final, em vez de começar por ele. A razão por que fiz isso é que acredito que, se fizermos ou tentarmos fazer primeiro tudo aquilo a que me referi, essa unção será derramada sobre nós. Já tive a oportunidade de enfatizar que alguns homens caem no erro de depender exclusivamente da unção do Espírito, negligenciando tudo que se refere à preparação. A maneira correta de encarar a unção do Espírito é pensar nela como aquilo que vem sobre a preparação. Existe um incidente no Antigo Testamento que provê uma excelente ilustração sobre esse relacionamento. É o acontecimento de Elias enfrentando os falsos profetas de Israel, no monte Carmelo. Somos informados que Elias erigiu um altar, em seguida cortou lenha e a arrumou sobre o altar. Então, matou o novilho, cortou-o em pedaços e os colocou sobre a lenha. Tendo feito tudo isso, orou para que o fogo descesse; e o fogo desceu. Esta é a ordem das coisas.

Há muitos outros exemplos disso. Um dos mais notáveis desses relatos está relacionado à narrativa da construção do tabernáculo no deserto, em Êxodo 40. Lemos ali que, primeiramente, Moisés cumpriu em detalhes tudo que Deus lhe ordenara; e foi somente depois de tudo feito que a glória do Senhor desceu sobre o tabernáculo. Essa a razão por que reservei para o final aquilo que, sem duvida alguma, é o fator mais importante dentre todos os relacionados com a pregação. "Deus ajuda aqueles que ajudam a si mesmos" é um dito popular verdadeiro, neste e em muitos outros aspectos. A preparação cuidadosa e a unção do Espírito Santo jamais devem ser consideradas como alternativas, e sim como fatores que complementam um ao outro.

Todos tendemos a cair em extremos; alguns de nós dependemos apenas de noss própria preparação, e não dependemos de mais nada. Outros, como já disse, inclinam-se por desprezar a preparação, confiando somente na unção e na iluminação do Espírito. Neste caso, deve haver "ambos/e" e nunca somente "ou/ou". Aquelas duas coisas sempre andam juntas.

O que devemos entender por "unção" do Espírito? A melhor maneira de abordar a questão consiste em mostrar, usando as próprias Escrituras, antes de tudo, o que isto significa. Porém, antes de fazê-lo, deixe-me formular algumas perguntas a todos os pregadores. Vocês sempre procuram e buscam essa unção antes de pregar? Essa tem sido a maior preocupação de vocês? Não existe teste mais perfeito e revelador que possamos aplicar a um pregador.

Que teste é esse? É a descida do Espírito Santo sobre o pregador, de maneira especial. É um acesso de poder. Deus é quem outorga poder e capacidade ao pregador, mediante o Espírito, a fim de que o pregador realize sua tarefa, de modo que seu desempenho seja elevado, acima e além dos esforços e empreendimentos humanos, chegando a uma posição em que ele está sendo usado nas mãos do Espírito e se torna o canal por intermédio do qual o Espírito opera. Isso pode ser visto de modo claro e inequívoco nas Escrituras.

Portanto, proponho-me a examinar primeiramente o ensino bíblico, enfocando o assunto do ponto de vista histórico, a fim de que, no final, faça alguns comentários. Nas Escrituras, é bastante claro que todos os profetas do Antigo Testamento são ilustrações desta unção. Meu intuito é confinar a nossa atenção às páginas do Novo Testamento. Comecemos por João Batista, por ter sido ele o precursor de nosso Salvador. Em Lucas 1, lemos que o seu pai, Zacarias, recebeu uma mensagem nestes termos: "Pois ele será grande diante do Senhor, não beberá vinho nem bebida forte e será cheio do Espírito Santo, já do ventre materno. E converterá muitos dos filhos de Israel ao Senhor, seu Deus. E irá adiante do Senhor no espírito e poder de Elias, para converter o coração dos pais aos filhos, converter os desobedientes à prudência dos justos e habilitar para o Senhor um povo preparado" (vv. 15-17).

Esse é um resumo excelente da posição dos profetas no Antigo Testamento. Aqueles homens tinham consciência de uma inspiração que vinha sobre eles; o Espírito se apossava deles, que recebiam uma mensagem e o poder necessário para comunicá-la. Essa era a grande característica daqueles profetas; João Batista foi o último deles. Assim, somos informados a respeito de João Batista que ele foi dotado, de modo todo especial, com o Espírito Santo e o seu poder, para que realizasse a sua obra. E, quando lemos os relatos bíblicos sobre o seu ministério, isso torna-se óbvio. João falava de tal modo que as pessoas caíam sob profunda convicção de pecado. A pregação de João Batista chegou a convencer os próprios fariseus — essa é a prova mais segura do poder de um ministério. No entanto, João tinha plena consciência do caráter meramente preliminar do seu ministério e sempre ressaltou que seu ministério era apenas preparatório — "Eu não sou o Cristo", dizia ele, "mas vem o que é mais poderoso do que eu, do qual não sou digno de desatar-lhe as correias das sandálias. Eu, na verdade, vos batizo com água... ele vos batizará com o Espírito Santo e com fogo" (Lc 3.15-17). Havia algo mais para entrar em cena, algo muito maior.

Em seguida, convém observar o que aconteceu com o próprio Senhor Jesus. Esta é uma particularidade que com frequência perdemos de vista. Refiro-me à maneira como o Espírito Santo desceu sobre Ele, quando saía da água, no rio Jordão, depois que fora batizado por João Batista. O Espírito desceu sobre Cristo, na forma de uma pomba. Depois, o próprio Jesus esclareceu o que isto significava, ao falar na sinagoga de Nazaré: "O Espírito do Senhor está sobre mim, pelo que me ungiu para evangelizar os pobres" (Lc 4.18, ss). Interessa-me enfatizar que Cristo, ao declarar os acontecimentos de seu batismo no rio Jordão, estava afirmando que havia sido ungido pelo Espírito Santo, a fim de pregar o evangelho da salvação e "apregoar o ano aceitável do Senhor".

Esta é uma afirmação bastante notável. Esclarece todo o significado e o propósito da encarnação; mas o que se torna mais significativo é que o próprio Senhor, o Filho de Deus, não poderia ter exercido o seu ministério como homem, na terra, se não houvesse recebido esta "unção" especial e peculiar do Espírito Santo, para realizar sua tarefa. Isto é verdade até no caso de nosso Senhor.

Então — estou selecionando apenas aquelas passagens que considero as mais importantes que tratam desse assunto — chegamos ao livro de Atos dos Apóstolos. E em Atos 1.8, lemos: "Mas recebereis poder, ao descer sobre vós o Espírito Santo, e sereis minhas testemunhas tanto em Jerusalém como em toda a Judeia e Samaria e até aos confins da terra". É claro que essas informações devem ser vinculadas ao último capítulo do Evangelho Segundo Lucas, onde achamos uma narrativa sobre o que nosso Senhor disse aos discípulos reunidos no cenáculo. Disse-lhes que os estava enviando como mensageiros.

São estas as palavras que eu vos falei, estando ainda convosco: importava se cumprisse tudo o que de mim está escrito na Lei de Moisés, nos Profetas e nos Salmos. Então, lhes abriu o entendimento para compreenderem as Escrituras; e lhes disse: Assim está escrito que o Cristo havia de padecer e ressuscitar dentre os mortos no terceiro dia e que em seu nome se pregasse arrependimento para remissão de pecados a todas as nações, começando de Jerusalém. Vós sois testemunhas destas coisas. Eis que envio sobre vós a promessa de meu Pai; permanecei, pois, na cidade, até que do alto sejais revestidos de poder,

Isto nos leva a Atos 1, bem como ao cumprimento destas palavras, conforme registrado em Atos 2.

A significação disto, conforme percebo as coisas, é que aqui encontramos homens que, talvez pensaríamos, estavam em perfeita posição e condição de agir como pregadores. Estiveram na companhia de nosso Senhor por três anos; ouviram todos os seus discursos e instruções; testemunharam todos os seus milagres; desfrutaram do benefício de estar com Ele, ver o seu rosto, conversar e ter comunhão pessoal com Ele. Três dentre eles testemunharam a sua transfiguração; todos contemplaram a sua crucificação e o seu sepultamento; e, acima de tudo, todos eram testemunhas de sua ressurreição física. Pensaríamos, por conseguinte, que esses homens agora estavam em perfeitas condições de sair a pregar. Mas, de acordo com o ensino de nosso Senhor, eles não estavam. Aparentemente, possuíam todo o conhecimento necessário, mas esse conhecimento não basta, pois algo mais é necessário e, de fato, essencial. Na verdade, o conhecimento é algo vital, pois ninguém pode ser testemunha sem conhecimento; mas, para alguém ser uma testemunha eficaz, precisa também do poder, da unção e da demonstração do Espírito. Ora, se isso era necessário no caso dos apóstolos, quanto mais necessário é para todos os outros que tentem pregar estas realidades?

Lemos que o Espírito desceu sobre esses homens, reunidos em Jerusalém, no Dia de Pentecostes. E imediatamente vemos a diferença causada neles. Pedro, que com espírito de covardia havia negado seu Senhor, para salvar a própria vida, agora transbordou de coragem e firmeza. Foi capaz de expor as Escrituras com autoridade, falando com efeito tão poderoso que três mil pessoas foram convertidas ante a sua pregação. Essa foi a inauguração, por assim dizer, da igreja cristã, conforme a conhecemos nesta dispensação do Espírito. Esse quadro nos mostra de maneira vívida como a igreja começou.

Aqui devo chamar a atenção a outro fato que, segundo creio, também tendemos a perder de vista. Este "acesso de poder" ou, se você assim preferir, esta "efusão de poder", que se derrama sobre os pregadores cristãos, não é algo que vem "de uma vez para sempre"; antes, pode ser repetido por muitas e muitas vezes.

Permitam-me citar alguns exemplos disso. Ali, no Dia de Pentecostes, vemos que os apóstolos foram enchidos com este poder. Vemos também que o objetivo real do "batismo com o Espírito" é capacitar os homens para que sejam testemunhas de Cristo e de sua salvação e façam isso com poder. O batismo com o Espírito Santo não é a mesma coisa que a regeneração — os apóstolos já eram homens regenerados — também não é outorgado primariamente para promover a santificação; antes, é um batismo de poder, um batismo de fogo, um batismo que capacita o crente individual a ser testemunha. Os antigos pregadores costumavam dar grande valor a isso. Indagavam a respeito de um homem: "Ele já recebeu o seu batismo de fogo?" Essa era a grande questão; não era a regeneração, nem a santificação; era o poder, o poder para testificar.

Os apóstolos receberam esse batismo no Dia de Pentecostes. E Pedro testemunhou imediatamente, de maneira bastante poderosa. Ele e João testemunharam de novo após a cura do aleijado; e o fizeram outra vez quando pregaram no templo. Contudo, examinemos novamente Atos 4.7. Ali estavam Pedro e João sendo julgados diante do Sinédrio; e algumas acusações são lançadas contra eles: "Pondo-os perante eles, os arguiram: Com que poder ou em nome de quem fizestes isto?" Note, porém, o que o relato bíblico diz em seguida: "Pedro, cheio do Espírito Santo, lhes disse: Autoridades do povo e anciãos..."

Como poderíamos interpretar essas palavras? Por que as Escrituras dizem: "Pedro, cheio do Espírito Santo"? Você poderia argumentar: "Mas ele não fora enchido com o Espírito Santo no Dia de Pentecostes, como o foram os outros homens?" É claro que fora. Por que repetir isso nesta ocasião? Só há uma explicação adequada. Isto não é um mero lembrete de que Pedro fora batizado com o Espírito Santo, no Dia de Pentecostes. Não haveria nenhum propósito em usar esta expressão, se ela não significasse que Pedro recebeu um novo acesso de poder. Pedro estava numa situação crítica. Ele e João estavam sendo julgados. De fato, o evangelho e toda a igreja cristã estavam sob julgamento. Pedro tinha necessidade de um poder novo e recente, a fim de testificar, de maneira positiva, e refutar os perseguidores — um poder novo e recente; e esse poder lhe foi dado. Por isso, o texto bíblico usa a expressão: "Pedro, cheio do Espírito Santo..." Houve um novo enchimento, para uma tarefa especial.

Ainda temos outro exemplo disso neste mesmo capítulo de Atos dos Apóstolos, no versículo 31. Ali, todos os membros da igreja estavam orando, em temor, ante às ameaças das autoridades que tinham por alvo exterminar a igreja. Mas eis o que aconteceu: "Tendo eles orado, tremeu o lugar onde estavam reunidos; todos ficaram cheios do Espírito Santo" — eram as mesmas pessoas, de novo. Todos eles foram cheios com o Espírito Santo no Dia de Pentecostes. Pedro e João também foram cheios com o Espírito Santo em ocasiões subsequentes. No entanto, todo o grupo foi novamente enchido com o Espírito Santo. Compreendo, portanto, que isto é algo que pode ser repetido muitas vezes.

Depois, chegamos a Atos 6, onde encontramos o relato a respeito da nomeação dos primeiros diáconos. Observemos as qualificações ressaltadas nos versículos 3 e 5: "Irmãos, escolhei dentre vós sete homens de boa reputação, cheios do Espírito e de sabedoria". Isso não era verdade no caso de cada crente, mas somente no caso de alguns deles — "Aos quais encarregaremos deste serviço". Então, lemos no versículo 5: "O parecer agradou a toda a comunidade; e elegeram Estêvão, homem cheio de fé e do Espírito Santo..." Todavia, você pode indagar: "Não eram todos eles cheios do Espírito Santo?" Não neste sentido. Neste caso, havia algo especial, algo peculiar, algo adicional; e foram informados de que deveriam achar essa característica. Em cada caso, trata-se exatamente do mesmo princípio.

Há ainda outro exemplo em Atos 7.55 — que retrata Estêvão pouco antes de ser apedrejado e morto. Isso foi algo não somente memorável, mas também sobremodo importante. O versículo 54 diz: "Ouvindo eles isto [os acusadores de Estêvão, os membros do Sinédrio] enfureciam-se nos seus corações e rilhavam os dentes contra ele. Mas Estêvão, cheio do Espírito Santo, fitou os olhos no céu e viu a glória de Deus, e Jesus, que estava à sua direita". Isto é, uma vez mais, um derramamento especial. Vemos novamente um homem em uma situação crítica; e o Espírito desceu sobre ele de maneira excepcional, capacitando-o a enfrentar a crise e a prestar um testemunho poderoso.

Mais um exemplo deveria ser suficiente — em conexão com o apóstolo Paulo, que só mais tarde se tornou parte da igreja. Esse exemplo se acha em Atos 13.9. O apóstolo Paulo e Barnabé tinham chegado a um país onde havia um procônsul chamado Sérgio Paulo, que desejava ouvir a Palavra de Deus. "Mas opunha-se-lhes Elimas, o mágico (porque assim se interpreta o seu nome), procurando afastar da fé o procônsul". Mas, em seguida, lemos o versículo 9: "Todavia Saulo, também chamado Paulo, cheio do Espírito Santo, fixando nele os olhos, disse". Quando o texto bíblico diz: "Cheio do Espírito Santo", não está se reportando ao fato de que Paulo fora enchido com o Espírito Santo em sua conversão, resultante de seu encontro com Ananias. Parece-me que seria desnecessário repetir isto, se tivesse ocorrido de uma vez por todas. Aqui temos, novamente, um derramamento especial de poder, um momento crítico, uma ocasião especial; e Paulo recebeu esse poder especial, para esta ocasião especial.

Vou um pouco além e faço a sugestão de que isto sempre acontecia com os apóstolos, quando realizavam um milagre ou tinham uma situação muito especial a enfrentar. O significado de tudo isso transparece desta maneira. Há uma grande diferença entre os milagres realizados pelos apóstolos e os "milagres" que certos homens reivindicam fazer em nossos dias. Uma das grandes diferenças é a seguinte: nunca ouvimos que os apóstolos anunciaram, com antecedência, que teriam um culto de curas, no prazo de tantos dias. Por que não? Porque eles nunca sabiam quando isso aconteceria. Eles não decidiam isso, nem o controlavam. O que acontecia invariavelmente era o seguinte. Ali estava o apóstolo Paulo lidando com certo homem (e encontramos isso também no caso do homem curado em Listra, conforme o relato de Atos 14); de repente, ele recebeu a comissão de curá-lo. Paulo não sabia nada a respeito disso, até que foi impulsionado pelo Espírito e recebeu o poder de fazê-lo; e assim o fez. Por conseguinte, a primeira diferença entre os supostos operadores de milagres de nossos dias e os apóstolos é que estes nunca prediziam, previam ou anunciavam a realização de milagres. Eles nunca fizeram isso.

Há uma segunda diferença. Os apóstolos — podemos observar isso no livro de Atos — jamais falharam. Nunca houve um único caso de mera tentativa; não havia esse elemento experimental. Eles sabiam. Receberam uma comissão, e falaram com autoridade. Davam uma ordem, e não havia falhas. E não pode haver falhas quando as coisas acontecem nestes moldes. É evidente que esse é o quadro apresentado em Atos dos Apóstolos.

Todavia, há algo mais direto e específico do que tudo isso, ou seja, a grande declaração do apóstolo Paulo, em 1 Coríntios 2, a afirmação crucial pela qual ele descreve a sua própria pregação em Corinto. "E foi em fraqueza, temor e grande tremor que eu estive entre vós. A minha palavra e a minha pregação não consistiram em linguagem persuasiva de sabedoria, mas em demonstração do Espírito e de poder, para que a vossa fé não se apoiasse em sabedoria humana, e sim no poder de Deus" (vv. 3-5). Essa é a declaração vital e controladora que diz respeito a toda essa questão. Ali estava um homem possuidor de grandes dons, que tinha poderes naturais extraordinários; mas ele resolveu, deliberadamente, não usar seus dons de modo carnal. Ele resolveu "nada saber entre vós, senão a Jesus Cristo e este crucificado". Paulo eliminava deliberadamente todos os maneirismos dos retóricos gregos, quanto ao conteúdo e quanto ao estilo, com os quais ele estava familiarizado. Conforme disse àqueles mesmos crentes, ele se tornara insensato por causa de Cristo, para que ficasse claro que o poder não era dele, e sim de Deus, e que toda a posição deles não deveria se fundamentar "em sabedoria humana, e sim no poder de Deus".

Visto que esta afirmação vem do próprio Paulo, penso que ela é bastante admirável. Paulo lembra isso, novamente, àqueles crentes, em 1 Coríntios 4.18-20. Alguns dos membros da igreja de Corinto estavam falando muito, criticando o apóstolo e expressando abertamente suas opiniões a respeito dele e de sua doutrina. Por conseguinte, ele os desafiou, ao dizer: "Alguns se ensoberbeceram, como se eu não tivesse de ir ter convosco; mas em breve irei visitar-vos, se o Senhor quiser, e então conhecerei não a palavra, mas o poder dos ensoberbecidos. Porque o reino de Deus consiste, não em palavra, mas em poder". É provável que não exista outro texto do qual precisamos ser recordados tão frequentemente como esse. Por certo, não nos faltam palavras; mas, há evidência de poder em nossa pregação? "Porque o reino de Deus consiste não em palavra, mas em poder." É como se o apóstolo houvesse dito: "Esse é o teste". Até hoje esse é o teste da verdadeira pregação.

Mais adiante veremos que Paulo reitera muitos desses mesmos conceitos em 2 Coríntios 4. Referindo-se ao seu próprio ministério, ele escreveu: "Pelo que, tendo este ministério, segundo a misericórdia que nos foi feita, não desfalecemos; pelo contrário, rejeitamos as coisas que, por vergonhosas, se ocultam, não andando com astúcia, nem adulterando a palavra de Deus; antes, nos recomendamos à consciência de todo homem, na presença de Deus, pela manifestação da verdade". Ele prossegue e faz a comovente declaração do verso 6: "Porque Deus, que disse: Das trevas resplandecerá a luz — ele mesmo resplandeceu em nosso coração, para iluminação do conhecimento da glória de Deus, na face de Cristo". E, logo em seguida: "Temos, porém, este tesouro em vasos de barro, para que a excelência do poder seja de Deus e não de nós".

Sempre acontecia a mesma coisa. Paulo sempre ansiava por enfatizar essa total dependência do poder do Espírito. Encontramos isso, novamente, em 2 Coríntios 10.3-5: "Porque, embora andando na carne, não militamos segundo a carne. Porque as armas da nossa milícia não são carnais, e sim poderosas em Deus, para destruir fortalezas, anulando sofismas e toda altivez que se levante contra o conhecimento de Deus, e levando cativo todo pensamento à obediência de Cristo". Sempre achamos o mesmo argumento: "não são carnais", "poderosas em Deus". Um poder espiritual está em foco. De fato, a mesma ênfase pode ser achada na extraordinária declaração de 2 Coríntios 12, onde Paulo nos diz que foi "arrebatado até ao terceiro céu" e "ouviu palavras inefáveis, as quais não é lícito ao homem referir". Depois, nos fala sobre o "espinho na carne", que lhe fora imposto e sobre o qual ele orara três vezes, suplicando que fosse removido; mas o espinho não foi removido. A princípio, Paulo ficou perplexo com isso; mas finalmente entendeu o seu significado, quando Deus lhe disse: "A minha graça te basta, porque o poder se aperfeiçoa na fraqueza". Por isso, Paulo agora se sentia capaz de dizer: "De boa vontade, pois, mais me gloriarei nas fraquezas, para que sobre mim repouse o poder de Cristo... Porque quando sou fraco, então, é que sou forte".

Há outra declaração sobre esse fato. Esta declaração sempre me comove profundamente e se encontra em Colossenses 1: "O qual nós anunciamos, advertindo a todo homem e ensinando a todo homem em toda a sabedoria, a fim de que apresentemos todo homem perfeito em Cristo; para isso é que eu também me afadigo, esforçando-me o mais possível, segundo a sua eficácia que opera eficientemente em mim". Esse é o testemunho frequente de Paulo. Ele se esforçava o mais possível, porém o que realmente importava era "a eficácia que opera eficientemente em mim". É isso que devemos entender pela palavra "unção". Uma definição mais exata pode ser achada em 1 Tessalonicenses 1.5: "O nosso evangelho não chegou até vós tão-somente em palavra, mas, sobretudo, em poder, no Espírito Santo e em plena convicção". O apóstolo estava relembrando aos tessalonicenses como o evangelho chegara até eles. Paulo teve de deixá-los, para pregar em outros lugares; agora, lhes escrevia esta epístola, que muitos estudiosos pensam ter sido a primeira epístola que ele escreveu a uma igreja. Este é realmente um capítulo muito importante, visto que é uma declaração definitiva e controladora a respeito da pregação do evangelismo. Paulo recorda àqueles crentes que o evangelho não chegara até eles "tão-somente em palavra". De fato, chegara ali "em palavra"; e Paulo lhes recorda a mensagem dessa palavra nos versículos 9 e 10. Contudo, não chegara "tão-somente em palavra, mas..." É esse "mas", essa adição do poder do Espírito Santo que, em última análise, torna eficaz a pregação. É isso que produz convertidos, produz e edifica as igrejas — "poder", "o Espírito Santo" e "plena convicção".

Pedro nos ensina exatamente esta mesma verdade, quando lembrou aos crentes, para os quais escreveu sua primeira epístola, a maneira como haviam se tornado cristãos e o caráter da mensagem do evangelho. Referindo-se aos profetas do Antigo Testamento, Pedro asseverou: "A eles foi revelado que, não para si mesmos, mas para vós outros, ministravam as coisas que agora vos foram anunciadas por aqueles que, pelo Espírito Santo enviado do céu, vos pregaram o evangelho, coisas essas que anjos anelam perscrutar". É assim que o evangelho deve ser pregado, disse Pedro: "Pelo Espírito Santo enviado do céu".

Minha citação final vem do último livro da Bíblia, o livro de Apocalipse. É uma declaração de João a respeito de si mesmo, no primeiro capítulo, no versículo 10: "Achei-me no espírito, no dia do Senhor, e ouvi, por detrás de mim, grande voz". Como interpretamos essas palavras? Significam que João, por ser um crente, estava sempre "no Espírito"? Se isto é verdade, por que ele se deu o trabalho de afirmá-lo? É evidente que esse não era seu estado e condição normal; era algo bastante excepcional. Ele disse: "Eu estava na ilha de Patmos, no dia do Senhor, quando, de repente, me achei *no Espírito*". Foi uma visitação do Espírito de Deus. E, como resultado dessa visitação, ele recebeu sua grandiosa visão, as mensagens enviadas às igrejas e a sua compreensão do curso futuro da história.

Esta é a evidência e o testemunho claro e inequívoco das Escrituras no tocante à pregação. Mas é possível que a sua posição seja: "Sim, aceito essa verdade e não tenho qualquer dificuldade a esse respeito. Mas tudo isso terminou juntamente na era apostólica e, portanto, nada tem a ver comigo". Minha resposta é que as Escrituras tencionavam ser aplicadas a nós hoje, porque, se confinarmos todas essas bênçãos à era apostólica, deixaremos muito pouco para a nossa época. De qualquer modo, como podemos decidir o que tencionava ser aplicado somente àquela geração e o que se aplica a nós? Que critério usamos para determinar isso? Quais seriam os critérios desse discernimento? Minha opinião é que tudo isso não passa de preconceitos. As Escrituras foram escritas para nós, em sua inteireza. No Novo Testamento encontramos um quadro sobre a igreja; e esse quadro é relevante para a igreja em todos os séculos e em todas as épocas.

Graças a Deus, a história da igreja comprova a exatidão de nosso argumento. A evidência a seu favor é abundante. A longa história da igreja demonstra, reiteradamente, que aquilo que se acha no Novo Testamento sempre caracterizou a igreja, em períodos de avivamento e reforma. Por isso tenho dito que, depois da leitura da própria Bíblia, a leitura da história dos avivamentos é uma das práticas mais encorajadoras que um crente pode seguir.

Consideremos a situação com que nos deparamos em nossos dias. Consideremos a obra da igreja, o estado do mundo, a mentalidade moderna. Se não crermos no poder do Espírito e não conhecermos algo desse poder, enfrentaremos uma tarefa frustrante. Por certo, eu não poderia continuar nem mais um dia nesta obra. Se eu sentisse que tudo dependia exclusivamente de nós, de nossa erudição, nossa sabedoria e nossas organizações, então, entre todos os homens, eu seria o mais desgraçado e desamparado. A situação seria totalmente desesperadora. Todavia, este não é o caso. Aquilo que lemos nas páginas do Novo Testamento também é possível e franqueado a nós, hoje. Esta é a nossa única esperança. Mas temos de compreender isto. Se não o compreendemos, passamos o nosso tempo em "superficialidades e misérias"; e não realizaremos nada.

Qual é a evidência da história? Bem poderíamos começar pela Reforma Protestante. Quanto à esta época, há ampla evidência de poderosas operações do Espírito. Houve aquela grandiosa experiência, descrita pelo próprio Lutero, em que toda a sala pareceu encher-se de uma luz. Esta é, sem dúvida, a chave para entendermos sua extraordinária pregação. Ficamos tão interessados no teólogo Lutero, que tendemos por esquecer o pregador Lutero. Ele foi poderoso pregador. A mesma coisa pode ser dita a respeito de João Calvino.

Na Inglaterra, houve dois homens que se tornaram notáveis neste aspecto. Um deles foi Hugh Latimer, cuja pregação, na igreja da Cruz de São Paulo, em Londres, era obviamente acompanhada por profunda unção e grande poder do Espírito Santo. Uma vez mais, isto é algo que costumamos esquecer. Com alguma razão nos interessamos pela grande agitação teológica que ocorreu na época da Reforma Protestante. No entanto, jamais esqueçamos que aquele também foi um movimento popular. Não foi um movimento limitado aos eruditos e aos mestres; alcançara o povo, porque havia aqueles grandes pregadores, ungidos pelo Espírito.

Houve um homem chamado John Bradford que foi um grande pregador, neste sentido exato. Ele foi ele um dos primeiros mártires protestantes. Isso também acontecia em outros países, naquela época. Houve poderoso pregador na Escócia, no final do século XVI, chamado Robert Bruce. Publicaram recentemente um livrete que fala a respeito dele. Nesse livrete, pode-se ler o que aconteceu, em certa ocasião, quando ele se estava em uma conferência de ministros, em Edimburgo. Naqueles dias, as coisas andavam realmente adversas, infundindo grande desânimo. Os ministros conversavam e conferenciavam entre si, mas todos se sentiam bastante abatidos. Quanto mais conversavam, mais abatidos ficavam — e isso é comum em assembleias gerais e em outras conferências religiosas.

Robert Bruce tentou fazer os ministros orarem, e eles estavam realmente tentando orar. Mas era claro para Robert Bruce que eles estavam apenas "tentando orar"; não podiam considerar aquilo como verdadeiras orações. Portanto, ele foi "comovido no espírito", como ocorrera a Paulo em Atenas; e Bruce disse que haveria de "empurrar" o Espírito Santo para dentro deles. Assim, começou a bater na mesa com os punhos e conseguiu com isso algum resultado. Pois a partir disso realmente começaram a orar "no Espírito", tendo sido elevados daquele estado de abatimento às maiores alturas, recebendo profunda convicção, da parte de Deus, de que Ele continuava com eles e de que "nunca os deixaria, nem os abandonaria". E regressaram à sua obra revigorados, com uma nova esperança e uma nova confiança.

Mas chegamos àquela que, de muitos modos, é a minha ilustração favorita. Diz respeito a John Livingstone, que viveu no começo do século XVII, na Escócia. John Livingstone também era um homem muito capaz, conforme a maioria daqueles homens. Aqueles primeiros ministros reformados da Escócia formaram uma sucessão de homens tremendos, do ponto de vista da capacidade, da erudição e do conhecimento. No entanto, aquilo que os caracterizava acima de tudo era seu conhecimento e experiência desse poder e unção espiritual.

John Livingstone, conforme disse, era excelente erudito e um grande pregador. Teve de fugir para a Irlanda do Norte, por causa da perseguição. E, enquanto estava ali, teve algumas experiências com certo avivamento. Mas seu dia glorioso ocorreu em 1630. Houve um período de comunhão em um lugar chamado Kirk O'Shotts, logo no início da estrada entre Glasgow e Edimburgo. Esses períodos de comunhão duravam vários dias e se caracterizavam por muitas pregações ministradas por diversos pregadores visitantes. Naquela ocasião, todos tinham sentido, desde o começo até ao domingo à noite, que havia algo extraordinário. Assim, os irmãos resolveram realizar uma reunião adicional de pregação na segunda-feira; e pediram a John Livingstone que pregasse. Ora, Livingstone era muito modesto, humilde e piedoso; por isso, sentia-se receoso da grande responsabilidade de pregar naquela ocasião tão solene. Portanto, passou a maior parte daquela noite lutando em oração. Saiu ao campo e continuou a orar. Muitas outras pessoas também estavam orando. Mas ele mesmo se achava em profunda agonia de alma e não encontrou paz senão nas primeiras horas da manhã de segunda-feira, quando Deus lhe outorgou uma mensagem, ao mesmo tempo que lhe infundia a certeza de que a sua pregação seria acompanhada por grande poder.

Assim, John Livingstone pregou naquela famosa manhã de segunda-feira. E, como resultado daquele único sermão, quinhentas pessoas foram acrescentadas às igrejas daquela localidade. Foi um dia tremendo, uma experiência avassaladora do derramamento do Espírito de Deus sobre uma congregação reunida. O restante da história de sua vida mostrou-se igualmente significativo e importante. John Livingstone viveu muitos anos depois daquilo, mas não teve outra experiência como aquela. Ele sempre a recordava e anelava por ela; contudo, ela nunca mais se repetiu.

Experiências espirituais semelhantes são descritas na vida de pregadores americanos. Obtive grande benefício, alguns anos atrás, lendo o diário de Cotton Mather, autor de *Magnalia Christi Americana*. Aqueles diários, com sua história do cristianismo evangélico na América, contêm muitas ilustrações do poder do Espírito Santo. Conforme o que tenho dito, nada é mais importante, para a pregação, do que a leitura da história da igreja e de biografias de grandes santos. No próprio diário de Cotton Mather existem descrições marcantes dessas "visitações", como ele as chamava, do Espírito de Deus e do efeito que elas tinham sobre a pregação dele.

Devo ressaltar que Cotton Mather foi homem de grande capacidade, um grande erudito, e não um pregador ignorante, crédulo e inspirador. Todos aqueles homens da família Mather foram homens capazes; ele também tinha nas veias a influência da família Cotton, que era ainda mais capaz. Era neto de John Cotton, talvez o mais erudito dos primeiros pregadores americanos, e de Richard Mather. Nenhum homem poderia ter melhor "cartão de apresentação" ou melhor ascendência do ponto de vista do intelecto e das habilidades. No entanto, nada é mais admirável nesse homem do que a sua percepção de que não podia fazer nada sem a unção e poder do Espírito Santo, bem como o seu senso de total dependência dEle.

"Certamente, me faltará o tempo", conforme disse o autor da Epístola aos Hebreus, para falar sobre Jonathan Edwards e David Brainerd. As biografias antigas e recentes desses homens deveriam ser leitura obrigatória para todos os pregadores. Além desses, houve Gilbert Tennant e outros membros daquela notável família. Gilbert Tennant foi usado por algum tempo como uma espada reluzente; mas o poder pareceu abandoná-lo, e, no restante de seu ministério, na Filadélfia, ele foi um pregador comparativamente comum.

Uma vez mais, podemos nos referir à história de George Whitefield e dos irmãos Wesleys. John Wesley foi um homem importante em todo este argumento por diversos motivos. Um deles, e o mais importante em vários aspectos, é que se já houve um homem tipicamente erudito, esse homem foi John Wesley. Também foi um inglês típico; isso significa que ele não era emocional por natureza. Os ingleses, somos informados, são impassíveis e não ficam emocionalmente excitados; não se deixam comover, nem se mostram instáveis como as raças celtas e latinas — embora isso não pareça ser verdade quando estão em um campo de futebol!

Ora, John Wesley era o mais típico inglês que se possa conceber: pedante, preciso e exato. A sua educação foi extremamente restrita, severa e disciplinada. Após excelente carreira acadêmica, ele se tornou membro do corpo docente de uma faculdade em Oxford. Ele se mostrava preciso em sua exegese, exato em suas declarações, nas quais cada palavra ocupava sua posição correta; e, acima de tudo, era homem muito devoto e religioso. Dedicava o seu tempo vago a visitar os prisioneiros, nos cárceres; até chegou a acompanhar alguns deles ao local de sua execução. Costumava contribuir de seu bolso para alimentar os pobres. Mas tudo isso não o satisfazia; desistiu de sua posição em Oxford e cruzou o Atlântico, a fim de pregar o evangelho, no Estado da Geórgia, a pobres escravos e a outras pessoas. Entretanto, ele provou ser inteiramente inútil, um fracasso total e acabou chagando à conclusão de que precisava do evangelho, assim como os pobres escravos da Geórgia. E realmente precisava. Não havia poder no seu ministério. Além disso, ele não tinha pensamentos claros sobre o caminho da salvação; e isso lhe foi mostrado em meio a uma tempestade no Atlântico, ao observar a diferença entre ele mesmo e alguns irmãos morávios, quando todos estavam face a face com a morte. Assim, Wesley retornou à Inglaterra.

Chegado à Inglaterra, teve suas ideias corrigidas a respeito da doutrina da justificação somente pela fé. Em março de 1738, chegou a perceber com clareza essa verdade, mas continuou sendo um fracasso como pregador; e, de fato, começou a sentir que não podia pregar. Disse a Peter Bohier, um irmão morávio que o ajudara a entender a doutrina da justificação pela fé: "Vejo-a nitidamente com a cabeça, mas não a sinto; seria melhor eu parar de pregar, até que a sentisse". "Não", replicou Peter Bohier naquela sua resposta imortal, "não pare de pregá-la, mas continue a pregá-la, até que possa senti-la". Você deve lembrar o que aconteceu. No dia 24 de maio de 1738, John Wesley passou por aquela experiência culminante. Em uma pequena reunião, na Rua Aldersgate, em Londres, certo número de pessoas se reuniram para estudar as Escrituras e se edificarem mutuamente na fé. Naquela noite em particular, um homem foi designado para ler o prefácio do Comentário de Lutero sobre a Epístola aos Romanos — não o comentário, somente o prefácio. E aquele homem começou a ler o prefácio do Comentário de Lutero sobre a Epístola aos Romanos. Enquanto aquele homem lia, conforme declarou Wesley, o seu coração ficou "estranhamente aquecido" e, de repente, sentiu que Deus havia perdoado o seu pecado — os seus próprios pecados. Quando sentiu aquele calor, algo começou a derreter-se dentro dele; e foi a partir dali que começou a pregar com um novo poder, sendo grandemente usado por Deus.

Ora, tudo isso apenas confirma o que encontramos nas Escrituras. Um homem pode ter conhecimento e ser meticuloso na preparação de seus sermões, mas, sem a unção do Espírito Santo, não terá qualquer poder, e a sua pregação não será eficaz.

Whitefield conta-nos que, durante o culto de sua ordenação, teve consciência do poder que descia sobre ele. Whitefield o sabia. Ficou arrebatado pelo senso de poder. Logo no primeiro domingo após sua consagração, pregou em Gloucester, sua cidade natal, e foi um culto maravilhoso. Foi tão admirável que as pessoas escreveram ao bispo — o bispo Benson — queixando-se de Whitefield e dizendo que, como consequência de sua pregação, quinze pessoas haviam enlouquecido. O bispo era um homem sábio e amável. Assim, a sua resposta foi que desejava que todos os membros do clero produzissem algum efeito sobre as pessoas, pois a maioria deles não os produzia. E agora se alegrava por ouvir falar de um homem que causava algum efeito. Naturalmente, aquelas pessoas não tinham ficado insanas. O que ocorrera é que tinham ficado sob aterrorizante e poderosa convicção de pecado. Mas as pessoas daquela época, à semelhança de muitos médicos e outros profissionais da atualidade, estavam sempre muito inclinadas por fazer o diagnóstico de "mania religiosa". No entanto, o que havia acontecido era que aquelas pessoas ficaram sob tremenda convicção de pecado, por obra do Espírito Santo de Deus. Os diários de Whitefield, bem como as diversas biografias escritas a seu respeito, contêm extensas narrativas a respeito de sua consciência da descida do Espírito de Deus sobre ele quando pregava, bem como em outras oportunidades.

No País de Gales, minha terra natal, houve dois homens notáveis no século XVIII, Howel Harris e Daniel Rowland. Suas vidas são eloquentes neste aspecto. Howel Harris era um jovem professor. Foi convencido do pecado na época da Páscoa, em 1735, e sentiu grande perturbação de alma até ao domingo de Pentecostes, quando lhe foi dada a certeza de que seus pecados haviam sido perdoados, e ele começou a regozijar-se nesse fato. No entanto, três semanas depois, quando estava assentado na torre de uma igreja, lendo as Escrituras, orando e meditando, conforme ele disse, "Deus começou a derramar o seu Espírito sobre mim". Ele descreve que isso ocorreu em "onda após onda", até que ele não podia suportá-lo fisicamente. E conta que ficou cheio do amor de Deus, derramado em seu coração. Ora, foi a partir daquele instante que Harris começou a sentir o impulso de evangelizar seus vizinhos pagãos. A princípio, ele costumava visitar os enfermos e ler bons livros para eles. Não proferia uma única palavra dele mesmo, tão-somente lia os livros para os enfermos. Todavia, a unção e o poder que acompanhavam essas leituras eram tais, que as pessoas começaram a ficar convictas de pecado e a se converter. Isso prosseguiu por certo tempo. Sentia-se tão indigno, que se achava inepto para ser um pregador; por isso, embora se sentisse um pouco desonesto com o que fazia, continuou na sua prática de ler bons livros. Mantendo ainda os olhos fixos no livro, começou a fazer observações pessoais, à medida que os pensamentos lhe ocorriam. Continuou agindo assim por algum tempo. Eventualmente, porém, começou a exortar com franqueza as pessoas, e grandes multidões se reuniam para ouvi-lo. Em certo sentido, esse homem foi o pioneiro de um movimento que abalou o país inteiro e trouxe à existência aquela denominação conhecida por Igreja Metodista Calvinista do País de Gales ou a Igreja Presbiteriana do País de Gales, dos nossos próprios dias. Foi assim que aconteceu; foi resultado direto desta unção especial do Espírito Santo. Às vezes, Harris perdia a unção, e isso o entristecia; mas a unção retornava. Assim ele continuou, até que faleceu em 1773. A mesma coisa estava acontecendo com muitos de seus contemporâneos, em especial o grande Daniel Rowland, cujos diários foram perdidos, infelizmente.

A mesma coisa pode ser encontrada na biografia, escrita por Andrew Bonar, do grande pregador W. H. Nettleton, a quem já me referi antes.

Em outras palavras, podemos encontrar esta mesma experiência em diferentes tipos de homens. A maioria dos homens que mencionei até agora eram dotados de grandes habilidades. Além disso, podemos considerar um homem como D. L. Moody, que não era muito preparado, mas que, apesar disso, foi grandemente usado por Deus. E isso ocorreu como resultado direto de uma experiência que teve quando caminhava pela Wall Street, na cidade de Nova Iorque, certa tarde. Moody já havia sido um pastor bem-sucedido de uma igreja em Chicago. Sem dúvida, ele realizava um bom trabalho; mas isso perde a significância, quando o comparamos com o que ele foi capacitado a fazer mais tarde.

No entanto, seja-me permitido apresentar uma ilustração final. Houve um grande avivamento nos Estados Unidos em 1857, que se propagou à Irlanda do Norte, em 1858, e ao País de Gales, em 1859. De modo geral, os avivamentos têm ocorrido simultaneamente em certo número de países. Isso também foi verdade nos séculos XVIII e XIX; e, em si mesmo, é um fato muito interessante.

Todavia, estou pensando no homem que foi mais intensamente usado por Deus, no País de Gales, naquele avivamento. O nome desse homem era David Morgan; e quero enfocar, acima de tudo, um aspecto de sua admirável história. Naquela época, vivia nos Estados Unidos um homem chamado Humphrey Jones, do País de Gales. Esse homem sentiu a poderosa influência do avivamento e, entrando no gozo desta nova vida e estando cheio da alegria e do regozijo do Espírito, disse consigo mesmo: "Como gostaria que o meu povo, na minha pátria, experimentasse isto". Isto se lhe tornou uma imposição tal, que ele regressou ao

País de Gales. Tendo chegado, simplesmente começou a narrar ao povo de seu condado o que vira e experimentara. Ele saía ao redor e falava nos templos; os ministros e o povo em geral lhes davam ouvidos. David Morgan ouvira, diversas vezes, a pregação de Humphrey Jones e foi-se interessando gradualmente, anelando por um avivamento. Uma noite, quando Humphrey Jones falava com excepcional poder, David Morgan sentiu-se profundamente afetado. E disse mais tarde: "Fui para o leito, naquela noite, como o simples David Morgan que eu sempre fora. Mas despertei na manhã seguinte sentindo-me como um leão, sentindo que fora cheio do poder do Espírito Santo".

Ora, nessa altura dos acontecimentos, ele já estava no ministério há alguns anos. Ele sempre fora um bom homem, sem nada extraordinário — de fato, era apenas um pregador comum. Nada acontecia como resultado de sua pregação. Mas, naquela manhã, ele se levantou como se fora um leão e começou a pregar com tal poder, que as pessoas ficavam convencidas de pecado e se convertiam em grandes números, com intenso regozijo. E inúmeras pessoas foram acrescentadas às igrejas locais. Isso continuou pelo período de dois anos; onde quer que ele fosse, seguiam-se tremendos resultados.

Entre as muitas narrativas de conversões ocorridas sob o ministério de Morgan, nenhuma delas foi tão notável como a de T. C. Edwards, autor do famoso comentário sobre a Primeira Epístola aos Coríntios, que ainda pode ser encontrado nas estantes dos sebos. Thomas Charles Edwards era, indubitavelmente, um gênio. Seu pai, Lewis Edwards, era o diretor da primeira Faculdade Teológica da Igreja Metodista Calvinista do País de Gales, e sua mãe era neta do famoso Thomas Charles, que fora responsável pela fundação da Sociedade Bíblica Britânica e Estrangeira. T. C. Edwards, naquela época era apenas um estudante; estava em casa, gozando as férias, quando ouviu falar que David Morgan e outro pregador viriam à sua cidade natal. Resolveu ir ouvi-los. Posteriormente, ele descreveu como chegou àquela reunião com a sua mente repleta de questões e perplexidades filosóficas. Sua fé havia sido abalada pela leitura de obras filosóficas, e ele se sentia atribulado. Não sabia dizer exatamente qual era sua situação e confessou que foi ouvir a pregação naquele estado por motivo de curiosidade, para ver e ouvir o que aqueles dois simples pregadores teriam a dizer. Lera muita coisa a respeito do entusiasmo e da emoção vinculados ao avivamento e os desaprovava com todo o coração.

No entanto, eis o que aconteceu. Ele tinha um lenço de seda vermelho em seu bolso, de acordo com o hábito dos jovens naqueles tempos; e tudo que ele soube foi que, terminada a reunião, o lenço de seda vermelho jazia em pedaços no assoalho debaixo do banco onde ele se sentara, na galeria. Não tinha memória alguma de haver feito tal coisa, mas o fato é que sua vida inteira foi transformada, suas dúvidas filosóficas tinham-se dissipado, todas as suas incertezas se haviam desvanecido como a névoa da manhã, e aquele grande erudito fora cheio do poder do Espírito Santo, tornando-se ele um pregador notável. Ele se tornou o primeiro diretor do University College, em Aberystwyth, e eventualmente substituiu seu pai como Presidente da Faculdade Teológica. Sir William Robertson Nicol, o primeiro editor de um famoso semanário religioso conhecido como *The British Weekly*, um juiz perspicaz de homens e pregadores, declarou que, dentre todos os grandes pregadores que conhecera, T. C. Edwards era o único a quem podia conceber como fundador de uma nova denominação — tal era o seu poder dinâmico.

Esse foi o tipo de ministério exercido por David Morgan durante cerca de dois anos. E qual o final de sua história? Anos mais tarde, ele testificou: "Certa noite, fui para cama ainda me sentindo como um leão, repleto daquele estranho poder que eu desfrutara por dois anos. Acordei na manhã seguinte e descobri que, uma vez mais, era apenas David Morgan". Ele viveu mais quinze anos, durante os quais exerceu um pastorado comum.

O poder viera, e o poder foi retirado. Assim é o senhorio do Espírito! Não podemos exigir esta bênção; não podemos exercer controle sobre ela. Do princípio ao fim, é um dom de Deus. Os exemplos que ofereci, extraídos das Escrituras, comprovam isso. "Pedro, cheio do Espírito Santo." O Espírito o encheu naquela oportunidade. Fez o mesmo a David Morgan e, em sua inescrutável sabedoria e soberania, o retirou. Ele retirou sua bênção especial. Os avivamentos não têm o propósito de ser permanentes. Ao mesmo tempo, mantenho que todos nós, pregadores, devemos buscar esse poder cada vez que pregamos.

Como podemos reconhecê-lo, quando ela acontece? Deixe-me tentar responder. A primeira indicação se acha na própria conscientização do pregador. "Porque o nosso evangelho não chegou até vós tão-somente em palavra", disse Paulo, "mas, sobretudo, em poder, no Espírito Santo e em plena convicção". Quem experimentou essa plena convicção? Foi o próprio Paulo. Ele sabia que algo estava acontecendo e tinha consciência disso. Ninguém pode ser cheio do Espírito Santo e não saber o que está acontecendo. Paulo tinha "plena convicção". Sabia que estava revestido de poder e autoridade. Como alguém pode saber disso? O enchimento do Espírito dá clareza de pensamento, clareza de expressão, facilidade de expressão, um profundo senso de autoridade e confiança na pregação, além da certeza de um poder não de você mesmo, um poder que se manifesta por todo o nosso ser, e um senso indescritível de alegria. Tornamo-nos homens "possessos", dominados, controlados. Gosto de colocar a coisa nestes termos (e desconheço outra coisa que se compare a este sentimento): quando isto acontece, sentimos que não estamos realmente pregando, mas estamos contemplando a cena. É como se estivéssemos contemplando a nós mesmos, admirados, enquanto isto está acontecendo. Não é nosso próprio esforço; somos um mero instrumento, um canal, um veículo. O Espírito nos usa e contemplamos tudo com grande júbilo e admiração. Nada existe que seja, de algum modo, comparável a isso. E o próprio pregador tem consciência disso.

E o que acontece com os ouvintes? Eles o sentem imediatamente; podem notar logo a diferença. Sentem-se arrebatados, tornam-se sérios, são convencidos de pecado, ficam comovidos e são humilhados. Alguns são convencidos de pecado, ao passo que outros são sobremodo enlevados, e qualquer coisa pode ocorrer a qualquer deles. Percebem logo que algo bastante incomum e excepcional está acontecendo. Em resultado, começam a deleitar-se nas realidades de Deus e querem receber mais e mais instrução. Tornam-se semelhantes àquelas pessoas descritas em Atos dos Apóstolos, pois desejam perseverar "na doutrina dos apóstolos e na comunhão, no partir do pão e nas orações".

Então, o que devemos fazer a respeito disto? Só existe uma conclusão óbvia. Busque-O! Busque-O! Que poderíamos fazer sem Ele? Busque-O! Busque-O sempre! Mas, além de buscá-Lo, espere-O. Você espera que aconteça algo, quando se levanta para pregar em um púlpito? Ou simplesmente diz para si mesmo: "Bem, preparei o meu sermão e vou apresentá-lo; alguns dos ouvintes o apreciarão, outros não"? Você está esperando que o sermão se torne algo crucial e transformador na vida de alguém? Está esperando que algum dos ouvintes tenha uma experiência culminante? Esse é o alvo da pregação. Isso é o que podemos encontrar na Bíblia e na história da igreja. Busque este poder, espere a manifestação deste poder, anele por este poder; e, quando ele vier, submeta-se a Ele. Não lhe ofereça resistência. Esqueça-se completamente do seu sermão, se necessário. Permita-Lhe liberar você, permita-Lhe manifestar o seu poder em você e através de você. Tenho a certeza, conforme já disse várias vezes, que nada terá qualquer valor, exceto o retorno desse poder do Espírito em nossa pregação. Este poder produz a verdadeira pregação, que é a maior necessidade de todos nós hoje — mais do que nunca. Nada pode substituir este poder. Contudo, uma vez outorgado, teremos um povo que anelará e será disposto a ser ensinado, instruído e guiado mais ampla e profundamente à verdade, que está "em Cristo Jesus". Esta "unção" é o fator supremo. Busque-a, até que a possua. Não se contente com nada menos do que isso. E prossiga até que possa dizer: "A minha palavra e a minha pregação não consistiram em linguagem persuasiva de sabedoria, mas em demonstração do Espírito e de poder". Ele ainda é capaz de fazer "infinitamente mais do que tudo quanto pedimos ou pensamos".

FIEL
MINISTÉRIO

O Ministério Fiel visa apoiar a igreja de Deus de fala portuguesa, fornecendo conteúdo bíblico, como literatura, conferências, cursos teológicos e recursos digitais.

Por meio do ministério Apoie um Pastor (MAP), a Fiel auxilia na capacitação de pastores e líderes com recursos, treinamento e acompanhamento que possibilitam o aprofundamento teológico e o desenvolvimento ministerial prático.

Acesse e encontre em nosso site nossas ações ministeriais, centenas de recursos gratuitos como vídeos de pregações e conferências, e-books, audiolivros e artigos.

Visite nosso site
www.ministeriofiel.com.br

Impressão e Acabamento | Gráfica Viena
Todo papel desta obra possui certificação FSC® do fabricante.
Produzido conforme melhores práticas de gestão ambiental (ISO 14001)
www.graficaviena.com.br